# Noah

# Noah

## Frank en Anja De Schepper

Manteau

© 2015 Uitgeverij Manteau / WPG Uitgevers België nv, Mechelsesteenweg 203,
B-2018 Antwerpen

Vertegenwoordiging in Nederland
WPG Media
Wibautstraat 133, 1097 DN Amsterdam
Postbus 1050, 1000 BB Amsterdam

Omslagontwerp: Steven Theunis, Armée de Verre
Foto omslag: Frank en Anja De Schepper
Vormgeving binnenwerk: Klaartje De Buck, Letterwerf
Foto's binnenwerk: Jonas Lampens (p. 55, 195-200),
Tom Palmaers (p. 131, 189, 193)
Foto achterplat: Kristof Ghyselinck

p. 102 - Marco Borsato - 'Verlies'
   © John Ewbank, 2013, Universal Music B.V., The Netherlands
p. 165 - Clouseau - 'Afscheid van een vriend'
   © Muziek: Bob Savenberg, Tekst: Koen Wauters, EMI, 1992
p. 191 - Diane Jacobs - 'De Lindemannen en de kleine piraat'
   © Muziek: Pierre Duelen en Diane Jacobs, Tekst: Diane Jacobs, 2014

Eerste druk februari 2015
Tweede druk maart 2015

ISBN 978 90 223 3124 8
D/2015/0034/18
NUR 740

# Inhoud

# *Voorwoord*

Dit boek schreven we om ons verdriet te verwerken. Tegelijk hopen we op deze manier mensen te overtuigen van het belang van orgaandonatie voor jong en oud, zodat ons zoontje niet voor niets is gestorven. Had hij sneller een ruilhartje gekregen, dan had hij nu immers waarschijnlijk nog geleefd.

Het verlies van Noah valt ons verschrikkelijk zwaar. Een kind verliezen is het ergste wat je als ouder kan overkomen. We zouden graag opnieuw een kindje krijgen, maar als we voor de geboorte weten dat het hartproblemen heeft, willen we deze lijdensweg niet meer doormaken.

Noah was een opgewekte jongen. Ondanks zijn vele en langdurige ziekenhuisverblijven en de zware operaties die hij onderging, bleef hij altijd vrolijk. Hij genoot elke dag van het leven en vond het heerlijk nieuwe dingen te kunnen ontdekken. Zijn favoriete bezigheid was zich verkleden, en dan het liefst als piraat. Voor hem was het iedere dag carnaval. Zijn mooie glimlach gaf iedereen kracht. Niemand kon hem weerstaan, en we konden eigenlijk nooit echt boos op hem zijn. Met andere kinderen maakte hij nooit ruzie en speelde hij altijd mooi samen.

Dat alles maakte hem zo bijzonder. De vreugde die hij ons heeft gegeven, zullen we nooit vergeten. Hij gaf ons iedere dag de kracht om samen sterk te blijven.

Noah, onze kleine piraat, heeft zich dapper gehouden. Helaas heeft hij de strijd verloren op 21 augustus 2014 op de intensieve afdeling voor kinderhartpatiënten in het ziekenhuis van het Duitse Giessen.

# Dankwoord voor Anja

Lieve schat,

De dag dat ik je leerde kennen, is mijn leven veranderd. Ik was vanaf het eerste moment verliefd op jou. Je maakte van mij een andere man. Toen je me belde met het nieuws dat je zwanger was, was ik de gelukkigste man ter wereld.

Op 1 juli 2009 vernamen we dat ons kindje ziek was. Ik was aangeslagen door het slechte nieuws, maar jij gaf me moed. Je was ervan overtuigd dat alles goed zou komen, en we kozen ervoor om deze zware strijd aan te gaan. Ook toen ons zoontje Noah was geboren, bleef je altijd even positief.

Je gaf Noah en mij de kracht om vol te houden, en vergat daarbij soms jezelf . Noah had een moeder op wie hij fier mocht zijn. Je was de hele tijd bij hem in het ziekenhuis, maar nooit hoorde ik je klagen. Je gebruikte al je kracht om voor ons zoontje te zorgen. Soms vroeg ik me af waar je de energie vandaan bleef halen. En ook al hadden we weinig vrije tijd samen, je bleef altijd even vriendelijk en optimistisch.

Je bleef steeds rustig en hebt alles gedaan wat mogelijk was voor Noah en mij. De tijd die we doorbrachten in ziekenhuizen heeft ons sterk gemaakt. Deze mooie herinneringen kan niemand ons nog afnemen.

Lieve schat, ik ben je dankbaar voor alles en hoop nog vele jaren samen met jou door het leven te mogen gaan.

# Het begin

Mijn naam is Frank De Schepper. Na mijn echtscheiding en het verlies van mijn beide ouders maakte ik een zware tijd door. Mijn geluk was dat ik Anja leerde kennen. Zij was een Vlaamse die in Keulen woonde en werkte. Ik ontmoette haar toen ik herstellingswerken uitvoerde in de woning van haar ouders en was op slag verliefd.

Het klikte goed tussen ons en ik bracht steeds meer tijd bij haar door in Keulen. Stilaan begonnen we te dromen van een eigen nestje in België. Na een tijdje hakten we de knoop door en huurden een bescheiden woning in Homburg. Het was een kleine hoeve midden in de natuur, omringd door weiden en bos. De koeien kwamen er tot bij de omheining rond onze tuin.

Op 4 juni 2009 vernamen we dat Anja zwanger was. De zwangerschap was niet gepland, maar we waren er erg blij mee. We voelden ons goed samen en wilden heel graag een gezin stichten.

We hielden van onze hoeve tussen de Homburgse weiden en bossen, maar toen ik in Gemmenich het huis te koop zag staan dat ik altijd al had willen hebben, aarzelde ik niet. Zonder Anja iets te vertellen maakte ik een afspraak

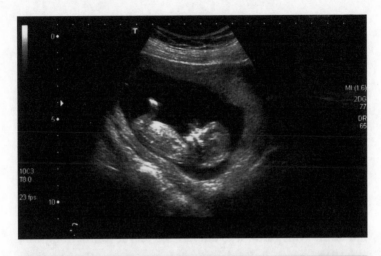

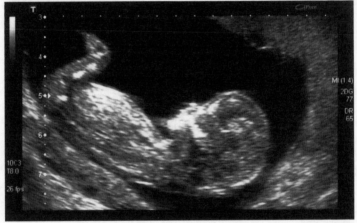

om het te gaan bekijken. Voor mij was het meteen duidelijk: hier zouden we erg gelukkig worden met ons gezinnetje. Toen vertelde ik Anja over het huisje en stelde haar voor om samen te gaan kijken. Ook zij was in de wolken, dus we gingen ervoor. Het verkoopcontract werd ondertekend, en toen we de sleutel hadden, begonnen we aan de verbouwingswerkzaamheden.

# Een eerste wolkje aan de hemel

Toen ik op 1 juli 2009 op weg was naar mijn werk, was ik in een opperbest humeur. Het was immers mijn verjaardag én we zouden een kindje krijgen. Maar toen kreeg ik telefoon van Anja. Ik hoorde onmiddellijk dat er iets niet in orde was. Ze vertelde me huilend dat ze bij het gynaecologisch onderzoek slecht nieuws had gekregen. De nekplooi van ons kindje was verdikt, wat betekende dat het wellicht ter wereld zou komen met een afwijking. Dat kon het syndroom van Down zijn of een hartprobleem. De gynaecoloog adviseerde ons naar een specialist te gaan voor verder onderzoek. Toen ik thuiskwam, waren we allebei erg stilletjes. Maar we vonden troost bij elkaar en spraken elkaar moed in. Alles zou goed komen.

Een week later hadden we een afspraak bij een specialist prenatale diagnostiek in Aken. Hij nam veel tijd om alles goed in beeld te krijgen, maar uiteindelijk had ook hij geen goed nieuws. Er was wellicht iets mis met het hartje of de nieren. Maar omdat ons kindje nog zo klein was, viel nog niet met zekerheid te zeggen hoe groot de kans was op een afwijking. Pas een maand later zou hij daar een betere kijk op hebben. De dokter had ook een vruchtwaterpunctie gedaan om na te gaan of er chromosomale afwijkingen waren, zoals downsyndroom. Kinderen met downsyndroom hebben immers vaak hartafwijkingen en andere problemen. Maar gelukkig vernamen we enkele dagen later dat alles op dat gebied in orde was.

Begin augustus moesten we weer naar de specialist voor een nieuw onderzoek. Toen kon hij wel duidelijk zien hoe de foetus ervoor stond. En dat was niet goed. Hij vertelde ons dat ons kindje leed aan 'pulmonalisatresie met een ventrikelseptumdefect'. Aan dit medisch taalgebruik waren we niet gewend, en we begrepen dan ook niet wat de dokter bedoelde. Daarop legde hij ons uit dat een van de twee hartkleppen vastzat, waardoor het bloed niet naar de longen kon stromen. Bovendien zat er een gaatje in de wand tussen de twee hartkamers. In Anja's buik zou de baby er geen last van hebben, maar na zijn geboorte zou hij direct geopereerd moeten worden. Het nieuws kwam hard aan bij ons. Waarom moest ons kindje ziek zijn en een onzekere toekomst tegemoet gaan? Het was zo oneerlijk.

Omdat de dokter graag een tweede mening wilde, gingen we naar een tweede specialist in Keulen. Daar kregen we hetzelfde verdict te horen. We zouden moeten beslissen of we de zwangerschap wilden voortzetten. Toen we de dokter vroegen of ons kindje een goede kans maakte om te overleven en een mooi leven te leiden, verzekerde hij ons dat dit het geval was. Als hij in onze plaats was, zou hij ervoor gaan. We hoefden niet lang te overleggen. Anja was toen zestien weken zwanger en onze baby was al flink gegroeid.

We konden het niet over ons hart krijgen hem te laten weghalen. We besloten ons kindje een kans te geven.

Elke maand ging Anja op controle om er zeker van te zijn dat de baby zich goed ontwikkelde. En dat was het geval. Noah groeide goed, en op zijn hartje na deed hij het prima. Hij was toen al een vechtertje. Onze eerste arts had na de onderzoeken een andere specialist van het Klinikum Aken bij onze zwangerschap betrokken. Die was hoofd van de afdeling kindercardiologie en zou onze baby direct na de geboorte opereren. Hij zou ons ook zo goed mogelijk voorbereiden op de komst van ons kindje.

Tijdens de zwangerschap volgde ik samen met Anja prenatale lessen, ook al waren de dokters het er op dat moment nog niet over eens of onze baby wel op natuurlijke wijze geboren zou kunnen worden. Maar uiteindelijk besloten ze toch om hem niet met een keizersnede te halen, aangezien kindjes met een hartafwijking sterker zijn als ze op natuurlijke wijze geboren worden.

# En toen kwam jij

Noah was uitgerekend voor 21 januari, maar Anja wist al met Nieuwjaar dat hij niet zo lang zou wachten. Zijn opa had gehoopt dat hij op zijn verjaardag, 6 januari, ter wereld zou komen, maar ook zo lang wou Noah niet wachten.

Op 4 januari 2010, twee weken vroeger dan voorzien, kondigde Noah zijn komst aan. 's Morgens rond vier uur brak Anja's water. Ze maakte me voorzichtig wakker en zei dat het zover was. Ik was ineens hypernerveus, sprong uit bed en wilde direct vertrekken. Anja vond het best grappig hoe zenuwachtig ik in de weer was. Het had gesneeuwd en ik maakte onmiddellijk de auto klaar. Anja's koffertje ging erin, de verwarming aan. Ik was startklaar... maar Anja wou eerst nog op haar gemakje douchen. Een halfuurtje later zaten we eindelijk in de auto op weg naar het ziekenhuis in Aken.

Anja's water was wel gebroken, maar ze had nog geen weeën. Dus kreeg ze in het ziekenhuis medicijnen zodat deze op gang zouden komen. Het was een lange weg tot

Noahs geboorte. Pas kort na middernacht, op 5 januari, kwam hij ter wereld. Hij woog 2900 gram en was 50 centimeter groot. Hij was klein, maar we vonden hem perfect. Hij was ons kleine wonder.

Spijtig genoeg kregen we niet veel tijd om van ons geluk te genieten. Noah werd onmiddellijk meegenomen naar de intensieve afdeling. De dokters begonnen direct met een procedure om de aders open te houden. Alleen zo zou hij kunnen overleven. Omdat ze vermoedden dat er een vaatafsluiting was in de rechterlongslagader en een vernauwing aan de linkerzijde, zouden ze de dag erna een hartkatheterisatie uitvoeren, waarbij een contrastvloeistof zou worden ingespoten.

We hielden de familie telefonisch op de hoogte van alles wat er gebeurde. Geregeld gingen we samen naar de intensieve afdeling om te kijken hoe het met ons zoontje ging. Daar lag ons bolleke, vol draden en omringd door piepende toestellen en grafieken. We mochten niet te lang blijven. Anja was ook nog heel zwak door de bevalling, en dus gingen we terug naar haar kamer zodat ze wat kon rusten.

De volgende dagen waren erg zwaar. We wisten niet hoe het nu verder zou gaan. Ons zoontje ging van het ene onderzoek naar het andere. Alles was erg onduidelijk en de informatie die we kregen, was zeer verwarrend. Uiteindelijk kwamen de dokters tot een besluit. Ons zoontje zou geopereerd worden, maar de operatie die nodig was kon niet in Aken worden uitgevoerd. Noah moest worden overgebracht naar het ziekenhuis van Sankt Augustin, waar ze meer kennis en gespecialiseerde apparaten in huis hadden.

Op 8 januari 2010 werd Noah met de helikopter overgebracht naar Sankt Augustin. Anja en ik konden spijtig genoeg niet mee met de helikopter, en hoewel we allebei vermoeid waren, vertrokken we onmiddellijk met de wagen naar Sankt Augustin om bij ons zoontje te kunnen zijn.

Er begon een ander leven.

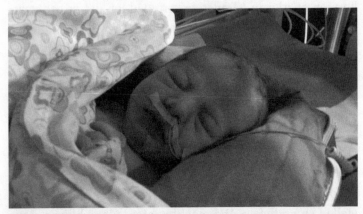

# De eerste in een ellenlange rij

Op 13 januari 2010 kreeg Noah zijn eerste grote operatie. De aorta werd verlegd en de twee gaatjes in zijn hartje werden gedicht door middel van een patch. Ook een vernauwing die ze bij een hartonderzoek hadden gezien, werd geopend.

We mochten Noahtje begeleiden naar de operatiezaal. Aan de deur namen we afscheid. Hoe de operatie zou verlopen, wisten we niet. Voor Anja was het allemaal erg zwaar. Eerst was er de uitputtende bevalling geweest, en dan nu deze stress. Maar ze hield zich sterk.

Ook Noah deed het goed. Hij doorstond de zware operatie, die uiteindelijk acht uur zou duren, goed. Dat dachten we althans.

De tweede dag na de operatie versnelde zijn hartslag dramatisch. Hij moest uiteindelijk zelfs gereanimeerd worden. Er had zich een klonter gevormd in een ader en hij moest met spoed opnieuw geopereerd worden. Daarbij werd de klonter verwijderd, en meteen ook een nieuwe vernauwing in de linkerlongslagader verwijd. Vervolgens werd gestart met heparinetherapie. Dat betekende dat Noah een antistollingsmiddel kreeg toegediend om nieuwe klonters geen kans te geven.

Doordat Noah kort na elkaar twee operaties had gehad, konden de dokters zijn borstkas niet direct sluiten. Alles moest eerst ontzwellen. Het voordeel van die situatie was wel dat als er nog iets zou gebeuren, de dokters Noah sneller konden reanimeren.

Drie dagen later kon Noahs borstkasje gesloten worden. Dit was echter niet van lange duur. Op 20 januari moest hij opnieuw geopereerd worden omdat er een grote bloedklonter op zijn hart drukte.

Het waren zenuwslopende dagen. Dat alles zo moeilijk zou worden na de geboorte hadden we niet kunnen denken. We konden niets voor Noah doen. We waren hulpeloos, machteloos. We konden alleen bij hem zijn. We wilden ons kindje zo graag in onze armen houden, maar dat kon niet omdat hij niet stabiel genoeg was.

Op 25 januari kon Noah eindelijk van de beademing gehaald worden. Maar nauwelijks twee dagen later ging zijn ademhaling alsmaar moeizamer. Die kortademigheid werd veroorzaakt door vocht dat in de holte tussen zijn longvliezen was terechtgekomen als gevolg van de hartoperaties. Om dit te verhelpen, moesten de dokters zowel links als rechts een drainage in Noahs longen aanleggen. Hij moest vanaf nu ook speciale voeding krijgen, aangezien hij de vetten uit de moedermelk niet kon verteren. Altijd weer waren er ups en downs, maar Noahtje wilde leven. Dat bewees hij steeds weer.

Die nacht werd ook Anja ziek. Ze had erg veel pijn en de dokters wilden haar in het ziekenhuis laten opnemen. Maar Anja weigerde, ze wilde haar zoontje niet alleen laten. Uiteindelijk bleek ze een nierbekkenontsteking te hebben, wat relatief gemakkelijk te verhelpen viel met antibiotica. Gewoon op de tanden bijten, dacht ze. Noah deed het ook!

Bij een nieuwe controle met contrastvloeistof bleek gelukkig dat de tromboses dankzij de heparine waren opgelost. Ook de drainages konden worden verwijderd.
Maar ons geluk was opnieuw van korte duur. Na enkele dagen kreeg Noah weer vocht in zijn longen, waardoor er opnieuw drainages gelegd moesten worden. Ook zijn ontstekingswaarden gingen omhoog. Er werd besloten met antibiotica te starten. Gelukkig deden die hun werk, zodat de drainages na een paar dagen alweer verwijderd konden worden.

Anja en ik kregen eindelijk wat meer hoop dat Noah het zou halen.

# Pril geluk

Vanaf dat moment ontwikkelde Noah zich heel goed. De dokters waren voor het eerst echt tevreden. En wij natuurlijk ook. De vochtafdrijvende medicijnen deden hun werk en door een speciale melk nam zijn gewicht langzamerhand toe. 54 dagen na de eerste operatie kregen we prachtnieuws: de dokters vertelden ons dat we ons kindje mee naar huis mochten nemen! Op 8 maart 2010 was de grote dag aangebroken. Noah kreeg nog heel veel medicatie en had nog een maagsonde, maar we konden naar huis vertrekken!
Vanaf nu mocht Anja ook opnieuw borstvoeding geven. Spijtig genoeg had ze door de stress niet veel melk meer, maar toch wou ze elke druppel die ze had aan ons zoontje geven.

Het was zo fijn om als een normaal gezinnetje thuis te zijn. We moesten nog wel elke week op controle met Noah, maar dat vonden we niet erg. De controles vormden tenslotte ook elke week een geruststelling dat alles de goede kant uitging. Noah ging vooruit. Zijn gewichtstoename kon beter, maar we waren blij met alle kleine beetjes. Hij moest wel elke week een nieuwe sonde laten inbrengen. Dat vond hij echt niet leuk, maar hij was nog te zwak om zelfstandig te drinken.

Anja moest hem om het anderhalf uur sondevoeding geven. Het was heel vermoeiend voor ons beiden, maar we hadden er alles voor over zodat Noahtje beter zou worden.

Zo gingen de dagen en weken voorbij.

Toen ons bolleke, zoals ik hem altijd noemde, nog in het ziekenhuis lag, had ik Anja ten huwelijk gevraagd. Ze had het totaal niet verwacht, maar zei direct ja!

Noah was echter nog niet gedoopt, en dat wilden we wel graag. In eerste instantie wilden we het doopfeest en ons huwelijk samen vieren, maar na lang overleg beslisten we dat het ons bolleke zijn feest moet worden. Hij moest die dag in de belangstelling staan. Hij had immers zo hard gevochten om er te zijn.

Dus maakten we een afspraak met Albert, de pastoor van het dorp om alles te bespreken. Anja en ik wilden graag mooi weer op Noahs speciale dag en kozen daarom een datum in juni. Dat is natuurlijk geen garantie, maar zoals met alles leefden we op hoop.

Het moest in alle opzichten een mooie dag worden. Anja wilde graag foto's van Noahtje zonder maagsonde. En dat moet hij begrepen hebben. De vrijdag voor het doopsel trok hij voor de zoveelste keer zijn maagsonde eruit.

Tante Melanie, of Ta, zoals Noah haar altijd noemde, stelde Anja voor om de dokter te vragen of we het niet zonder konden proberen. De dokter gaf ons zijn zegen, maar alleen op voorwaarde dat Noah in dat weekend geen 200 gram zou afvallen. Dat was niet gemakkelijk. Het viel niet mee om ons zoontje zelfstandig te laten eten en Anja stond op een gegeven moment zelfs op het punt om op te geven.

Maar Ta sprak ons moed in en vertelde ons dat we Noah de tijd moesten geven om aan de gewone voeding te wennen.

Tante Melanie was ons heel dierbaar. We konden altijd bij haar terecht voor een luisterend oor en ze stond ons bij met raad en daad als het moeilijk ging. Ze loste ons ook met plezier af in het ziekenhuis, zodat we eens naar huis konden om propere spulletjes te halen, of om gewoon te ontspannen.

Op 20 juni was de dag van het doopfeest aangebroken. De tantes, nonkels en grootmoeder van Anja waren speciaal uit Gent gekomen. Zij hadden hem nog nooit gezien. Ook Ta, oma en opa uit Keulen, de twee doopmeters, Noahs nonkel JM en zijn nichtjes Tatiana en Deborah waren er. Iedereen was fier op ons zoontje. Het werd een prachtige dag.

# Durven dromen...

Zodra Noah verlost was van zijn maagsonde, ging het geleidelijk aan bergop. Melk drinken uit de fles lukte niet zo goed omdat hij zich steeds verslikte, maar dankzij melkpap en fruitpap kwam Noah toch flink aan. Ook met de medicijnen ging het de goede kant uit. De vochtafdrijvende medicatie kon zelfs helemaal worden stopgezet. Noahs cardioloog in Aken was heel tevreden met de geboekte vooruitgang. Ook de kinderarts, waar Noah enorm graag naartoe ging, stelde vast dat hij alsmaar meer vooruitging.

Door de eerste maanden in het ziekenhuis door te brengen, had Noah echter een beetje achterstand opgelopen. Daarom besliste de dokter met ergotherapie, fysio- en logotherapie te beginnen. We kregen ondersteuning vanuit Duitsland en België. Zo kwamen er wekelijks dames bij ons thuis van de Frühhilfe in Eupen. Die organisatie is gespecialiseerd in de begeleiding van gezinnen met kindjes die te vroeg zijn geboren of die wat problemen hebben.

Anja vond dat Noah net als andere kindjes gewone dingen moest kunnen doen, zoals zwemmen en babyturnen. Ze wilde niet dat hij later een buitenstaander zou worden, hij moest net als alle anderen kunnen meedoen.

Onze kinderarts steunde ons hierin. Er was volgens hem geen enkele reden om het niet te doen. Alleen in de winter moesten we voorzichtig zijn met zwemmen, omdat Noah door zijn hartziekte sneller infecties, zoals bronchitis en longontsteking, kon krijgen. Dus gingen we ervoor.

We waren heel blij dat we die beslissing hadden genomen, want Noah had enorm veel plezier in het water. We genoten ervan om hem te zien genieten. Hij had bovendien een toffe lerares die elke keer met nieuwe en leuke ideeën kwam. Tijdens het zwemmen leerden we ook Noahs vriendinnetje Malou kennen. Anja kreeg er met Malous mama Corina een goede vriendin bij.

De weken verstreken en alles bleef super. De donderdagen waren uitschieters, want dan ging Noah zwemmen. Die donderdagen werden een echt ritueel. Eerst zwemmen en dan de rest van de dag lekker genieten met spelen, kletsen, wandelen... samen met Malou en Corina.

Na een tijdje kwamen daar ook nog Noahs tweede vriendinnetje Pauline en haar mama Claudia bij, die mee op turnles zaten. Ook met hen hadden we een heel goede band opgebouwd. Claudia en haar man Oliver hadden we trouwens eerder al leren kennen tijdens de prenatale lessen. De wereld is klein.

Samen beleefden en leerden die drie peuters heel wat.

# ...van mooie tijden

Toen Noah nog in het ziekenhuis lag, had ik Anja ten huwelijk gevraagd. Na het doopsel moest er nog heel veel geregeld worden. Maar wonderwel kwam alles in orde.

Op 27 augustus 2010 was het zover. Het werd een prachtige dag, de toekomst lachte ons toe. Anja en ik waren dolgelukkig dat we vanaf nu als man en vrouw door het leven zouden gaan.

Dankzij Melanie konden we voluit van elkaar en van het feest genieten. Zij was Anja's getuige en zorgde de hele dag voor Noahtje. Ze droeg hem tijdens de dienst in de kerk, zodat hij alles van heel dichtbij kon meemaken. Hij was heel rustig, het grootste deel van de tijd sliep hij. Na de receptie ging Ta met ons bolleke naar huis, zodat hij kon rusten. Ook de rest van de avond bleef ze bij hem.

Door de therapieën die Noah kreeg werd hij alsmaar sterker. Anja genoot ervan om, naast het zwemmen en turnen, naar een speelgroep voor baby'tjes te gaan met hem. Malou ging er ook naartoe, en zo kon Noah zien hoe anderen leerden kruipen en lopen. Het waren altijd heel fijne momenten, al vond hij het soms wat moeilijk om zijn mama los te laten of uit het oog te verliezen. Door zijn slechte start in het leven had hij niet veel kunnen knuffelen, zoals andere baby'tjes dat wel kunnen. Het leek wel of hij nu zijn schade wou inhalen.

De maanden gingen voorbij en wat wij merkten in het dagelijks leven, werd door de onderzoeken van de dokters bevestigd: Noah maakte constant vooruitgang. Met ups en downs, maar we kwamen er wel.

Het eerste kerstfeest met ons gezinnetje kwam eraan. We hadden een zwaar jaar achter ons, allemaal hadden we hard gevochten. Nu waren onze zorgen voorbij. We genoten dan ook met volle teugen van de gezelligheid met ons drietjes. Ondanks Noahs aanvankelijke achterstand kon hij op zijn eerste verjaardag al bijna lopen. Alweer een bewijs dat we op de goede weg waren. Het bleef wat moeilijk om voldoende bij te komen, maar voor de rest ging alles prima. Van Ta, die logopediste is, kregen we geregeld tips hoe we hem konden stimuleren.

Op 11 februari 2011 hadden we een afspraak voor een hartkatheterisatie. Dat was een controle die we om de zoveel maanden hadden waarbij met een contrastvloeistof werd getest of Noahs hartje het nog goed deed. Dat was toch altijd even spannend, maar de dokters stelden ons gerust: alles ging nog steeds heel goed. De komende tijd zou er zeker geen nieuwe operatie nodig zijn.

Dat jaar moesten we wel geregeld met Noah naar het ziekenhuis omdat hij kampte met een luchtweginfectie. Hij moest dan heel snel worden behandeld met antibiotica, omdat bij hartpatiëntjes het risico bestaat dat het hart ook ziek wordt. Daardoor werd het toch een behoorlijk zware periode.

De Duitse dokters raadden ons aan om Noah een kuur te laten volgen in het Zwarte Woud om op krachten te komen. Anja en ik zouden er ervaringen kunnen uitwisselen met andere ouders. We waren nog nooit met ons gezinnetje op grote vakantie geweest omdat we altijd bang waren geweest dat er iets zou misgaan met Noah, dus het idee beviel ons wel.

In oktober vertrokken we samen naar het Zwarte Woud. Uiteraard werd Noahs gezondheid er gevolgd. Na tien dagen, ongeveer in de helft van onze vakantie, was er een doktersonderzoek gepland. We gingen er ontspannen naartoe, we waren er gerust op dat alles goed ging. Maar tijdens de echografie keek de dokter bedenkelijk. Onze magen keerden om. Achter de aortaklep was een vernauwing te zien, vertelde hij ons. We moesten onze vakantie onmiddellijk afbreken en met Noah naar het ziekenhuis in Sankt Augustin gaan.

Vol stress pakten we onze bagage en vertrokken. We maakten ons grote zorgen. Het ging toch allemaal goed met Noah?

# Terug naar af

Aangekomen in het ziekenhuis van Sankt Augustin onderzochten de dokters Noah grondig. Ze vertelden ons dat het al bij al nog meeviel. Er was wel een vernauwing achter de aortaklep, maar gelukkig geen verdikking van de hartwand. In februari 2012 zouden ze, samen met een MRT-scan, een nieuwe hartkatheterisatie uitvoeren. We mochten gewoon naar huis terugkeren.

Thuis aangekomen was het erg moeilijk om de rust terug te vinden na die turbulente dagen. Maar uiteindelijk rolden we toch weer in ons normale ritme. We probeerden ons niet al te veel zorgen te maken.

De maanden gleden voorbij en voor we het wisten was het november en was het moment van de nieuwe hartkatheterisatie en de scan aangebroken. Met een bang hartje gingen we naar het ziekenhuis.

De dokters hadden geen goed nieuws voor ons. Tijdens het onderzoek hadden ze gezien dat een van Noahs hartkleppen niet goed functioneerde. Dit betekende dat de pompfunctie van het hart verminderd was en het risico op hartfalen groot. Het was zo ernstig dat de klep vervangen moest worden door een kunstklep.

Voor de zoveelste keer zakte de grond onder onze voeten weg. De herinneringen aan de vorige operaties kwamen weer bovendrijven. Maar we hielden ons sterk voor Noah en probeerden hem zo goed mogelijk uit te leggen wat er zou gaan gebeuren. Hij behield er zijn eeuwige glimlach bij en bleef dapper.

Op 29 juni 2012 was het zover. Het zou een zware operatie worden. De dokters vervingen niet alleen de hartklep, maar haalden ook de vernauwing weg die ze in november gezien hadden. Dat ging allemaal goed, maar er was een nieuw probleem ontstaan. Tijdens de operatie had Noah een AV-blok gekregen. Dat betekende dat zijn hartje niet meer wou slaan. Daarom hadden de chirurgen hem tijdelijk een externe pacemaker gegeven. In de meeste gevallen neemt het hart het ritme van zo'n pacemaker spontaan over, en ze hoopten dat dat ook nu het geval zou zijn.
Maar dat gebeurde niet. De AV-blok was derdegraads, het ernstigste niveau. De kans dat zijn hart een eigen ritme zou krijgen, was erg klein. Daarom werd besloten Noah een interne pacemaker te geven. Een week later werd hij opnieuw geopereerd.

Na twee weken op de intensieve afdeling mocht ons zoontje naar huis. Het was wennen voor ons allemaal. We moesten er immers op letten dat Noah het wat rustig aan deed bij het spelen en niet viel. Niet eenvoudig voor een levendige peuter die alles aan het ontdekken is.
Maar we kregen het voor elkaar. Noahtje bleef altijd positief en gaf Anja en mij de kracht om vol te houden.

# Naar school

Na Noahs tweede verjaardag overlegden Anja en ik naar welke school we Noah zouden sturen. De meeste scholen zouden niet staan te springen om een kindje met een hartziekte op te nemen, vreesden we. We kozen uiteindelijk voor De Plank in Voeren. Het was een klein schooltje, bijna een familie. In Noahs klasje zaten maar elf kindjes. We wisten dat hij zich daar goed zou voelen.

Puur praktisch was een school in Gemmenich, waar we wonen, misschien het handigst geweest, maar ons dorp ligt net over de taalgrens. En we wilden het liefst dat Noah naar een Nederlandstalige school zou gaan. Hij sprak al vloeiend Nederlands en Duits, nog een derde taal zou te veel van het goede geweest zijn. Bovendien zou hij vermoedelijk met periodes weinig of niet naar school kunnen gaan als hij onderzoeken of operaties zou moeten ondergaan. Dan zou een vreemde taal de zaken er extra moeilijk op maken. We wilden dat hij vooral fijne vriendjes zou krijgen in plaats van hem nog extra te belasten.
Een andere reden die meespeelde, was dat Anja's Frans niet zo goed was, wat op termijn een probleem zou kunnen vormen

als ze Noah moest helpen met zijn huiswerk. In De Plank zou hij lessen Frans krijgen, dat vonden we voldoende.

In september was het zover: de eerste schooldag. Noah begon direct te spelen met de andere kinderen. Er vloeiden wel wat traantjes toen we vertrokken, maar hij was zeker niet de enige kleuter die het moeilijk had. Op het moment dat ze allemaal samen in de klas zaten, was alles snel vergeten en speelden ze gewoon lekker samen. Die middag werd Noah weer afgehaald door Anja en haar zus Melanie.

De directie en de leerkrachten waren op de hoogte van de gezondheidsproblemen van Noah, maar die vormden voor hen geen enkel probleem. Hij werd gewoon behandeld zoals ieder ander kindje, en dat was heel fijn.

Hij zat bij juf Hanne. Er was ook nog juf Maria, als extra hulp voor de hele kleintjes. Noah was gek op hen allebei. Hij ging heel graag naar school. Hij kon er fijn spelen en knutselen met zijn vriendjes en maakte veel plezier. Een van de dingen die hij het liefst deed, was zingen. Hij leerde ook van alles bij. We waren supertrots op ons bolleke als we hoorden wat hij allemaal al kon.

Ondanks zijn ziekte had Noahtje geen achterstand tegenover de andere kindjes doordat Anja iedere dag bezig was met hem. Op donderdag gaan zwemmen was er niet meer bij nu Noah naar school ging, maar toch zag hij zijn vriendinnetjes Malou en Pauline nog elke week. Samen met de mama's deden die drie leuke dingen. Zo gingen ze naar het dierenpark in Aken, naar de speeltuin of naar een park met enorme glijbanen. Noah beleefde tijdens die uitstapjes altijd enorm veel plezier.

De onderzoeken bij de dokters in de volgende maanden verliepen goed. We waren opgelucht dat Noah ook eens als een normale kleine jongen kon leven. Hij vond de doktersbezoeken niet erg. Hij maakte grapjes met de verpleegsters of speelde met hen. Een grote opluchting voor ons. Veel zieke kindjes maken het bont bij de dokters, en dat is ook begrijpelijk door wat ze allemaal moeten doorstaan. Maar ons Noahtje gedroeg zich voorbeeldig. Volgens mij had het er veel mee te maken dat wij altijd, vanaf dat hij een baby'tje was, hadden uitgelegd wat er zou gebeuren bij zo'n onderzoek en het ook nooit verzwegen als het pijn kon doen. Ik denk dat hij daarom was zoals hij was.

En zo liep het schooljaar op zijn einde. Omdat we nog nooit een echte vakantie hadden gehad met Noah, vertrokken we de laatste week van het schooljaar op reis. We trokken naar een kinderhotel in het Beierse Oberjoch. Speciaal voor Noah. Het enige waar we volgens de dokters rekening mee moesten houden, was de hoogte. We mochten niet boven de 2000 meter gaan. Bij het laatste onderzoek was namelijk gebleken dat Noahs linkerhartkamer het minder goed deed. Ze hadden hem extra medicatie gegeven en zijn pacemaker wat aangepast, zodat hij algemeen wat fitter werd, maar we moesten het toch nog voorzichtig aandoen.

# Een kille zomer

In Oberjoch werden we verwelkomd door regen en kou, maar dat weerhield ons er niet van plezier te hebben met ons drietjes. Het was een superhotel voor zowel ouders als kinderen. Het liefst zat Noah op de autoscooters en in het zwembad. Het water was er lekker warm, bijna als in bad. In een gewoon zwembad kon hij vanwege zijn hartje niet lang blijven omdat hij dan vlug blauw werd, maar in het hotel was dat geen probleem. Hij kon gewoon volop genieten!

Noah wilde graag eens naar boven in de bergen gaan. Na telefonisch akkoord van zijn cardioloog gingen we samen met de lift omhoog en wandelden vandaar naar beneden. Noahtje zat in een speciale draagzak bij mij op de rug. Onderweg moesten we geregeld stoppen en schuilen doordat het weer zo slecht was. Maar ons zoontje vond het een geweldige dag.
Aangekomen in ons hotel gingen we nog even samen zwemmen. Na het eten viel Noah met een zalige glimlach op zijn gezichtje in slaap.

We wisten dat er een einde aan de vakantie zou komen en dat we terug naar huis zouden moeten. Maar Noah vond

het niet zo erg. De schoolvakantie was pas begonnen en we hadden met Ta en oma en opa afgesproken dat we naar Keulen zouden komen. En ook met zijn vriendinnetjes Malou en Pauline ging hij veel leuke dingen doen.

De tweede en derde week van juli zouden we in Keulen doorbrengen. Die donderdag van de derde week vergeten we nooit. 's Morgens belde Anja's moeder haar op. Ze voelde zich niet goed en vroeg of Anja haar kon komen afhalen van het werk. Het was die dag erg warm en Anja zou samen met Ta en Noah naar een sprookjespark in de buurt van Keulen gaan. Hoewel ze zich niet goed voelde, wilde oma absoluut dat het uitstapje door zou gaan. Noah moest immers een mooie vakantie krijgen. Dus vertrok het gezelschap terwijl oma zich op de zetel installeerde.

Toen ze 's avonds thuiskwamen, ging het nog altijd niet beter met oma. Noah kroop bij haar op de zetel en oma legde haar arm om zijn schoudertjes. Zo zaten ze een tijdje samen te babbelen als dikke vrienden. Het zou de laatste keer zijn dat Noah zijn oma zag.

Die nacht ging oma's toestand achteruit. 's Morgens reed opa dan ook met haar naar de dokter. Die belde meteen een ziekenwagen. In het ziekenhuis werden verschillende onderzoeken gedaan, maar er werd niks speciaals gevonden. Intussen zag oma's been helemaal blauw en had ze uitslag.

Ze werd doorgestuurd naar het universitair ziekenhuis. Tegen de avond lag ze er op de intensieve afdeling. Vanaf toen ging haar toestand heel snel achteruit. Haar nieren hadden het begeven. Ze bleek een vleesetende bacterie te hebben, heel zeldzaam. Die zondag lag oma in coma.

Ze heeft de hele maand augustus gevochten. Noah vroeg veel naar haar, hij merkte ook dat Anja droevig was. Ze vertelde hem dat oma heel erg ziek was en in het ziekenhuis moest blijven, zoals hij soms. Noah wou haar graag bezoeken, maar dat kon niet omdat hij nog zo klein was. Daarom nam Ta hem mee naar een speeltuin in de buurt van het ziekenhuis, zodat ze hem kon tonen waar zijn oma lag. Noah vertelde haar dat hij graag een kaarsje voor haar zou branden. Het leek wel of hij voelde dat het niet goed ging met haar.

Op 31 augustus belde opa ons thuis op om te zeggen dat oma ons ging verlaten, ook haar longen hadden het begeven. We kwamen te laat in het ziekenhuis, mijn schoonmoeder was net gestorven.
Vroeg in de morgen zijn we terug naar huis gereden. Het was 1 september en dus moest Noah weer naar school. Die nacht was hij wakker geworden en had naar zijn hartje gewezen. Had hij pijn, of had hij oma voelen gaan? Toch wilde hij graag naar school gaan. Tante Krista en nichtje Deborah gingen mee met Anja om haar te steunen.

Tijdens de vakantie was Noahs hartje zwakker geworden. Om het niet te veel te belasten, zou hij maar halve dagen naar school gaan. Maar desondanks werd hij vanaf midden september alsmaar sneller moe. Op een dag belde de school Anja op met de mededeling dat Noah niet wou spelen tijdens de speeltijd en zich op het matje in de klas te slapen had gelegd. Anja ging hem direct halen. Ze vermoedde dat hij een beginnende infectie had en daarom sneller moe was.

Die avond reden we met Noah naar het universitair ziekenhuis in Aken. Hij moest blijven. Ook de dokters gingen uit van een infectie en gaven hem antibiotica. Na een weekje ging het al heel wat beter met Noah. Als alles goed zou zijn bij een laatste onderzoek, zou hij naar huis mogen. Dat draaide anders uit. De professor, die Noah al kende sinds zijn geboorte, vond zijn hartfunctie op de echografie helemaal niet goed, zeker de linkerhartkamer niet. We moesten direct naar Sankt Augustin voor een hartkatheterisatie. Anja had het moeilijk. Pas nog was haar moeder overleden na een verschrikkelijke lijdensweg, en nu kreeg Noah het weer zo zwaar te verduren.

Op 9 oktober, Ta's verjaardag, gebeurde de hartkatheterisatie, en daarbij bleek dat de professor gelijk had: Noahs linkerhartkamer werkte niet goed. De dokters overlegden wat hun te doen stond. Uiteindelijk besloten ze een extra elektrode te plaatsen op het hartje die in verbinding stond met zijn ingeplante pacemaker, zodat het hartje symmetrischer zou gaan kloppen.

# Het verdict

Op 24 oktober 2013 werd de operatie uitgevoerd. Het was de bedoeling dat de dokters een kleine snee zouden maken aan de zijkant van Noahs lichaam om de elektrode te bevestigen. Het ging mis.

Zodra de snee werd gemaakt, liet Noahs hart het afweten. Hij werd gereanimeerd en vervolgens aan de hart-longmachine gelegd. Doordat de borstkas niet was geopend voor de operatie, moesten ze de machine in de ader in de lies aansluiten. Dat had als nadeel dat de machine niet voor 100 procent kon draaien.

Anja en ik werden telefonisch ingelicht over wat er gebeurd was. We waren compleet ondersteboven van het slechte nieuws.

Gelukkig deed Noah het goed aan de hart-longmachine en konden de dokters het volume elke dag wat naar beneden bijstellen, zodat Noahs hartje het geleidelijk kon overnemen. Maar doordat de machine in zijn lies aangesloten was, traden er weer doorbloedingsstoornissen op en werd zijn hele been blauw. Dat zou later problemen kunnen geven bij het lopen, en in het ergste geval zou het been zelfs kunnen afsterven. Maar daar dachten we niet aan. Noah moest gezond worden.

Tien dagen werd ons zoontje in een kunstmatige coma gehouden. Iedere dag zaten we samen aan zijn bedje en volgden elke evolutie en elke handeling van de dokters op de voet. Het ging stilaan beter met Noahs beentje, maar zijn hartje ging er niet op vooruit.

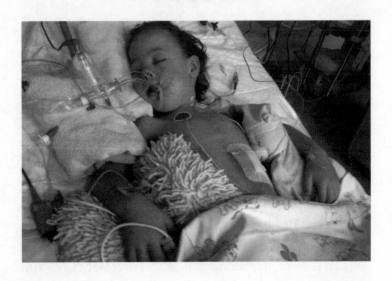

De dokters hadden een harde boodschap voor ons. Ze konden niets meer doen voor ons zoontje. Alleen als hij een nieuw hartje zou krijgen, had hij nog een kans op een min of meer normaal leven. Zijn eigen hart was te zwak en zou het waarschijnlijk niet lang meer volhouden. Tijdens het wachten op een ruilhart zou Noah op een kunsthart aangesloten moeten worden. Dat kon niet in Sankt Augustin, Noah zou naar Giessen moeten. Daar hebben ze een van de beste harttransplantatiecentra van Europa. We konden er Noah ook op de lijst van Eurotransplant laten plaatsen. Onze wereld stortte in.

Vijf dagen later kon Noah van de hart-longmachine worden losgekoppeld, wat het transport naar Giessen ietsje vergemakkelijkte. Het bleef wel een gevaarlijke rit, want Noah was erg instabiel. De ambulance moest heel langzaam rijden. Wij konden niet mee met het speciale transport en reden met onze auto achter de ambulance aan.

Toen we aankwamen, was ons zoontje juist opgenomen. De dokter die Noah had begeleid, deelde ons mee dat de verplaatsing goed was verlopen en wenste ons veel geluk. Het medisch personeel van Giessen was onmiddellijk begonnen met allerlei onderzoeken. We mochten nog niet bij Noah en namen plaats in de wachtzaal, tot we zouden worden opgehaald door een verpleegster.

Toen we eindelijk bij Noah mochten, was de dokter nog bezig met een echo van het hartje, maar hij kon ons voorlopig nog niet veel vertellen. Het enige wat hij zei, was dat het hartje er niet goed uitzag en dat Noah er slecht aan toe was.

Een verpleegster die bij de opname van Noah aanwezig was geweest, gaf ons een uitgebreide uitleg over de intensieve afdeling, zodat we onze weg er een beetje zouden kunnen vinden. Alle kamers waren vol. In elke kamer stonden zes bedjes met allerlei medische toestellen errond. De verpleegsters droegen een rood uniform. We moesten ons weer aanpassen aan een volledige onbekende afdeling.

Weer moesten we uren in het ziekenhuis doorbrengen, wachtend op nieuws hoe het verder zou gaan. Pas dagen later zouden we iets wijzer worden. Die nacht bleven de vragen maar door ons hoofd spoken. Hoe zou het verder gaan? Wanneer zou Noah uit zijn coma ontwaken? Wat zouden we allemaal meemaken? Hoe lang zouden we hier moeten blijven? Zouden we ooit nog samen thuiskomen? Zouden ze Noahtje hier kunnen helpen? Zouden we hem ooit nog weer wakker zien worden? Niemand zou ons een antwoord kunnen geven. We konden alleen maar machteloos afwachten.

Na die eerste nacht gingen we op zoek naar een bakker, waar we een broodje aten en een kop koffie dronken. We keken constant op de klok, want om tien uur zouden we binnen mogen op de intensieve afdeling. Met een krop in de keel stapten we de kamer binnen om te zien hoe het ging met ons zoontje.

Zo ging het vanaf nu elke dag. We waren iedere dag samen met ons zoontje. De bezoekuren waren strikt geregeld. Van tien tot twaalf uur en van twee tot halfacht mochten we bij Noah zijn. We probeerden deze uren te respecteren, maar dat was niet altijd gemakkelijk. We vonden het verschrikkelijk ons zoontje te moeten achterlaten. Elke keer verlieten we de afdeling met tranen in onze ogen.

We bleven hopen op verbetering. Maar voorlopig was daar geen sprake van. We zagen wel dat op medisch vlak alles gedaan werd zodat Noahs overlevingskansen met de dag groter werden.

Na enkele dagen hadden we eindelijk een gesprek met de specialist. Hij vertelde ons dat ons zoontje aan cardiomyopathie leed. De gevolgen en de resultaten werden ons duidelijk uitgelegd. Bij cardiomyopathie is de hartspier abnormaal vergroot, waardoor de functie verstoord wordt. Cardiomyopathie kan leiden tot hartritmestoornissen en/of een plotselinge dood. Een harttransplantatie zou dit kunnen voorkomen. En hoe sneller Noah een nieuw hartje kreeg ingeplant, hoe groter zijn kansen op herstel zouden zijn.

Dit gesprek was verschrikkelijk. We begrepen heel goed dat er een ander kindje moest sterven zodat ons zoontje geholpen kon worden. Alleen dit al was moeilijk om te verwerken. Maar we waren tegelijk blij dat Noahtje geholpen kon worden.
We kregen verder te horen dat ons leven vanaf nu helemaal zou veranderen. Noah zou voor onbepaalde tijd 320 kilometer van huis zijn. Dat betekende elke keer een lange rit heen en weer terug. Ze vertelden ons ook dat er waarschijnlijk aanpassingen moesten gebeuren aan ons huis. Na een transplantatie moesten ze er immers zeker van zijn dat er nergens een schimmel aanwezig was. Daarom moest de vloerbekleding worden aangepast. Ook planten mochten niet meer binnen. We vonden alles goed. Het enige wat we wilden, was dat ons zoontje weer naar huis zou kunnen.

Hoe lang we zouden moeten wachten, konden ze ons niet vertellen. Dat kon een week, een maand of zelfs een jaar zijn. Dat was ook weer slikken. Maar toch waren we gelukkig omdat we samen konden zijn. Spijtig genoeg niet thuis, maar op een intensieve afdeling ver van huis. Op een afdeling waar dokters en verpleegsters vierentwintig uur per dag vochten voor het leven van baby's, kleine meisjes en jongens zoals Noah te redden. En waar ouders zoals wij iedere seconde in angst naast het bed van hun kindje zaten in de hoop dat het beter zou worden. We stelden echter al vlug vast dat we hier in goede handen waren en dat iedereen heel goed werk leverde. Ze deden echt alles om de kinderen te helpen en gezond te laten worden.

Op de afdeling deden zich soms situaties voor die gewoon onmenselijk waren. Er waren momenten waarop we allemaal naar buiten werden gestuurd omdat ze hartmassage moesten toepassen op een kindje van wie het hartje niet meer wilde kloppen. Iedere seconde telde dan om het leven terug te halen. Vaak lukte dit, maar we hebben het ook meegemaakt dat een kindje stierf. Er waren dagen dat we geregeld de kamer werden uitgestuurd omdat een kind in kritieke toestand verkeerde en we tot drie à vier uur moesten wachten in de wachtzaal. Dringende operaties werden immers op de kamer uitgevoerd als het een zaak van leven of dood was. De kamer werd dan omgetoverd tot een volledig functionerende operatiezaal.

Hoe moest het verder met ons? Die vraag stelde ik me bijna elke dag. En ook vroeg ik me af of we dit alle drie konden blijven volhouden. Hoe lang kon ik hier samen bij mijn gezin blijven? Want ik moest weer aan het werk. Gelukkig kreeg ik veel steun van mijn collega's. Het werk werd zo geregeld dat ik zo lang mogelijk bij Anja en Noah kon blijven.

Ik nam me voor alles in huis zo snel mogelijk voor te bereiden op de komst van Noah na zijn harttransplantatie, zoals het ons was uitgelegd door de specialist.

Ondanks alle toekomstplannen was ik verloren als ik thuis was. Ik miste Anja en Noah enorm in dat lege huis. Ik kreeg gelukkig veel steun van vrienden en familie. Maar toch was de stress van het wachten op een passend hartje van een ander kindje onmenselijk. En iedere dag verlangde ik ernaar om weer samen te kunnen zijn met mijn vrouwtje en mijn zoontje.

Intussen lag Noah nog steeds in een kunstcoma.

# Berlin Heart

Op 3 november 2013 besloten de chirurgen een steunhart-je (Berlin Heart) bij Noah aan te sluiten omdat zijn eigen hartje nog maar voor 20 procent werkte. De hoop dat Noahs hartje hierdoor beter zou worden, gaf ons weer moed. Met zo'n steunhart kon Noah de wachtlijstperiode voor een transplantatie succesvol overbruggen.

De operatie werd op 12 november uitgevoerd. Weer moesten we vertrouwen op de chirurgen en het medisch team. Weer moesten we documenten ondertekenen waarop alle gevaren stonden vermeld en welke complicaties zich konden voordoen. We namen niet meer de tijd om alles te lezen en ondertekenden de papieren zonder meer.

We mochten Noah begeleiden tot aan de operatiezaal, de schuifdeuren gingen open en Noahs bedje werd naar binnen gerold. We mochten hem nog een kusje geven en namen afscheid. De tranen vloeiden, want voor ons begon een tijd van bang afwachten, een dag vol angst en wachten op goed nieuws. We keken elkaar aan en stelden ons allebei dezelfde vraag: zal alles goed verlopen en zullen we Noah terugzien? Maar op die vragen kon niemand ons een antwoord geven.

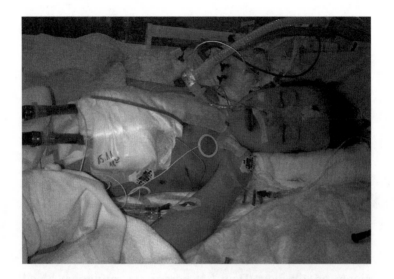

We besloten niet te wachten in de wachtzaal. Dit was zo verschrikkelijk dat je er mentaal aan kapotging. Dus gingen we even de stad in om onze gedachten te verzetten. Al lukte dat niet echt; onze gedachten dwaalden altijd af naar ons zoontje. De operatie duurde en duurde, en weer vernamen we dat er complicaties waren. Na ongeveer tien uur kwam het nieuws dat de operatie was afgelopen.

Noah kon naar zijn nieuwe kamer worden gebracht. Een eenpersoonskamer deze keer. Toen hij naar boven kwam, zagen we dat hij aangesloten was aan allerlei medische toestellen en infusen. Het duurde even voordat we bij ons zoontje mochten. Eerst moesten ze in zijn kamer alles correct aansluiten en controleren, zodat zijn toestand stabiel kon blijven.

Ondertussen kwamen de chirurgen ons vertellen dat de operatie niet gemakkelijk was geweest doordat Noah al zoveel operaties had ondergaan. Het was zeer moeilijk geweest om het steunhart aan te sluiten op zijn hartje. Errond waren veel vergroeiiingen geweest die verwijderd moesten worden. Daardoor was de operatie erg moeilijk verlopen. Noah had ook veel bloed verloren.

Na het gesprek mochten we naar ons zoontje. Noah lag te slapen. Naast hem stond een grote machine. Daar was zijn steunhartje mee verbonden. Zijn steunhartje lag op zijn buik en was met twee darmpjes door zijn borstkas aangesloten op zijn hart. Door het pompje zagen we het bloed circuleren. Het zag er allemaal nogal intimiderend uit, maar tegelijkertijd was het een geruststelling dat we zijn hart rustig zagen kloppen en zijn bloed zagen stromen. We waren zo blij dat Noah op deze manier kon verder leven.

Na enkele weken besloten de dokters eindelijk om hem weer te laten ontwaken. De medicatie werd verminderd en ook het slaapmiddel werd trapsgewijs naar beneden gehaald, zodat Noah wakker kon worden. Er werd ons verteld dat ons zoontje zware ontwenningsverschijnselen kon hebben van al die medicatie. Zo zou hij allerlei dingen kunnen gaan zien die er niet waren. Maar daar hoefden we ons geen zorgen over te maken, het was heel normaal.

# De zon kan weer schijnen

De dag dat ons zoontje wakker werd, was er een om nooit meer te vergeten. Er stroomden tranen van vreugde toen we hem na enkele bange weken zijn oogjes zagen opendoen. Zijn oogjes gingen open en we kregen weer moed. Hij was erg zwak, maar hij was wakker.

Het personeel op de intensieve afdeling had ons zoontje sinds hij was aangekomen nog nooit wakker gezien, dus ook voor hen was het een heel bijzonder moment. Door zijn mooie lach werd hij al snel bijzonder geliefd bij de verpleegsters. Binnen de kortste keren werd hij 'unseren kleine Sonnenschein' genoemd. Ook in België had iedereen de gebeurtenissen gevolgd. Een golf van opluchting ging van Sankt Augustin naar het thuisfront en weer terug. We kregen enorm veel enthousiaste, lieve reacties.

Dag na dag ging het beter. We legden Noah uit dat hij nu een steunhartje had en dat hij dit nodig had om beter te worden. Lichamelijk was hij wel nog heel zwak. Hij had ook veel gewicht verloren.

Maar van de zware ontwenningsverschijnselen die men had verwacht, kreeg hij geen last. Ook zijn eetlust was niet aangetast. Hij begon dadelijk zelf te eten. Na enkele dagen had hij dan ook alweer wat meer kracht. We konden eindelijk weer samen knuffelen – al moesten we daarbij heel voorzichtig zijn. We konden ook samen met hem in zijn bedje spelletjes spelen, we konden samen naar de televisie kijken. We waren dolgelukkig. We waren samen, en dat was het mooiste wat we konden hebben.

Naast zijn bedje stond steeds de machine die de pompfunctie van zijn steunhartje in werking hield. Aan het geluid moesten we allemaal wennen. Geregeld kwamen de verpleegsters en de dienstdoende dokter de computer van het toestel controleren. Met een zaklampje onderzochten ze dan ook het membraan van het steunhartje en of de werking goed was. Ook keek men meerdere keren per dag na of er zich geen bloedklonters vormden in het systeem. Noahs bloed moest dagelijks gecontroleerd worden om de bloedstolling vast te stellen. Aan de hand van het resultaat werden de hoeveelheden van medicatie bepaald. Alles werd ons heel goed uitgelegd en we kregen een duidelijk antwoord op al onze vragen.

We waren blij dat we Noah weer bij ons hadden, maar we waren er ons tegelijk goed van bewust dat hij alleen kon verder leven doordat hij was aangesloten op een steunhart.

Na een week mochten we Noah voor het eerst uit zijn bedje halen. De verpleegsters hielpen ons, want we moesten heel voorzichtig zijn. Ik ging op een stoel zitten, terwijl Anja en de verpleegster Noah uit zijn bedje namen en in mijn armen legden.

Het gevoel was onbeschrijfelijk. Ik miste het geknuffel met ons zoontje iedere dag. Nu was het moment daar dat ik hem bij mij kon nemen. Ik was zielsgelukkig, het was zo'n mooi gevoel om dit te mogen doen. Anja en de verpleegster gingen even naar buiten, zodat Noah en ik even alleen konden zijn.

Maar ineens realiseerde ik met dat ik niet bij de alarmbel kon en ik werd bang. Ook Noah voelde zich niet goed. Ik raakte in paniek en begon te roepen om Anja en de verpleegster. Anja was vlug bij mij en samen legden we Noahtje weer in zijn bedje.

*Mijn boodschap aan alle ouders:*

*Lieve ouders, geniet zo veel mogelijk van de tijd met jullie kinderen.*
*Gebruik jullie vrije tijd om samen iets te doen. Het leven bestaat niet uit werken alleen, maar ook uit samen van het leven genieten. Geloof mij, ik verlang er iedere dag naar terug om mijn zoontje weer bij ons te hebben. Dit verlangen zal nooit weggaan.*

Kleine piraat, we missen je enorm.

# Het ziekenhuis,
# ons nieuwe thuis

Nu Noah zijn steunhartje had, was het wachten op een donorhart. Iedere dag ging het beter met hem. Hij verwelkomde
elke dag met een stralende glimlach.
Met ons drie bleven we sterk. Het belangrijkste voor ons
was dat we samen konden zijn. Al bleven we natuurlijk
verlangen naar die dag X waarop we weer samen naar huis
zouden kunnen vertrekken.

Op 6 december kreeg ons zoontje aan zijn ziekenhuisbed bezoek van Sinterklaas. De sint kwam Noah persoonlijk op zijn kamer bezoeken. Uiteraard hadden we liever gehad dat we het feest samen thuis hadden kunnen vieren. Maar dit was voor Noah toch heel bijzonder, en hij genoot dan ook met volle teugen.

Ook de kerstperiode brachten we samen door in het ziekenhuis. We maakten het gezellig op Noahs kamertje. Anja maakte foto's van onze jongen, die we op onze kerstkaarten wilden gebruiken. Vanuit Giessen verstuurden we enkele dagen later de kaartjes die we zelf gemaakt hadden.

24 december 2013 werd echter een dag die we ons niet zullen herinneren vanwege een geweldig kerstfeestje. Die avond overleed namelijk de jongen die op de vorige kamer naast Noah had gelegen. We waren niet in staat om onder deze omstandigheden kerstavond te vieren. Maar we konden het onmogelijk aan Noah vertellen. Dus probeerden we met een krop in de keel Kerstmis wat aangenaam voor hem te maken. We probeerden ook de ouders van Noahs vriendje zo goed mogelijk te troosten, maar hun verdriet was zo groot... Kerstmis moet een dag van vreugde zijn, maar dat was het voor niemand van ons. We leefden allemaal met de ouders mee.

We wilden niet dat Noah alle mensen zag die afscheid kwamen nemen van zijn vriendje, dus bleven we samen met hem in zijn kamer. Bij het verlaten van het ziekenhuis kregen we een mooie foto van de jongen met de volgende tekst voor Noah op de achterzijde:

*Lieve Noah,*

*Ik ken je uit de verhalen van mijn mama en mijn papa.*
*Weet je dat ik nu een sterrenkindje ben?*
*Ik heb beloofd goed op je te passen tijdens de wandel van je leven.*

*Jouw vriend*

Kerstmis op een intensieve ziekenhuisafdeling was niet zoals thuis. Ons zoontje kreeg meer geschenkjes in Giessen dan hij ooit thuis had gekregen. We hoopten met ons allen dat we volgend jaar Kerstmis weer samen thuis zouden kunnen vieren. We snakten naar de dag dat het donorhartje zou komen.

Ook oudejaarsavond zouden we in Giessen vieren. Die avond bleven we bij Noah tot hij in slaap gevallen was. Daarna gingen we naar ons appartementje, waar Anja enkele hapjes voor ons klaarmaakte. Zoals elke avond waren we rond negen uur al zo moe dat we gerust konden gaan slapen. Maar we hadden rond halftwaalf afgesproken met een ander koppel om toch even de stad in te gaan en daar samen naar het vuurwerk te kijken. We misten allebei onze kinderen heel hard en hadden veel liever gehad dat ze erbij konden zijn. Kort na middernacht dronken we samen een glaasje champagne en wensten elkaar het beste met onze kindjes. Daarna gingen we naar ons appartementje, waar we als een blok in slaap vielen.

's Morgens stonden we vroeg op om op tijd bij Noahtje te kunnen zijn, zodat we samen Nieuwjaar konden vieren. We waren vol goede hoop en grote verwachtingen voor het nieuwe jaar.
We gingen nu geregeld met Noah wandelen op de gang, steeds met zijn machine erbij. Noah vond het leuk dat hij op deze manier alles kon gaan ontdekken. Hij ging elke dag op verkenning in het ziekenhuis, zoals een echte kleine piraat. Ook Nieuwjaar werd niet overgeslagen.

Op 2 januari 2014 leerde Noah de dame van de Kinderhospizdienst kennen. De mensen van deze dienst trekken zich het lot van zieke kindjes aan. Veel kinderen zitten immers met heel veel vragen en angsten. De mensen van de Kinderhospizdienst luisteren hiernaar en bieden de kinderen rust en bijstand in die vreselijk moeilijke situaties waar ze in zitten.

Er werd afgesproken dat de begeleidster voortaan elke vrijdagnamiddag van twee tot vijf uur bij Noah zou langskomen. Ze zou dan met hem praten, met hem spelen of gewoon bij hem zijn. Zo konden wij wat tijd samen doorbrengen of, als ik er niet was, kon Anja zich een beetje ontspannen. We vonden het heel belangrijk dat Noah nooit alleen was als hij wakker was. Deze dame heeft ons zoontje maandenlang met liefdevolle zorg omringd, en we zijn haar dan ook enorm dankbaar.

Binnen de kortste keren hadden de begeleidster en Noah een heel goede verstandhouding. Ons zoontje was elke vrijdag blij als hij haar zag. Ook ik was er meestal op vrijdag weer bij, dus dat was elke week een feestdag waar ieder van ons naar uitkeek.

# Vier jaar verder

Op 4 januari wachtten we tot Noah in slaap zou vallen. Toen hij in dromenland was, begonnen we zijn kamer te versieren. De volgende dag zou het immers zijn verjaardag zijn. Noah werd vier jaar. We wilden deze dag voor hem en voor ons zo mooi mogelijk maken. Ook de verpleegsters van de nachtdienst kwamen helpen en hingen de kamer vol met grote en kleine ballonnetjes. We wisten toen nog niet dat dit zijn laatste verjaardag zou worden.

5 januari brak aan. In het appartement had Anja samen met Karin, een goede vriendin van ons, een mooie taart gebakken. Ze hadden een piratenboot gemaakt. Toen Noah 's morgens wakker werd, keek hij stomverbaasd rond in de kamer vol ballonnen. Hij kon zijn ogen niet geloven. Hij was door het dolle heen en apetrots toen wij binnenkwamen.

Niet alleen wij, maar ook de verpleegsters hadden een taart gebakken voor ons zoontje. Dat vond hij natuurlijk geweldig. De hele dag door kwam er bezoek over de vloer en Noah had het druk om alle geschenkjes uit te pakken. Toch vond hij ook tijd om te gaan rondwandelen in de gang. Aan iedereen die hij tegenkwam, gaf hij een stukje cake of een stukje taart. Het was zijn verjaardag, zijn dag, en hij amuseerde zich rot.

Mijn grootste wens was dat we op Noahs verjaardag te horen zouden krijgen dat er een hartje zou komen. Dat zou het mooiste geschenk geweest zijn. Maar helaas, we kregen geen nieuws.

Van vrienden kreeg Noah een mooie houten boot met als opschrift 'Noahs Ark'. Zijn kamer was nu een echte speelkamer in plaats van een onpersoonlijke ziekenhuiskamer. Noah toonde zijn geluk met een steeds groter wordende glimlach.

De volgende dagen speelden we samen met al zijn speelgoed. Maar Noahtje kon zich ook alleen goed bezighouden. Hij was elke dag heel vrolijk. Daar trokken wij ons aan op: als het met Noah goed ging, ging het met ons ook goed.

We wilden zo veel mogelijk naar buiten met Noah, zelfs in de winter. We wilden samen genieten in de sneeuw zoals andere kindjes, sneeuwballen gooien en een sneeuwman maken.

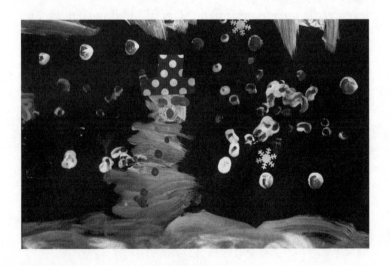

De maand januari ging voorbij. De verpleegsters begonnen de afdeling te versieren voor carnaval. Noah zocht in zijn grote kist een kostuum uit die hij die dag wilde aantrekken. Zoals meestal was dat zijn piratenkostuum. Eigenlijk was het voor Noah elke dag carnaval, want elke dag koos hij iets anders om zich in te verkleden. Vervolgens maakte hij de afdeling onveilig.

In die periode maakten Noahs nichtjes een Facebookpagina aan om ons te steunen. 'Noahs Ark' was geboren en werd al snel overal bekend. We zijn Tatiana en Deborah nog steeds erg dankbaar. Alle steun deed ons enorm veel deugd, maar wij zaten maar met één ding in ons hoofd: wanneer zouden we eindelijk dat telefoontje krijgen waar we op zaten te wachten?

We verbleven elke dag zo lang mogelijk bij Noahtje en deden alles samen wat we maar konden. Er waren dagen dat we het moeilijk hadden en we verlangden naar een normaal leven zoals andere gezinnen. Maar al bij al pasten we ons goed aan. We hadden ons kleine appartementje en dat was voldoende voor ons, luxe hadden we niet nodig. In zo'n situatie besef je vooral hoe belangrijk het is om samen te kunnen zijn. We waren blij met kleine, eenvoudige dingen. We hadden er deugd van samen plezier te kunnen maken, ook al moesten we de machine overal met ons meesleuren. Maar we hadden Noah bij ons, dat was het belangrijkste. Als we gingen wandelen, maakte ik altijd foto's, zodat we een herinnering zouden hebben aan deze mooie tijd. Maar ik geef toe dat het nu wel moeilijk is om deze te bekijken, de pijn is nog heel groot.

De foto's die ik maakte, plaatste ik samen met een tekst-je op Facebook. Ons zoontje vond dit natuurlijk heel leuk. We deden samen allerlei gekke dingen om die dan op zijn pagina te plaatsen. De ene keer was zijn machine voor Noah een politiewagen, dan was het weer zijn piratenboot. We bestelden een blauwe zwaailamp, die we dan op zijn Berlin Heart vastkleefden. Noah trok zijn politiekostuum aan en we gingen samen op zoek naar een verpleegster die we dan konden arresteren. De handboeien werden bovengehaald en omgedaan.

Hoe beter Noah werd, hoe meer we samen konden doen. Er waren dagen dat we de hele dag op de gang van de in-tensieve afdeling rondliepen. Steeds met een kind met een glimlach. Op den duur kende iedereen ons zoontje. Noah werd door iedereen bewonderd. Andere ouders kwamen hem begroeten voordat ze naar hun eigen kindje gingen. We konden zien dat ze hierdoor positiever werden. Het personeel op de intensieve afdeling vertelde ons dat ze nog nooit hadden meegemaakt dat een kindje zo omging met zijn kunsthartje en iedereen zo vrolijk kon maken. Noah motiveerde andere kindjes op de afdeling om met hem mee te lachen. Langzaam maar zeker werden we allemaal samen een grote familie.

Maar 's avonds moesten we ons zoontje achterlaten op zijn kamer. Dat waren altijd zware momenten en we waren dan ook meestal droevig bij het afscheid. We wilden zo graag op elk moment van de dag kunnen knuffelen.
Maar het belangrijkste was natuurlijk dat Noah het goed had. We bleven steeds tot hij sliep. Anja bleef met Noahtje

knuffelen tot hij in dromenland was, terwijl op de achtergrond de muziek speelde die hij verkoos om beter te kunnen slapen. Als Noah dan vast sliep, sprak Anja nog even met de nachtzuster en daarna ging ze naar de wachtzaal. Meestal praatten we dan nog even bij met de andere ouders. Iedereen vroeg naar elkaars kindjes. Met sommigen ging het goed, anderen waren in een zeer slechte toestand. We spraken elkaar moed in en steunden elkaar in goede en slechte tijden. We zaten allemaal in hetzelfde schuitje, en ieders doel was om zo snel mogelijk naar huis te kunnen vertrekken.

Rond halfnegen kwamen we meestal aan op ons appartementje, dat op een twintigtal minuutjes wandelen van het ziekenhuis lag. De buitenlucht deed ons goed na een hele dag op de intensieve afdeling met alle ramen gesloten.
Ook in het appartementje probeerden we het gezellig te maken. Het mooiste was dat we meer en meer met kleine, eenvoudige dingen gelukkig konden zijn. Anja maakte iets klaar, we aten samen, praatten wat bij en keken nog een beetje naar de televisie. Daarna schreef ik over onze ervaringen en de toestand van Noah op de pagina van Noahs Ark. We hoopten hierdoor mensen te mobiliseren om zich te laten registreren als orgaandonor. Wanneer ik thuis in België was, zocht ik op het internet alle mogelijke informatie op over transplantatie. Ik stelde een document op dat ik vervolgens op Noahs Facebookpagina plaatste.

# Gemmenich-Giessen
# en weer terug

Steeds meer mensen begonnen Noah en zijn situatie te kennen. We kregen elke dag steunbetuigingen en reacties op de Facebookpagina. Noahs verhaal liet Vlaanderen niet los. Mensen probeerden ons moed in te spreken. Er werden zelfs acties georganiseerd om ons financieel te steunen. Dat kwam eerlijk gezegd wel van pas. Tenslotte hadden we elke maand flink wat kosten die erbij kwamen. Anja had bovendien haar werk opgezegd om elke dag bij Noahtje te kunnen zijn.

Ikzelf pendelde heen en weer tussen Gemmenich en Giessen. Mijn collega's steunden me enorm, en ik kon mijn werk zo regelen dat ik elke week van vrijdag tot maandag bij Anja en Noah kon zijn. Voor ons was deze steun enorm belangrijk. Als mijn collega's niet zo begripvol waren geweest, had ik niet zoveel bij ons zoontje kunnen zijn. De afstand was immers veel te groot om elke dag heen en weer te rijden.

Het wachten en het leven in Giessen was pure stress. Maar ook als ik thuis was, was ik niet op mijn gemak. Mijn gedachten waren altijd bij Noah en Anja. Ik miste hen verschrikkelijk. En constant spitste ik mijn oren als de telefoon ging. Stel dat er een hartje zou zijn en ik de telefoon niet zou horen. En zou ik wel op tijd in Giessen zijn als het zover was?

In huis moesten nog allerlei werken worden uitgevoerd. Ik had al een en ander gedaan, maar ik had nog heel wat werk voor de boeg. In de weekends kon ik er niet mee bezig zijn omdat ik dan in Giessen was. Dus werkte ik op de weekdagen als een gek, soms bijna letterlijk dag en nacht. Zo ging de tijd ook sneller voorbij en kon ik mijn gedachten wat verzetten. Er waren dagen dat ik tweeëntwintig uur aan een stuk in de weer was, slapen deed ik nauwelijks. Maar dat had ik er allemaal voor over. Ik wou immers dat Anja en Noah naar een gezellig huisje konden terugkeren. In eerste instantie wou ik Noahs kamer klaar hebben.

Stilaan raakte mijn energie op. Zulke lange dagen, de stress en dan elke keer die verre verplaatsing, dat voelt een mens wel op den duur. Maar ik kon niet opgeven. Ik moest verder, voor Noah en voor Anja. Dus ging ik door, bijna zonder slaap. Als ik dan na een werkweek in het ziekenhuis aankwam, viel ik tijdens het knuffelen soms doodmoe bij Noah in bed in slaap.

Als ik in Gemmenich was, probeerden we zo veel mogelijk contact te hebben. Elke dag praatten we met elkaar via Skype. Zo kon ik mijn lieve kleine piraat zien en konden we samen allerlei gekke dingen doen op de computer. Ook Anja kwam dan een babbeltje slaan en vertelde me hoe de dag was verlopen.

Samen spraken we dan bijvoorbeeld af wat ik moest meebrengen als ik naar Giessen kwam. Als ik dan met Anja
aan het praten was, hoorde ik Noahtje roepen: 'Hé papa,
vergeet mijn worstjes niet van bij Danny.' Hij was dol op
die lekkernij van onze slager, en ik kon hem dan ook geen
groter plezier doen dan door met een lading voor enkele
dagen naar Duitsland te komen.

Zoals beloofd ging ik dan voor ik naar Noah en Anja vertrok naar de slager om de boodschappenlijst af te werken.
Ook bij de bakker ging ik langs om taarten af te halen voor
de dokters en de verpleegsters. Na drieënhalf uur rijden
met een kleine tussenstop kwam ik aan en ontbeten we
samen. Noah en Anja zaten al op me te wachten. Dit waren

altijd zalige momenten. Na bijna een week waren we weer samen. Noah was dolblij met wat ik had meegebracht. De uren vlogen voorbij. We praatten en speelden samen en Noahtje amuseerde zich rot.

Voor Anja was het een verlichting als ik er was. Ze zat hele dagen alleen met Noah op de intensieve afdeling. Alles stond in het teken van onze kleine piraat, en dat in een compleet onnatuurlijke omgeving. Dat vond ze niet meer dan normaal, maar toch merkte ik dat het op haar woog. Het was eigenlijk een voltijdse job. Zij het dik onderbetaald: ze kreeg maar een uitkering van 220 euro per maand omdat ze niet ter beschikking stond van de arbeidsmarkt. Als ik er dan was, kon ik me met Noah bezighouden en kon zij even genieten van een welverdiende rust.

We genoten elk weekend met volle teugen van elkaar. Maar een weekend was kort, en elke zondagavond moest ik weer naar huis vertrekken. Ik moest immers gaan werken. Het afscheid viel ons elke keer heel zwaar. Soms vroeg Noahtje als ik op het punt stond te vertrekken: 'Papa, als ik mijn nieuwe hartje heb, mogen mama en ik dan mee naar huis?' Dan kreeg ik een krop in mijn keel, ik kon mijn tranen niet bedwingen. En dan vroeg Noah: 'Mama, waarom is papa zo droevig?'
Soms nam ik een bus naar huis, soms ging ik met de wagen. Maar of ik nu zelf reed of me liet vervoeren, elke keer was het hetzelfde: ik was nog maar pas vertrokken en ik belde al om te vragen of alles nog in orde was. De hele rit naar huis stroomden de tranen. Onderweg ging ik nog even langs bij vrienden om te vertellen hoe het met

onze kleine piraat ging. Als ik dan thuis aangekomen was, belde ik weer naar Anja om te vragen hoe Noahtje in slaap was gevallen.

# Een dag in het ziekenhuis

Noahs bloedwaarden waren over het algemeen goed. Als ze eens wat minder waren, werden de medicijnen aangepast. Aan Noahtje was dit niet zien, hij was altijd even goedgezind en maakte veel plezier.

Maar niet met alle patiëntjes ging het even goed. Een van de andere kindjes had een ernstige infectie en mocht niet meer met anderen op de kamer liggen. Daardoor moest Noah verhuizen naar een kamer waar meer kinderen lagen. Dat was even schrikken. Het zou aanpassen zijn, want het was fijn om op een kleine kamer te liggen waar we onder ons waren en ons samen konden amuseren. Noah kon er ongestoord muziek maken en spelen. Het zou een hele verhuis worden, want zijn kamer stond vol speelgoed en was een echt kinderparadijs.

Noahtje was even droevig toen hij het nieuws te horen kreeg, hij wilde zijn kamer niet afgeven. Maar na enkele minuten was zijn glimlach daar weer. En aangekomen in de nieuwe kamer was hij direct zijn oude, vrolijke zelf. Hij paste zich heel snel aan en stak direct zijn kamergenootjes aan met zijn goede humeur. Dat zou nog een vrolijke boel worden! Na twee dagen leek het al alsof hij altijd in die kamer had gelegen. We maakten het ons gezellig, en Noah voelde zich in zijn element.

We hadden al vlug een oplossing gevonden voor al zijn speelgoed: dat werd mooi opgeborgen in een kistje achter zijn bed. Noah had intussen massa's verkleedkostuums: een van een piraat, een brandweerman, een politieagent... Als hij als brandweerman was verkleed, zorgden we ervoor dat hij iedereen kon natspuiten met een waterkanon. Dat was natuurlijk dolle pret. De verpleegsters werden een na een naar Noah gestuurd zodat hij ze allemaal kon natspuiten. Zijn schaterlach was dan door de hele gang te horen.

Ook zijn spelletjes waren opgeborgen in de kist. We speelden geregeld samen Uno of een ander spelletje. We knutselden veel samen, en ook schilderen deed hij heel graag. Anja gaf hem zelf les. Dat was voor allebei een plezier. Veel mensen bewonderden ons om hoe we met de hele situatie omgingen. Maar we hadden natuurlijk geen andere keus. We moesten samen sterk blijven en er voor elkaar zijn.

Onze dagen verliepen allemaal min of meer volgens hetzelfde patroon. 's Morgens konden we vanaf negen uur naar Noahtje. Als we aankwamen, zat er een opvoedster bij hem. Onze kleine piraat was elke dag al rond zes uur wakker, dus hij moest het een paar uurtjes zonder ons stellen. Om de andere kindjes op zijn kamer niet wakker te maken, ging hij dan meestal mee met de verpleegster naar de keuken om melk te halen voor de baby's. De verpleegsters vonden het best leuk dat ze hulp kregen van een kindje dat veel lachte en ook anderen aan het lachen bracht.

Zodra wij er dan waren, ontbeten we samen. Dat vonden we supergezellig en algauw werd het een echte gewoonte.

Noah was elke morgen goedgezind. Hij lachte altijd, dus we amuseerden ons te pletter. Na het ontbijt mocht hij meestal even op de iPad spelen. Daar hadden we een paar spelletjes voor hem op gedownload. Ik kon moeilijk nee zeggen, als hij me aankeek met zijn mooie glimlach op zijn gezicht was ik verloren.

's Middags was het geen bezoekuur en moesten we Noah alleen laten. Maar meestal bleven we dan nog even bij hem, zodat hij niet alleen hoefde te eten. Ook hier was hij weer een voorbeeld voor de andere kindjes. Hij kon ongelooflijk smakelijk zitten eten. Anja stelde samen met de verpleeg-sters het menu van de week samen. Maar soms was er een vergissing gebeurd in de keuken. Dat was geen probleem. We brachten dan iets mee wat Noah graag at, pizza of pasta die mama tijdens de middagpauze had gemaakt op ons appartement. Maar na een tijdje merkten we dat Noah het steeds moeilijker kreeg als we 's middags weg moesten, ook al was het maar voor een uurtje of twee. Hij was dan erg aanhankelijk en bleef ons maar knuffelen. Hij bleef niet graag alleen achter. Dat was altijd een moeilijk moment voor ons allemaal.

Na de middagpauze mochten we gelukkig weer bij ons zoontje. Alles went, en na al die weken waren we het leven in het ziekenhuis van Giessen al goed gewoon. We hadden ons goed aangepast en waren altijd blij als we iets nieuws konden doen. Zo gingen we dan samen naar het park of eens naar een andere afdeling. Noahtje vond alles heel leuk, want hij kon dan op zijn Berlin Heart rondrijden. En wij konden het ziekenhuis leren kennen.

Spijtig genoeg kreeg Noah niet zoveel bezoek, dus we waren veel alleen met hem. Veel mensen vertelden ons dat ze heel graag wilden langskomen, maar de afstand was natuurlijk gigantisch.

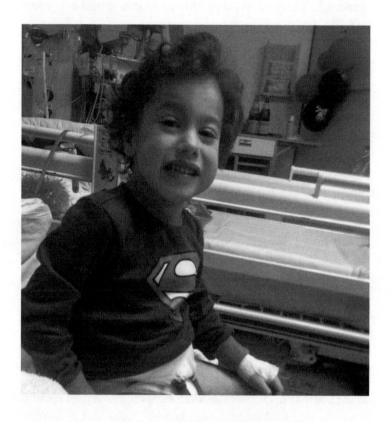

Gelukkig was er de dame van de Kinderhospizdienst. Iedere vrijdagmiddag kwam ze Noah gezelschap houden. Ze speelden dan samen of gingen wandelen. Anja en ik hadden dan even tijd voor onszelf. Dan gingen we samen een koffie drinken of wat winkelen. Maar meestal waren we vroeg terug om bij ons zoontje te kunnen zijn.

's Avonds aten we samen. We trachtten een zo normaal mogelijk leven te leiden, ondanks de moeilijke situatie. Dat lukte soms vrij goed, andere dagen liep het allemaal moeizaam. Na het avondeten werd Noahtje gewassen en verzorgd. Hij vond het ook fijn om iedere avond een voetbadje te kunnen nemen.

We keken vaak samen naar een filmpje voor het slapengaan, andere keren speelde Noah nog een spelletje op de iPad. Op een kamer met verschillende kindjes is het niet altijd eenvoudig om overeen te komen wanneer het licht uit moet, zodat iedereen zijn rust krijgt. Soms gaf dat natuurlijk wrijvingen, dat kan ook niet anders. Onze kleine piraat had veel rust nodig en op de kamer alleen was dat geen probleem geweest. Nu moesten we ons aanpassen en rekening houden met anderen.

Als ons zoontje sliep, gingen we nog even naar de wachtzaal, waar we napraatten met andere ouders. We ruimden er ook wat op, want na zo'n dag slingerde er van alles rond. We hadden wat geld ingezameld en een koffiemachine, enkele kopjes, glazen en borden gekocht, zodat de wachtzaal wat aangenamer was geworden. De bedoeling was ook dat we er rustig met bezoekers een kopje koffie konden komen drinken. De meeste ouders apprecieerden dit enorm.

# Verzorging

Wekelijks werd de aansluiting van Noahs kunsthartje verzorgd. Anja mocht hierbij helpen. De steriele verzorging werd op de kamer uitgevoerd. Noah vond het allemaal niet zo erg. Integendeel, hij was weer zijn vrolijke zelf en haalde allerlei gekke toeren uit met de verpleegsters, daarbij de hele tijd lachend. Voor de verpleegsters was het een plezier om hem te mogen verzorgen. Ze konden even de dagelijkse zorgen vergeten terwijl ze samen met Noah lachten en plezier maakten. Ze vertelden ons wel eens dat dit de beste motivatie was om weer verder te werken op deze bijzondere afdeling die veel van hen vergde.

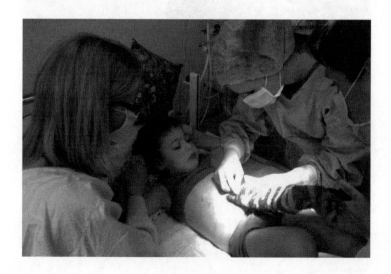

Op de foto op de vorige bladzijde is te zien hoe het kunsthartje volledig wordt ingepakt. Ik had namelijk gevraagd
om met Noahtje te mogen douchen. Gelukkig kregen
we toestemming van de dokters, zodat Noah na weken
eindelijk nog eens kon spelen onder de douche in plaats
van zich in bed te laten wassen. Het was puur genieten,
waterpret ten top voor onze kleine piraat, ook al was de
Berlin Heart erbij, veilig beschermd tegen het water. Die
machine was hij op dat moment helemaal vergeten. Hij
had zoveel plezier dat we er zelf ook gelukkig van werden
om hem zo te zien. Hij bleef maar spetteren en spelen,
we kregen hem met moeite onder de douche vandaan.

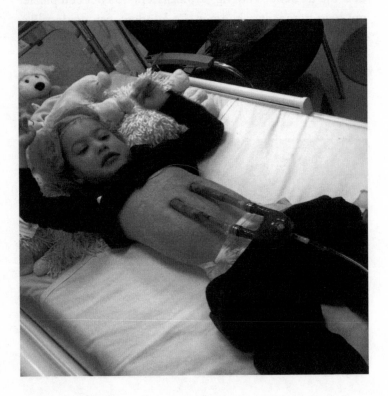

Omdat Noah zo genoten had van die douche, leek het ons wel fijn om dit voortaan iedere week te kunnen doen. Jammer genoeg was dat niet mogelijk. Er waren alleen douches in eenpersoonskamers, en die waren constant bezet door kindjes bij wie pas een transplantatie was uitgevoerd. We konden natuurlijk moeilijk bij iemand anders gaan douchen, en al zeker niet bij een kindje dat pas een nieuw hart had gekregen. Dus zochten we naar een andere oplossing, zodat Noah zich toch kon uitleven in het water. We brachten een kinderbadje mee naar het ziekenhuis, plaatsten er een scherm voor en voilà, onze kleine piraat kon weer lekker spelen in het water. Als je het echt wilt, is alles mogelijk.

Maar de pret bleef niet duren. Na enkele weken raakte Noahs huid ontstoken aan de aansluitingen van zijn kunsthartje. Hij moest voortaan elke dag verzorging krijgen. Er werd ook elke dag een staaltje huid afgenomen en naar het labo gestuurd om na te gaan welke infectie het precies was, hoe ze evolueerde en hoe ze ontstaan was. Dat kon zijn doordat hij regelmatig een badje nam of doordat hij zo vaak rondliep en speelde, de dokters wisten het niet. Het gevaar bestond dat de infectie via de aansluitdarmpjes naar zijn hart zou gaan. Dat zou betekenen dat ze het kunsthartje moesten verwijderen. Daarom kreeg Noah onmiddellijk medicatie om de infectie tegen te gaan. Hij mocht voorlopig ook niet meer in bad.

Het was weer enkele dagen bang afwachten. We vreesden dat ons zoontje weer een zware operatie zou moeten ondergaan. Bij elke verzorging maakte Anja foto's van Noahs huid met haar gsm, zodat we iedere dag konden vergelijken met de vorige en zelf konden controleren of de ontsteking beter werd. Na enkele dagen keerde het tij. De huid rond de aansluitingen zag er beter uit, en dat werd bevestigd door het bloedonderzoek: de infectiewaarden gingen in dalende lijn. Wat een goed nieuws! Na enkele machteloze dagen vol ongerustheid konden we eindelijk opgelucht ademhalen.

Noahs huid moest wel nog elke dag verzorgd worden. Na elke verzorging wilde hij dat de verpleegster een mooie tekening maakte op zijn nieuwe verband. Alle verpleegsters zetten hun beste beentje voor. Iedereen probeerde de mooiste tekening te maken. Op den duur werd het een kleine tekenwedstrijd. De ene keer prijkte er een indrukwekkend piratenschip op Noahs verband, dan weer een stoere auto, een grappige trein of een vrolijk zonnetje. Onze pritaat vond het allemaal geweldig. Bij elke verzorging bleef hij rustig liggen. Hij klaagde of zeurde nooit en kreeg nadien vaak complimentjes van de verpleegsters. Hij was dan altijd enorm fier dat hij zo goed had meegewerkt. Soms kwam ik juist terug uit België en als ik de kamer binnenstapte, riep Noah me al toe vanuit zijn bedje: 'Papa, ik was weer heel flink vandaag bij de verzorging.' Dan kon mijn dag niet meer stuk. Ik werd gewoon vrolijk van hem te zien. Mijn vermoeidheid van de lange rit en de afgelopen week was op slag vergeten als ik zijn blij, fiere gezichtje zag.

Iedere dag dat ik samen kon zijn met Anja en Noah was voor mij een mooie dag. We waren gelukkig met zijn drietjes en leefden van dag tot dag. Natuurlijk hadden we graag gehad dat Noahtje zo vlug mogelijk van zijn kunsthartje verlost zou worden. Maar zolang er geen donorhartje kwam, moesten we zo samen blijven leven. Er waren natuurlijk dagen dat Anja en ik het moeilijk hadden, maar we hielden ons sterk voor ons zoontje. Elke dag hoopten we dat het verlossende bericht zou komen dat er een hartje voor Noah was.

Maar tegelijk waren we bang voor dat telefoontje. We wisten immers heel goed dat dit weer een zware operatie zou worden, die niet zonder risico's was. Bovendien waren we er ons heel goed van bewust dat er een ander kindje zou moeten sterven zodat ons eigen kindje zou kunnen leven. Ook daar hadden we het moeilijk mee. Wat voor ons goed nieuws zou zijn, zou voor andere ouders een tragische dag zijn. En in hun verdriet moesten die mensen dan beslissen om organen af te staan voor ons zoontje. Daarom vonden en vinden we het heel belangrijk om zo veel mogelijk informatie over orgaandonatie te verspreiden.

# Positieve kracht

Er was een eenpersoonskamer vrijgekomen en we mochten weer van kamer veranderen, zodat we wat meer rust hadden. Een van de kindjes op Noahs kamer huilde vaak heel hard, zowel overdag als 's avonds laat, als iedereen moest slapen. Noah en de andere kindjes hadden er nogal wat last van, ook al was het een heel lief meisje, dus de eenpersoonskamer was heel welkom. Ook het feit dat we weer wat meer privacy hadden, deed ons goed.

De nieuwe kamer werd weer gezellig ingericht. Al Noahs mooie kaartjes en foto's werden opnieuw opgehangen, zijn speelgoed overal uitgestald. En wat het helemaal perfect maakte: we konden weer met Noah onder de douche! Daar zouden we allemaal nog veel plezier aan beleven.

Iedereen op de afdeling kende Noah, en hij had er dan ook heel wat vriendjes. Maar er was één meisje met wie het heel goed klikte, en ze trokken dan ook veel samen op. Toen het weer beter begon beter te worden, gingen ze geregeld samen met ons naar buiten om van het zonnetje te genieten. Ze speelden en ravotten samen in de buurt van het ziekenhuis. Geregeld namen we ook

waterballonnetjes mee, die ze dan onder veel gelach en gejoel naar elkaar gooiden.

Als we met de kinderen gingen wandelen, hadden we heel wat bekijks. Alle twee sleurden ze een gigantische machine met zich mee. Die blikken en reacties waren wel even wennen, maar op den duur merkten we zelfs niet meer op dat we werden aangestaard.
De zomer kwam eraan. Dat betekende picknickweer. En we lieten ons niet tegenhouden doordat Noah nu aan een grote machine hing en in het ziekenhuis lag. Als Noahs vriendinnetjes op bezoek kwamen, was het altijd feest. Maar zo'n picknick, dat maakte het extra speciaal.

Ik bakte ook geregeld pannenkoeken voor de hele afdeling in de wachtzaal. De verpleegsters kwamen er dan vlug nog eentje halen voordat ze naar huis gingen. De hele afdeling rook ernaar. Dat gaf ook weer zo'n huiselijke sfeer. We hadden er alles voor over om ons zoontje en de andere kindjes een zo aangenaam mogelijk verblijf te bezorgen.

Hoe moeilijk het ook was, we probeerden altijd eerlijk te zijn met Noah, zodat hij wist wat er zou gebeuren en waarom. Zo werd om de juiste stollingswaarde van zijn bloed te kennen iedere dag een vingerprik gedaan door een verpleegster. We hadden het hem allemaal goed uitgelegd, maar dat betekende nog niet dat het een lolletje was. Maar Noah maakte er geen problemen van. Ook dit doorstond hij weer met een glimlach. Zoiets had het verplegend personeel nog nooit meegemaakt. Na enkele dagen wilde Noah de prik bij zichzelf doen. De verpleegster stond hem natuurlijk bij, en zo ging het heel goed. Vanaf toen mocht Noah het altijd zelf doen. Hij stak met volle overtuiging en zonder enige aarzeling de naald in zijn vingertje. Als dat was gebeurd, was hij fier als een gieter. Zijn gezichtje straalde helemaal. Hij had zijn taak goed uitgevoerd.

# Een hartje

Het was intussen zomer en in Duitsland was de schoolvakantie begonnen. Volgens de dokter kon het nu elk
moment gaan gebeuren. De kans was groot dat er gauw
een hartje voor Noah kwam. Tijdens de vakantie gebeuren er immers meer ongevallen op de weg en verdrinken
er kinderen tijdens het spelen in een zwembad. Daardoor
komen er meer organen ter beschikking. Het klinkt erg
hard en grof, maar het is de realiteit.
We kregen weer wat hoop. Na maanden wachten zou het
eindelijk zover zijn.

Door het mooie weer waren we bijna elke dag buiten en
we probeerden zo veel mogelijk leuke dingen te doen.
Doordat de machine een batterij met een capaciteit van
maar één uur had, konden we echter niet ver weg. We
moesten steeds in de omgeving van het ziekenhuis blijven en na een uur weer naar binnen gaan om het toestel
op het stopcontact aan te sluiten. Dat was natuurlijk
weinig ideaal. Daarom kocht ik een verlengkabel van
100 meter, zodat we uren buiten konden genieten. Vanaf
nu konden Noah en zijn vriendinnetje langer buiten
spelen. Soms bleven we ook buiten eten. En wat smaakt
er nu beter op een mooie zomeravond dan een barbecue?

De ouders van Noahs vriendinnetje hadden een barbecue gekocht, en die heeft die zomer goed dienst gedaan. We hebben dan ook vele gezellige uren samen doorgebracht in de tuin van het ziekenhuis.

Vrijdag 27 juni 2014. Een dag om nooit te vergeten. Ik was nog thuis toen Anja me belde met het nieuws dat er een hartje was voor Noah. Ik kon geen woord uitbrengen. Het enige wat ik deed, was huilen. Toen ik me weer enigszins herpakt had, zei Anja: 'Schatje, ik heb samen met de dokters besloten het aan zijn vriendinnetje te geven. Het hartje was te groot voor Noah en de dokters raadden het af, er konden complicaties optreden.' Zoiets hadden ze nog nooit meegemaakt in Giessen: één hartje dat geschikt was voor twee kindjes op dezelfde afdeling én die op dezelfde kamer hadden gelegen.
Weer begon ik te huilen. De teleurstelling was enorm. Maar daarna kwam de blijdschap. Als er complicaties konden ontstaan, was het beter geen risico te nemen. Bovendien hadden we zo Noahs vriendinnetje geholpen. Die mensen waren ons heel dierbaar geworden, dus we waren blij voor hen.

Die avond was ik niet in staat nog naar Giessen te rijden. Anja en ik spraken af dat ik zaterdagmorgen zou vertrekken. Ik vertrok vroeg, zodat ik rond negen uur in het ziekenhuis zou zijn en samen met Noah en Anja kon ontbijten.

Op weg naar Noahs kamer kwamen we de ouders van zijn vriendinnetje tegen in de gang. De tranen begonnen direct te stromen. Het waren heel emotionele uren geweest voor hen en ze waren ons enorm dankbaar voor de beslissing die we hadden genomen. Door die beslissing kon hun dochtertje nu leven. Het meisje had de operatie goed doorstaan en was alweer terug op haar kamer, de transplantatie was geslaagd. Een enorme opluchting voor hen, want een paar jaar geleden hadden ze een zoontje verloren dat aan dezelfde hartkwaal leed. Hij was overleden na een zware hersenbloeding.

Aangekomen bij Noah vertelden we hem dat zijn vriendinnetje het hartje had gekregen dat eigenlijk voor hem was bestemd, en dat ze binnenkort naar huis mocht. Hij nam het heel goed op. Hij zei gewoon: 'Als ik mijn hartje heb, mag ik ook weer naar huis.' Dat was het enige waar we naar verlangden. En die dag zou ook voor ons ooit aanbreken.

Iedere dag werd het meisje beter en we gingen geregeld bij haar langs met Noah. Na een week kwamen zij en haar ouders ons al buiten gezelschap houden, net zoals vroeger. We genoten met volle teugen van de momenten samen.
Na vier weken was Noahs vriendinnetje fit genoeg en mocht ze naar huis. Het afscheid was heel zwaar voor ons allemaal, want we waren hechte vrienden geworden. Maar we waren heel blij voor hen, hun nieuwe leven kon nu beginnen. Onze dag zou binnenkort komen, daar twijfelden we niet aan.

# En nu voor echt

Op zondagnamiddag 3 augustus namen Anja en ik rond vier uur afscheid van ons zoontje voor een paar dagen. We hadden thuis enkele zaken af te handelen samen. Maar Noah was niet alleen, nooit trouwens. Elke keer als we naar huis vertrokken was zijn tante Melanie, Ta, steeds bij hem.

Tegen de avond waren we thuis, aten iets en begonnen al enkele dingen te regelen. Ik betaalde via de computer binnengekomen rekeningen, Anja begon kleren klaar te leggen die ze mee terug wilde nemen. Rond elf uur gingen we slapen.

Om drie uur 's nachts werden we opgeschrikt door de telefoon. Ik nam op, een vrouwenstem vroeg: 'Bent u de papa van Noah De Schepper?' Ik was meteen klaarwakker. 'Ja,' antwoordde ik, 'dat ben ik.' 'Er is een hartje voor uw zoontje, kunt u onmiddellijk naar het ziekenhuis komen?' Het ging gebeuren! Anja, die ook wakker was geworden door het gerinkel van de telefoon, vroeg me wat er aan de hand was. 'Meid,' antwoordde ik, 'er is een hartje voor Noahtje. We moeten onmiddellijk terug naar Giessen.' We hadden geen tijd om stil te staan bij wat we juist gehoord hadden. We sprongen direct uit bed en begonnen ons zonder veel te praten aan te kleden. Daarna pakten we snel wat spullen bij elkaar en vertrokken in vliegende vaart richting Giessen.

Het was een spannende rit. Over enkele uren zou het gebeuren. We waren gelukkig, maar ook erg bang. Het zou een ingrijpende operatie worden, zou deze keer alles goed gaan? Vanuit de wagen belde Anja haar zus en vroeg haar alvast naar Noahtje te gaan, zodat zij hem kon vertellen wat er zou gaan gebeuren en hem kon bijstaan.

Rond halfzeven kwamen Anja en ik aan in het ziekenhuis. Ons zoontje was al wakker en toen we zijn kamer binnenstapten, riep hij: 'Papa, mama er is een hartje voor mij!' We waren allemaal dolgelukkig. Eindelijk ging het gebeuren, eindelijk zou Noah gezond zijn en zouden we samen een normaal gezinsleven kunnen leiden.
We vernamen dat er een team naar Frankrijk vertrokken was om het hartje op te halen. Frankrijk was niet aangesloten bij Eurotransplant, maar had toch een hartje vrijgegeven. En dat hartje was voor Noah.

De verpleegsters begonnen stilaan met de voorbereidingen voor de operatie. Noahtje kreeg zijn operatiehemdje aan, zijn infusen werden gelegd en er werd gestart met immunosuppressiva. Dat zijn geneesmiddelen die twee uur voor een transplantatie worden gegeven om afstotingsreacties tegen te gaan. We konden samen op Noahs kamer blijven tot negen uur. Toen werd hij opgehaald en naar de operatiezaal, een verdieping lager, gereden. We liepen met hem mee naar beneden, waar het team al klaarstond om Noahtje op te vangen. We mochten nog even afscheid nemen van onze dappere piraat met zijn eeuwige glimlach, toen kreeg hij een slaapmiddel toegediend. Zachtjes dommelde hij in. Het zou de laatste keer zijn dat we hem bij bewustzijn hadden gezien.

Met tranen in onze ogen vertrokken we weer naar boven. We moesten de kamer volledig leegmaken omdat Noah na de operatie in een steriele kamer zou komen te liggen. Het was nog niet zo slecht dat we dat op dat moment konden doen. Doordat we iets omhanden hadden, werden we afgeleid en ging de tijd wat vlugger vooruit zonder dat we veel kans hadden om te piekeren. Maar rond vijf uur in de namiddag waren we klaar, en toen begon het wachten. Er ging van alles door mijn hoofd. Allerlei herinneringen kwamen naar boven. Beelden van Noah van toen hij een baby'tje was, zijn eerste stapjes, zijn eerste schooldag... De leuke dingen die we samen hadden gedaan, ook in de tijd dat hij hier was geweest. Het wachten duurde eeuwig. Hoe later het werd, hoe minder ik mijn zenuwen onder controle had. Ook Anja had het moeilijk. Geregeld zaten we samen te huilen. We stelden ons allerlei vragen. Hoe verliep de operatie? Wanneer zou alles voorbij zijn?

Rond acht uur kregen we eindelijk informatie. De operatie was goed verlopen en ons zoontje werd klaargemaakt om hem naar de kamer te brengen. De opluchting was onbeschrijflijk. Er viel zo'n gigantisch pak zorgen van ons af! Alles was goed, ons zoontje zou gauw op zijn nieuwe kamer zijn. We waren dolgelukkig en konden amper wachten tot we Noahtje te zien zouden krijgen.

Maar ons geduld werd nogmaals op de proef gesteld. Onze lieve piraat werd maar niet naar boven gebracht. We werden opnieuw zenuwachtig. Was het normaal dat het zo lang duurde? Er was toch niet alsnog iets misgegaan?

Het werd negen uur. Toen kwam de dokter binnen, zonder Noah. Nu werden we echt bang. Ons voorgevoel werd bevestigd. De dokter vertelde ons heel rustig dat de operatie goed verlopen was, maar dat er complicaties waren opgetreden. Op dat moment kon ze ons helaas nog niet zeggen hoe of wat er juist aan de hand was. Ze wist alleen dat het nog even kon duren. We zouden moeten wachten tot alles duidelijker werd.

Het wachten duurde eindeloos. De minuten leken wel uren te duren, de uren dagen. Het was een echte uitputtingsslag.

Het was intussen elf uur 's avonds en we hadden nog altijd geen nieuws. We wachtten en wachtten. Intussen hadden we het gezelschap gekregen van een bevriende moeder en haar kinderen. Zij wilden er voor ons zijn en steunden ons in die lange, bange uren. Hun aanwezigheid betekende enorm veel voor ons, wij zijn die mensen dan ook ontzettend dankbaar.

Toen stond de dokter weer voor onze neus. Noahs nieuwe hartje wilde na de transplantatie niet kloppen, vertelde hij. Daarom hadden ze hem op de hart-longmachine aangesloten, zodat het hartje ontlast zou worden. Op dat moment werd ons zoontje eigenlijk in leven gehouden door een machine. De dokter vond het verschrikkelijk voor ons en voor Noah, maar ze konden op dat moment niet veel méér doen. Het was afwachten hoe het verder zou gaan.

# Eeuwig wachten

Daar zaten we weer te wachten. Zwijgend. Er viel immers niets te zeggen. We konden alleen maar wachten. Wachten en hopen. We waren compleet machteloos, overgeleverd aan het lot.

Het werd middernacht, dan een uur, twee uur... De uren verstreken. Het was midden in de nacht, maar we voelden geen vermoeidheid, ook al waren we al meer dan vierentwintig uur wakker. Door de stress van de afgelopen uren voelden we niet hoe moe we waren.

Rond zes uur kwamen de chirurgen eindelijk de wachtkamer binnen. Ze hadden allebei tranen in hun ogen, hun gezichten stonden strak. Een onbeschrijflijke angst overmande ons. De artsen begonnen ons uit te leggen dat de operatie heel mooi was verlopen. Alles zag er goed uit. Maar toen werd duidelijk dat Noahs lichaam het nieuwe hartje niet aanvaardde. Het werd massief afgestoten. Er waren bovendien bloedklonters ontstaan, die door het hele lichaam waren verspreid. Een groot deel van de bloedklonters was in zijn hersenen terechtgekomen. Zoiets hadden ze nog nooit meegemaakt in dit hartcentrum.

Anja en ik klampten ons aan elkaar vast. Het drong tot ons door dat het er helemaal niet goed uitzag voor Noahtje. Maar de chirurgen waren nog niet uitgesproken. Met gedempte stem voegden ze eraan toe dat de rechterhelft van de hersenen ernstig beschadigd was door de bloedklonters. Noah zou wellicht verlamd blijven aan de linkerzijde. Er bestond zelfs een kans dat hij het niet zou halen tot zijn kamer. 'Het spijt ons verschrikkelijk voor jullie', zeiden ze met tranen in hun ogen.

Anja en ik konden geen woord uitbrengen. We stamelden nog: 'Jullie hebben alles gedaan wat medisch mogelijk was.' Toen vielen we huilend in elkaars armen.

Zo'n twee uur later hoorden we op de gang van de intensieve afdeling de automatische deuren opengaan. Ons zoontje werd de gang in gerold. Zijn bedje werd omringd door allerlei toestellen en medisch personeel. Langzaam ging het in de richting van de kamer die voor hem was klaargemaakt. De dokter vertelde ons dat ze nog ongeveer een uur nodig hadden om alles in orde te maken, daarna zouden we naar Noah toe mogen.

Om negen uur mochten we eindelijk bij Noahtje. Ons kindje lag aan de hart-longmachine gekoppeld, via allerlei infusen kreeg hij medicatie toegediend. Medicatie tegen het afstoten, medicatie om zijn hartje aan de praat te krijgen... De tranen liepen over onze wangen.

We staarden naar de monitor en probeerden de ingestelde waarden te volgen. De situatie bleef kritiek, er bleven constant een verpleegster en een dokter in de kamer. Ook wij bleven bij Noah. We konden hem nu niet alleen laten. De pijn die we op dat moment voelden, is onbeschrijfelijk.

De hele afdeling was geschokt over de situatie van Noah. Alle verpleegsters, dokters en andere ouders kwamen naar ons toe om ons te troosten. We mochten bij Noah blijven zolang we wilden.

Op de gang voor Noahs kamer had een verpleegster intussen een tafeltje klaargezet met koffie en water. Terwijl Anja bij Noah bleef, belde ik de media en vertelde hen over de toestand van Noah. Op dat moment kwam een verpleegster naar mij toe met post voor Noah. Het waren weer stapels brieven, kaartjes en tekeningen. Al vanaf de eerste dag dat ons zoontje hier lag, kreeg hij elke dag post. Intussen zaten we al aan een volle kist met kaartjes van over de hele wereld, zo'n 7000 in totaal. Ongelooflijk, zo'n mooi gebaar. Het deed ons elke keer weer deugd te voelen dat er zoveel mensen met ons meeleefden.

Intussen was het avond. We hadden al meer dan vierenveertig uur niet geslapen. De dokters maakten zich zorgen over ons en vertelden ons dat we dringend een beetje rust moesten nemen. Rond acht uur gingen we dan toch maar naar ons appartementje om wat te eten en even te rusten. Slapen konden we niet. Onze gedachten waren bij Noah, we waren zo bang dat hij de nacht niet zou halen. 's Nachts belden we dan ook naar het ziekenhuis om te vragen hoe het met ons zoontje ging. Ze vertelden ons dat zijn toestand nog kritiek maar stabiel was. Ieder uur keek ik op de klok. We wilden zo vlug mogelijk weer naar het ziekenhuis.

Op woensdagmorgen om negen uur mochten we weer bij ons zoontje. De toestand was onveranderd. We bleven de hele dag bij Noah. Anja en ik wisselden elkaar af aan zijn bedje. Terwijl de ene in de kamer was, wachtte de andere op de gang. Dat deden we zo tot acht uur 's avonds.

Als we bij zijn bedje zaten, konden we merken dat Noah onze aanwezigheid voelde. We babbelden heel veel met hem, ook al was hij nog steeds in een kunstmatige coma. Afwisselend lazen we hem verhalen voor uit zijn piratenboek, we speelden zijn muziek... En we bleven hopen op beterschap. Tussendoor kwamen de chirurgen kijken of er al verbetering merkbaar was. Maar zijn hartje wilde nog steeds niet zelfstandig werken.

Zo ging het twee weken lang.

Op vrijdag 15 augustus was er een lichte verbetering in de linkerhartkamer. De dokter gaf ons echter niet veel hoop, aangezien de werking van de rechterkamer niet goed was. Bovendien was er door de bloedverdunnende medicijnen gevaar op een hersenbloeding. Ze moesten die medicatie echter blijven geven omdat hij aan de hart-longmachine lag. Na rijp beraad werd beslist om de werking van de hart-longmachine tijdens het weekend te reduceren.

Toen dat gebeurd was, stelde men vast dat Noah stabiel bleef. Het weekend verliep goed en de dokters en verpleegsters waren erg tevreden. Omdat ze de werking van de hart-longmachine tot 50 procent hadden kunnen reduceren, werd op maandag besloten dat ze die donderdag, 21 augustus, de hart-longmachine zouden afkoppelen. Maar doordat er zich bloed had verzameld rond het hartje, moesten de chirurgen dit eerst verwijderen. Een hart-longmachine verplaatsen is gevaarlijk en complex, en daarom achtten ze het beter om die ingreep op de kamer zelf te doen.

De operatie zou enkele uren duren, dus hadden we tijd om even samen een kopje koffie te gaan drinken. Toen de avond viel, was de operatie achter de rug en kon Anja de verpleegster helpen met de avondverzorging. Tegen halfnegen namen we afscheid en wensten Noah een goede nachtrust. Het viel ons weer erg moeilijk om ons zoontje alleen achter te laten. Het was weer een zware dag geweest.

Op weg naar ons appartementje gingen Anja en ik nog snel iets eten in een nabijgelegen restaurantje. Tijdens het eten praatten we niet veel. We waren allebei neerslachtig omdat het niet goed ging met ons zoontje. In ons appartementje aangekomen speelde Anja nog een spelletje op haar iPad, ik schreef iets op Noahs Facebookpagina. Daarna keken we samen nog naar de televisie. Doodmoe vielen we ten slotte allebei in slaap. Maar zoals elke nacht werden we ook nu weer bijna elk uur wakker. We waren verlamd door de angst Noahtje te verliezen.

Dinsdag verliep grotendeels zoals alle andere dagen in de laatste twee weken. Om negen uur kwamen we aan in het ziekenhuis. Anja en ik hielden Noah om beurten gezelschap op de kamer en lazen hem voor uit zijn piratenboekje. De dokters kwamen geregeld zijn toestand controleren en stelden de medicatie een beetje bij. En er was constant een verpleegster bij Noah, zodat hij steeds onder medisch toezicht stond. Ook vandaag weer werd er een vracht post binnengebracht. Ik had hem de kaartjes en briefjes graag voorgelezen, maar onze jongen was nog altijd niet bij bewustzijn.

De dag ging voorbij zonder dat er iets aan Noahs toestand veranderde. Wel reageerde ons zoontje duidelijk op onze stemmen. Hij bewoog zelfs zijn rechterhand en zijn been. Dat gaf ons weer een beetje moed en hoop. De werking van de hart-longmachine kon ook nog een beetje gereduceerd worden.

We keken uit naar donderdag, de dag waarop de machine verwijderd zou worden en waarop Noahs hartje hopelijk volledig zelfstandig zou werken.

# De laatste reis van de kleine piraat

Woensdag begon zoals alle dagen daarvoor. Om negen uur kwamen we aan op Noahs kamer. De verpleegster was juist klaar met Noahs verzorging, zoals elke dag noteerde ze de handelingen die ze had uitgevoerd in de computer. Op die manier kon iedereen opvolgen wat de andere mensen uit het team gedaan hadden of welke medicijnen ze hadden gegeven. Als dan later op de dag een bepaalde reactie van Noah werd opgemerkt, kon de medicatie aangepast worden.

Toen gebeurde het ondenkbare. Toen zoals gewoonlijk de dokter Noah kwam onderzoeken en hij zijn pupillen controleerde, stelde hij een verandering vast. Hij keek ons droevig aan. Toen vertelde hij ons dat hij vermoedde dat Noah een hersenbloeding had gehad. Onmiddellijk werd alles voorbereid om hem naar de scanner te brengen. Doordat hij nog steeds was aangesloten op de hart-longmachine, was dit een hele verhuis. Een gevaarlijke verhuis bovendien. Het werd heel hectisch op de afdeling. Iedereen die kon, moest helpen om Noah zo snel mogelijk naar beneden, bij de scanner te krijgen.

De scan bevestigde het vermoeden van de dokter. Noah had een zware hersenbloeding gekregen en moest dringend geopereerd worden.

De neuroloog en zijn assistent die de operatie gingen uitvoeren, kwamen ons kort uitleggen hoe de operatie zou verlopen. Ze zeiden erbij dat de kans bestond dat Noah de operatie niet zou aankunnen vanwege zijn toestand. Bovendien moest de hart-longmachine tijdens deze operatie verwijderd worden omdat er gestopt moest worden met het toedienen van het bloedverdunnend medicijn. Om heel duidelijk te zijn vertelde de dokter ons dat de toestand voor ons zoontje zeer kritiek was. Hij zou met grote waarschijnlijkheid in de volgende uren of dagen overlijden.

De verpleegster van de ochtenddienst kwam huilend naar ons toe. Ze voelde zich verschrikkelijk schuldig omdat ze niets gemerkt had aan Noah en bleef zich maar verontschuldigen. Maar we wisten dat het niet haar schuld was en probeerden haar gerust te stellen. Tegelijk waren we zelf radeloos van verdriet. Het begon langzaam tot ons door te dringen dat we ons zoontje gingen verliezen.

Terwijl Noah in de operatiekamer was, begon ik familie, vrienden en de media op te bellen om hen op de hoogte te brengen. De familie kwam dezelfde dag nog naar Giessen. Ook enkele vrienden kwamen naar het ziekenhuis om ons moreel te steunen.

Tegen de late avond was de operatie afgelopen. Maar op weg naar de kamer kreeg Noah opnieuw een zware hersenbloeding. Deze keer kon hij niet meer geopereerd worden. De dokters konden alleen nog een drainage onder de schedel leggen om de druk op de hersenen te verminderen.

Toen dit was gebeurd, mochten we eindelijk weer bij Noahtje. Toen we hem daar zo zagen liggen, kregen we een krak. Het was een verschrikkelijk moment.

Doordat Noahs toestand zo slecht was, werd een spoedvergadering belegd. In een aparte kamer bespraken we met het hele medische team hoe het nu verder moest. De hartspecialisten die de transplantatie hadden uitgevoerd, drongen erop aan om Noah toch nog eens te opereren in de hoop de zware hersenbloeding onder controle te krijgen. We voelden goed aan dat ze niet wilden aanvaarden dat ons zoontje ging sterven.

De neuroloog legde ons uit dat zelfs als de operatie zou lukken, de levenskwaliteit van ons zoontje niet meer menselijk zou zijn. Hij vertelde ons dat Noah volledig verlamd was en dat hij met grote waarschijnlijkheid blind was en niet meer zou kunnen spreken.

Op dit punt gekomen vroegen Anja en ik de dokters om ons alleen te laten. Het was een zeer zwaar en emotioneel moment. We moesten beslissen om Noahtje te laten sterven of...

Anja en ik vroegen Noahs lievelingsdokter om ons bij te staan bij onze beslissing. Ook deze man gaf aan dat Noahs levenskwaliteit onmenselijk zou zijn. We probeerden het ons voor te stellen. Als de operatie zou lukken en Noahtje wakker werd, hoe zou het dan verder gaan? Hij zou niet langer de Noah zijn die we gekend hadden. Hij zou gevangen zijn in zijn eigen lichaam. En wat moest er gebeuren als wij niet meer voor hem konden zorgen?

Dat wilden we hem niet aandoen. Hij was altijd zo'n vrolijke jongen geweest. Ondanks zijn ziekte genoot hij van het leven. We wilden Noah niet in zijn lichamelijk omhulsel gevangen houden om hem toch maar bij ons te hebben. Dat was echt niet onze bedoeling. Ten slotte namen we de zware beslissing om geen operatie meer te laten uitvoeren.

De nacht was intussen gevallen en we mochten niet bij Noah blijven. We vroegen de dokters om er alstublieft voor te zorgen dat ons zoontje geen pijn zou lijden. Dat was de enige wens die we nog hadden.

Donderdagmorgen 21 augustus. Toen we op de intensieve afdeling aankwamen, wilde de dokter met ons praten. Hij vertelde ons dat wij zelf mochten beslissen wanneer de behandeling werd stopgezet. Hij zei erbij dat ons zoontje nog uren, dagen, zelfs weken zo aan de machines kon liggen, maar dat er helemaal geen hoop op verbetering van zijn toestand was.

Het verdriet was groot en pijnlijk. Voordat alle toestellen zouden worden uitgeschakeld, wilden we in elk geval dat familie en vrienden de kans kregen om afscheid te nemen van ons zoontje. Ook Hanne en Tom van *Het Belang van Limburg* waren erbij. Dat was onze uitdrukkelijke wens. We hadden steeds een goede band met hen gehad. En zo konden we zo veel mogelijk mensen bereiken en overtuigen om zich te laten registreren als orgaandonor. We wilden ook laten zien hoe verschrikkelijk het is om zo lang te wachten op een orgaan en het dan mee te maken dat het niet werd aanvaard door zijn lichaampje.

Nadat iedereen afscheid had genomen, besloten Anja en ik dat het moment gekomen was waarop de arts de behandeling mocht stopzetten. Anja bleef bij Noah en ik zocht de dokter op. Dit was het ergste wat ik ooit had moeten doen. Vragen om mijn eigen zoontje te laten sterven.

Om halfeen namen Anja en ik Noahtje in onze armen om afscheid te nemen. Ik speelde de liedjes 'Samen voor altijd' en 'Verlies' van Marco Borsato af.

> *Ze zeggen dat de tijd je wonden heelt,*
> *Maar ik voel elke dag dezelfde pijn.*
> *Waarom werd je bij me weggehaald?*
> *Waarom mocht je niet gewoon dicht bij me zijn?*
> *Nog steeds dezelfde leegte in mijn hart,*
> *Nog steeds dezelfde handen op mijn keel.*
> *Boos op de god die jou niet wilde helpen,*
> *Boos op een wereld die niet stoppen wil.*
>
> *Ik zie nog steeds de tranen in je ogen,*
> *Die je het liefst verborgen hield voor mij.*
> *Hoe klein je was, je wilde mij al sparen.*
> *Je hield je groot en je verbeet de pijn.*
> *Ik wilde elke dag wel met je ruilen,*
> *Ik wens nog elke dag dat ik het was.*
> *Jou te zien lijden en niet kunnen helpen,*

Die onmacht sloopt me nog elke dag.
En niemand vertelt me wat de reden is,
Dat alles zo verandert,
ineens is alles anders.
Het was toch goed zoals het was?
Jij deed toch niemand kwaad?
Ik begrijp het niet...

En niemand...
vertelt je hoe je verder moet.
Als alles wat je lief is
ineens voor altijd weg is.
Eén moment is alles goed.
En dan vertelt een stem je
dat het ophoudt.

Nee, niemand...
Vertelt mij wat de reden is.
Dat alles zo verandert,
ineens is alles anders.
Het was toch goed zoals het was?
Wij deden niemand kwaad, toch?
Ik begrijp het niet...

Ik stap mijn bed uit en begin de dag,
Ik zie de zon maar ik voel haar warmte niet.
Ik dwing mezelf de woorden te herhalen,
Die je me zei, vlak voor je ons verliet.
Je keek me even heel diep in m'n ogen,
Je pakte me heel stevig vast.
Wees niet boos op wat er niet meer is, pap
Maar wees dankbaar voor datgene dat er was.

Anja en ik konden eigenlijk niet bevatten waarom dit moest gebeuren. We waren allebei kapot van verdriet. We pakten elkaar vast, radeloos, machteloos. De tranen bleven maar stromen.

Om tien voor een werd de beademing afgesloten. Noahtje sliep zachtjes in onze armen in. Vanaf nu konden we nooit meer samen knuffelen, spelen, lachen en genieten van alle mooie dingen.

Samen legden we Noah weer in zijn bedje om hem klaar te maken. Noah werd gewassen en we trokken hem de kleren aan die Anja had gekozen. Terwijl mijn vrouw op de kamer bleef, ging ik naar buiten om iedereen mee te delen dat ons zoontje overleden was.

Voor Noahtjes kamer hadden zich intussen de verpleegsters en dokters die geen dienst hadden verzameld om afscheid te komen nemen. Ze konden het gewoon niet geloven. Iedereen, familie en personeel, stond te wenen.

We hadden heel graag gewild dat Noahs organen gebruikt werden voor donatie. Maar spijtig genoeg was dit niet mogelijk door alle medicatie die Noah de laatste tijd had gekregen. De dokters drongen erop aan een autopsie te mogen uitvoeren, zodat ze eventueel de oorzaak van de afstoting konden achterhalen. Op die manier hoopten ze wat bij te leren, zodat in de toekomst vermeden kon worden wat er met Noah was gebeurd. Uiteraard kon dit voorstel op onze steun rekenen.

# Hartpatiëntje Noah overleden

**N**oah De Schepper (4) uit Voeren is vanmiddag rond 13 uur losgekoppeld van de hart-longmachine en gestorven. De jongen onderging twee weken geleden een harttransplantatie. Daarbij traden meteen complicaties op. Verschillende hersenbloedingen werden de jongen uiteindelijk fataal. — *door Mige*

'Lieve mensen, als papa van Noahtje wil ik jullie nogmaals bedanken voor de enorme steun die we de hele tijd hebben gekregen. Noah zijn toestand is slecht, zijn hersenbloeding wordt steeds groter, maar zijn hartje klopt zelfstandig. Dat is het ergste aan de hele situatie. Op medisch vlak kunnen ze niets meer doen. We moeten wachten totdat hij zelf wil gaan', liet vader Frank via de Facebookpagina Noahs Ark weten.

'Ze mogen hier niets doen om hem te laten gaan. Er is geen overlevingskans voor onze kleine piraat. De hersenen zijn zo zwaar beschadigd dat hijzelf helemaal geen levenskwaliteit meer heeft. Zoals de prof ons vorige week al meedeelde: 'Noah is oprecht in de operatiekamer gegaan en we moeten hem oprecht laten gaan.' Zijn mooie glimlach zal voor altijd herinnerd worden bij iedereen. Kleine piraat, mama en papa blijven bij jou en steunen je in je eigen beslissing. Neem je rust en slaap zacht, wij gaan je voor altijd heel erg missen. Je bent en blijft onze liefste schat. Je mama en papa.'

## Naar gespecialiseerd ziekenhuis in Duitsland

Noah De Schepper leed aan een levensbedreigende hartafwijking waardoor een harttransplantatie noodzakelijk was. De ouders verhuisden naar het Duitse Giessen, waar een gespecialiseerd ziekenhuis in de beste zorgen voor Noah voorzag.

Na negen maanden werd er een geschikt donorhartje voor Noah gevonden. Twee weken geleden werd de jongen liefst 21 uur geopereerd. Maar toen bleek dat de rechterhelft van het donorhart was stilgevallen, waardoor Noah aan de hart-long-machine moest. De vierjarige jongen vocht twee weken lang voor zijn leven, en het leek erop dat hij het ook zou halen.

De dokters besloten hem vandaag volledig los te koppelen van de long-hartmachine. Maar de jongen werd gisteren getroffen door een hersenbloeding. Na een spoedoperatie traden er opnieuw hersenbloedingen op, waarop de dokters niet anders konden dan de strijd te staken. De jongen is uiteindelijk overleden.

(*De Standaard*, 21 augustus 2014)

*Ouders zien af van laatste*
*noodoperatie na hersenbloeding*

## 'Noahtje is in onze armen gestorven'

**N**oah De Schepper (4) is gistermiddag overleden. Hoewel zijn nieuwe hartje eindelijk klopte, werd een hersenbloeding het dappere kleutertje fataal. Zijn ouders blijven gebroken achter, al zijn ze enorm fier op hun zoontje. 'We hopen dat zijn strijdlust een voorbeeld kan zijn voor anderen.' — *Lise Smout*

Zijn donorhartje klopte eindelijk zelfstandig, maar toch heeft de vierjarige Noah De Schepper het niet gehaald. Sinds de transplantatie begin augustus lag hij in coma in een ziekenhuis in het Duitse Giessen. 'Vanmorgen *(gisterochtend, red.)* hebben de dokters zijn medicatie stopgezet', vertelt zijn papa. 'Er was geen hoop meer voor hem: zijn hersenen waren helemaal beschadigd door bloedingen.' Samen met enkele familieleden konden ouders Frank en Anja nog afscheid nemen van hun lieveling. 'We hebben hem gewassen en mooi aangekleed, en zijn lievelingsmuziek opgezet. Noahtje is om 13 uur in onze armen gestorven. Alles verliep heel rustig. Hij is op zijn eigen manier kunnen gaan.'

Gisteren zou Noah normaal van de hart-longmachine worden gehaald en nadien ook uit coma. Dat de dappere kleuter net een hersenbloeding kreeg op het moment dat er eindelijk hoop voor hem was, maakt zijn dood des te moeilijker te bevatten.

'Maar de artsen hadden ons gewaarschuwd dat de bloedverdunners die hij kreeg heel risicovol waren. Het uitzetten van de machine was ook alles of niets: er was een risico dat het hart niet zou gaan kloppen. Dat deed het uiteindelijk wél, maar we verwijten de dokters niets. Ze hebben werkelijk alles gedaan wat ze konden.' Nadat Noah woensdagavond na de eerste operatie nog bijkomende bloedingen kreeg, stelden ze een noodoperatie voor. Frank: 'Maar zelfs al had hij dat overleefd, dan was hij een plant geweest. Dat wilden we hem niet aandoen. Hoe moeilijk dit ook is voor ons, we denken dat hij vrede heeft.' Hoewel zijn ouders dat wilden, konden zijn organen na zijn overlijden niet afgestaan worden omdat ze te veel te lijden hadden gehad onder de medicatie.

**Ongelooflijke steun**
Op de Facebookpagina Noahs Ark betuigden gisteren duizenden mensen hun medeleven, iets wat Noahs ouders enorm deugd doet. 'Want we zijn fier op onze zoon en zijn strijdlust. Met zijn aanstekelijke glimlach heeft hij heel wat teweeggebracht. Altijd was hij goedgezind, zelfs al was

het niet makkelijk voor hem. Met zijn kunsthart heeft hij hier in het ziekenhuis werkelijk de show gestolen. Het ziekenhuispersoneel kwam 's morgens speciaal naar zijn kamer om hem te zien lachen. "Ons zoontje", noemden de verpleegsters hem. Dat heeft ons altijd omhooggetrokken om al het mogelijke te doen. Daarom hielden we iedereen ook graag op de hoogte van zijn toestand via Facebook: voor ons niet altijd makkelijk, maar hij zou dat zo gewild hebben, open als hij was. Zelfs de ochtend van zijn dood kregen we trouwens nog honderden postkaartjes met beterschapswensen: al 3000 in totaal. Een hele mooie troost.'

Frank en Anja hopen nu dat andere ouders van zieke kinderen kracht kunnen putten uit hun verhaal, hoe triest de afloop ook is. 'Ons motto is: nooit opgeven, blijven vechten, door elke tegenslag. Maandenlang zaten we gekluisterd aan zijn bed. Anja woonde zelfs fulltime in Duitsland. En we zijn blij dat we al die tijd met hem mochten doorbrengen.' Gisteravond trok het koppel naar huis, in het Limburgse Voeren. Daar zullen ze de begrafenis voorbereiden, die vermoedelijk volgende week plaatsvindt. 'Het gaat heel moeilijk worden. Anja is al lang niet thuis meer geweest, en heeft Noahs pas gerenoveerde kamer nog niet gezien. Maar de herinnering aan de glimlach van ons piraatje zal troost geven, dat weten we zeker.'

(*Het Laatste Nieuws*, 22 augustus 2014)

# *Noah, we missen je*

Dat Noah door veel mensen graag gezien werd en door velen gemist zou worden, merkten we aan de reacties van enkele personeelsleden. Een van Noahs dokters stuurde ons het volgende mailtje met herinneringen aan onze kleine piraat.

## ᴄ꙱ *Herinneringen* ꙰ᴐ

*...Na een vermoeiende nachtdienst zit ik om zes uur 's ochtends op de verpleegsterspost met Noah. Hij is de enige die al goedgezind is. Zuster Carina smeert een broodje voor Noahs ontbijt en Noah vraagt me constant of ik een hapje wil. Dan komen de hart-chirurgen binnen. Noah begroet iedereen en biedt iedereen een stukje van zijn broodje aan.*

*...Midden in de nacht. Ik was de laatste nachten vaak bij Noah. Meestal zing ik zachtjes tijdens mijn werk. Plots begint de kleine jongen mee te zingen. Ik schrik op, Noah moet zo hard lachen dat de verpleegsters hem tot in de gang kunnen horen.*

*...Plots staat een vreemde patiënt in de gang. Blauwe kleding en een Berlin Heart. Ik schrik ervan dat ik blijkbaar niet meegekregen heb dat we een nieuwe patiënt hebben. Tot ik Noah herken.*

*...Opnieuw midden in de nacht. Zoey roept me nadat ze akelig gedroomd heeft. Noah legt haar uit dat ze beter een beetje muziek zou spelen in plaats van zoveel televisie te kijken. Dan zou ze misschien niet zulke enge dromen hebben. Noah en ik zingen samen Zoeys enge droom weg.*

*Mijn gedachten zijn bij jullie en bij jullie kleine grote piraat.*

Het verlies van ons zoontje kwam ook hard aan bij Noahs vaste begeleidster op vrijdagmiddag. Zij was in deze periode juist met verlof en kon geen afscheid nemen. Ze schreef ons een lange brief over haar ervaringen met ons zoontje.

*In december 2013 contacteerde de familie De Schepper de poliklinische kinderafdeling in Giessen en vroeg ons om hulp voor hun zoontje. Zo maakte ik op 2 januari 2014 kennis met Noah op de intensieve afdeling voor hartziekten.*

*Ik liep binnen in zijn kamertje, een beetje gespannen of Noah me zou accepteren als zijn nieuwe speelkameraadje. Zijn ouders hadden deze ziekenhuiskamer, die vol stond met medische apparatuur, met mooie decoratie en oog voor detail in een echt kinderkamertje* veranderd. Aan de muur hingen foto's van zijn vriend-jes, tekeningen en knutselwerkjes. Er hingen ontel-baar veel kaarten van mensen, groot en klein, die op die manier hun solidariteit met Noah wilden tonen. Het hoofd- en voeteneinde van zijn bedje lagen prop-vol met knuffels. De kasten zaten vol met speelgoed, waarmee Noah de lange tijd die hij van thuis weg zou zijn een beetje sneller kon laten voorbijgaan. Te midden van dit alles zat Noah. Hij was nog een beetje verzwakt door de vele operaties, de implantatie van zijn kunsthartje en de wekenlange coma die hij net had moeten doorstaan. Het kunsthartje kwam tevoor-schijn vanonder zijn T-shirt, en was door middel van een twee meter lange slang verbonden met het pomp-systeem, een grote kist op vier wielen die Noah overal begeleidde.

Het was zo aangenaam en gemakkelijk om Noah te leren kennen en dol op hem te worden, met zijn grote ogen en zijn bruine krullenkop. In de daarop-volgende tijd merkte ik vaak dat niemand Noah kon weerstaan. De verplegers en verpleegsters waren altijd opgetogen wanneer ze tijdens hun dienst Noah mochten verzorgen. Hij heeft werkelijk ieders hart gewonnen met zijn glimlach en zijn vrolijke karak-ter. We raakten snel met mekaar vertrouwd. Op die manier had Noahs mama tijdens de momenten die Noah en ik met elkaar doorbrachten, ook een beetje tijd voor zichzelf. Een kleine onderbreking van haar dagelijkse verblijf op de intensieve afdeling, een korte adempauze.

De vrijdagmiddagen waren onze tijd samen. Ik keek altijd uit naar deze namiddagen, waarbij er steeds wat nieuws te ontdekken viel. We verveelden ons nooit, en Noah had nooit een slecht humeur.

Die vrijdagen begonnen voor mij met het uitdoen van mijn jas aan de ingang van de intensieve afdeling en vervolgens het aantrekken van mijn schort. Daarna gespannen luisteren of ik Noahs vrolijke gebabbel al in zijn kamertje kon horen. Voor mij ging de zon op als hij zijn traditionele begroetingszinnetje zei: 'Mooi, je bent er.' Voordat we konden beginnen te spelen, moesten eerst zijn bloedwaarden gecheckt worden. De vingerprik die daarvoor nodig was, voerde deze bewonderenswaardig moedige vierjarige zelf uit, zonder te huilen, daarbij liefdevol en geduldig geholpen door zijn mama. Dit waren momenten die een blijvende indruk op mij nalieten.

Daarna nam Noah me mee op reis in zijn fantasiewereld. Heel belangrijk hierbij was een enorme kist die door zijn mama en papa was gevuld met alle denkbare vermommingen. Tot de tanden gewapend, nog extra uitgerust met een walkietalkie, zaklamp en paspoort, trok hij als ninja, MegaToby, Spider-Man, brandweerman, politieagent, ridder, avonturier, musketier en nog vele anderen ten strijde. Zijn verbeelding kende geen grenzen.

Het moet zeker niet gemakkelijk voor Noah geweest zijn om tijdens zijn spel beperkt te worden door de apparatuur die hij steeds met zich meedroeg en door *de levensnoodzakelijke constante verbinding van zijn kunsthartje met het pompsysteem.*

*Na verloop van tijd ging zijn gezondheid er wonderbaarlijk op vooruit en kreeg Noah steeds meer energie en zin om te bewegen. Hij was een kleine vierjarige wildeman, steeds vrolijk en opgewekt. Steeds weer moest hij tijdens zijn spel afgeremd worden met de waarschuwing: 'Pas op voor je hartje', waarna hij alles steeds weer zelf in de juiste positie trok. Op die momenten wou ik zo hard dat Noah een normaal leven zou kunnen leiden, met een gezond hartje en zonder beperkingen. Dat hij kon razen, springen, rennen, spelen, in plassen springen en zich daarbij lekker vuil maken, zonder angst voor infecties.*

*Zo gingen vele dagen en weken voorbij, met toch steeds weer de hoop dat het wachten snel tot een einde zou komen en men een donororgaan zou vinden. In de tussentijd ondergingen drie andere patiëntjes een succesvolle transplantatie. Hierdoor werd de hoop steeds groter dat Noah nu snel aan de beurt zou komen.*

*En dan was het eindelijk zover. Op 4 augustus om ongeveer kwart over vijf kreeg ik een berichtje van Noahs mama. Er was een hartje voor Noah. Ik was zo blij voor hem. Eindelijk was het lange wachten voorbij. Jammer genoeg was ik op dit belangrijke moment op reis en kon ik niets anders doen dan steeds weer op mijn telefoon kijken of er al nieuws*

*was en aan Noah en zijn ouders denken. Na lang
wachten kwam er 's avonds na tien uur een wonder-
mooi bericht van Anja: 'Het hartje slaat.' Ik was zo
gelukkig en blij met dit goede nieuws. Ik begon al
plannen te maken voor wat we samen zouden doen
als ik weer thuis zou zijn.*

*De volgende dag kreeg ik het droevige bericht: 'Noah
heeft het hartje afgestoten.' Hierop volgden enkele
lange, vreselijke dagen, vol van angst voor Noah.
Hopend en biddend dat Noah het toch zou halen.
Maar op 21 augustus kreeg ik een nieuwe sms van
Anja: 'Noah is nu een sterrenkindje.'*

*Nooit zal ik Noah vergeten. Hij heeft voor altijd
en eeuwig een plaatsje in mijn hart. Ik ben hem zo
dankbaar voor de tijd die we samen hebben doorgebracht, voor zijn zonnige karakter en voor zijn lach
die hij me zo vaak heeft laten zien. Ik ben ook vol
bewondering voor Noahs ouders, Anja en Frank, en
voor Noahs tante Melanie ofte Ta. Zij hebben er
met onuitputtelijke liefde en oneindig veel geduld
en vriendelijkheid alles voor gedaan om de tijd die
Noah in het ziekenhuis moest doorbrengen zo aangenaam, zo speels en zo mooi mogelijk te maken.
Het is door deze liefde en warmte dat Noah zo'n
zonnestraaltje was.*

# *Wat geen ouder ooit zou mogen doen*

Na van iedereen afscheid te hebben genomen en nog wat dingen geregeld te hebben, moesten we die avond naar huis vertrekken. Zonder Noah. We waren niet in staat zelf te rijden en reden met vrienden mee. Tijdens de hele terugweg werd er niet veel gesproken. We waren te zeer in beslag genomen door onze emoties en onze gedachten. Ik besefte dat Noah nooit zijn gerenoveerde kamer zou zien. Ik had er hard aan gewerkt en zijn piratennest was heel mooi geworden.

Thuis aankomen en die eerste nacht waren verschrikkelijk. We wisten dat het voortaan altijd zo zou zijn: vanaf nu zouden we altijd met zijn tweeën thuiskomen, nooit zouden we nog iets samen met Noah doen. Dit was onze toekomst: voor altijd zonder ons zoontje.
Vrijdagmorgen liepen de tranen over onze wangen. Noahtje zou nooit meer samen met ons ontbijten, spelen, knuffelen of plezier maken. Zijn plaats aan onze tafel zou voor altijd leeg blijven. Nooit meer zou hij 's nachts bij ons in bed kruipen. Alles was voorgoed voorbij.
Een kind verliezen is het ergste wat je kan overkomen.

Na het ontbijt reden we naar de begrafenisondernemer om alles te bespreken voor Noahs laatste reis. Ons zoontje moest ook nog worden overgebracht van Duitsland naar België. De bediende nam contact op met de dienst pathologie om de vrijgave van ons zoontje te regelen. Zoals ze ons hadden beloofd, zou het lichaam van ons zoontje maandagmorgen worden vrijgegeven.

Daarna kozen we het kistje. Onze kleine piraat zou zijn laatste reis maken in een witte kist. Het was het laatste bedje dat we voor hem konden kopen. We kozen ook samen met de bediende de brieven en kaartjes, bespraken de tekst die erop zou komen en de hoeveelheden die gedrukt zouden worden. De rouwberichten zouden zo snel mogelijk worden doorgegeven aan de kranten.

Nadat dit alles geregeld was, maakten we een afspraak met de pastoor. Hij was tot zondagavond met vakantie, en dus spraken we af dat hij dinsdagavond naar ons thuis zou komen om de mis samen te stellen.

Thuis aangekomen begon ik een tekst voor mijn lieve schat te schrijven. Samen met Anja koos ik de muziek uit die Noahtje graag hoorde. Hij was dol op vioolmuziek en had dit instrument ook zelf willen leren bespelen.

We konden niet thuisblijven. Daarom stelde ik Anja zaterdag voor om samen te gaan winkelen. Doordat we zo lang met ons zoontje in het ziekenhuis waren geweest, hadden we nooit zin en tijd gehad om iets voor onszelf te kopen. We wilden ook speciale kleren kopen om Noahtje een mooi afscheid te kunnen bezorgen.

*Rust nu maar uit.*
*Je hebt strijd gestreden*
*Noah heeft het dapper gedaan*
*Wie kan begrijpen hoe je hebt geleden?*
*Wie kan voelen wat je hebt doorstaan?*
*Rust nu maar uit.*

Omringd door de liefde van ons allen is hij van ons heengegaan

# Noah DE SCHEPPER

geboren te Aachen op 5 januari 2010 en
overleden in het Herzzentrum te Giessen op 21 augustus 2014.

Dit melden U :

Frank en Anja DE SCHEPPER-VAN DURME,

*zijn ouders ;*

en alle familieleden.

Er is gelegenheid Noah een laatste groet te brengen in het funéRADER,
rue Mitoyenne 299 in 4840 Welkenraedt, waar de familie bezoek ontvangt van
*dinsdag tot donderdag van 17.00 tot 19.00 uur.*

De kerkelijke dienst, gevolgd door de begrafenis, zal plaats hebben in
de parochiekerk van Gemmenich, rue des Ecoles 9 - 4851 Gemmenich, op
*vrijdag 29 augustus 2014 om 10.30 uur.*

Samenkomst aan de kerk.

Wij willen noch bloemen noch kransen, maar wie wil kan vrijblijvend
een gift storten op de rekening BE04 7320 3361 8231 om orgaandonatie te
mobiliseren.

We reden samen naar Maasmechelen, zodat we even onze droevige gedachten konden verzetten. Daar werden we in een winkel aangesproken door een verkoopster. Iedereen kende Noahs verhaal en de vrouw vroeg mij: 'Bent u de papa van Noah?' Toen ik bevestigend antwoordde, barstte ze in tranen uit. Ze vond het zo erg wat er was gebeurd.

Het weekend ging redelijk vlug voorbij doordat we met van alles en nog wat bezig konden zijn. Op zondagavond reden we weer naar Giessen, waar we op maandag afscheid konden nemen van ons zoontje voor hij naar België werd overgebracht. Hij zou worden overgebracht in zijn witte kistje en dat zou in België niet meer geopend mogen worden. Het zou dus de laatste keer zijn dat we Noah konden zien.

Gelukkig kregen we hier ruim de tijd voor. We gaven hem nog een laatste zoen en enkele stevige knuffels. Hierna zouden we ons zoontje nooit meer kunnen zien, zoenen of knuffelen. Alles was gedaan. We waren kapot van verdriet. Nadat we afscheid hadden genomen, gingen we naar het appartementje dat we al die maanden hadden gebruikt. Daar maakten we alles leeg, zodat we het in een acceptabele staat konden teruggeven. Tegen de middag vertrokken we terug naar België.

Op weg naar huis passeerden we nog eens bij de begrafenisondernemer om te kijken of alles goed was verlopen. Alles was al klaar, zodat iedereen die dat wenste Noah een laatste groet kon brengen. Zijn kistje stond mooi opgesteld, omringd door witte bloemen.

Tegen de avond reden we naar huis. We voelden ons verschrikkelijk. We hadden zoveel pijn en verdriet. Voor altijd zonder ons zoontje...

Opnieuw thuis las ik mijn mails. Sinds het overlijden van Noahtje kwamen er dagelijks berichtjes binnen van mensen die lieten weten dat ze zich hadden laten registreren als orgaandonor. Dit gaf ons weer een klein beetje moed. Noah was dan toch niet voor niets gestorven. Ook op Facebook, waar ik elke dag over Noah had geschreven op de pagina Noahs Ark kregen we veel reacties.

# Het afscheid

Ik vertelde Anja dat ik begonnen was een boek te schrijven en dat ik ook een vzw wilde oprichten om orgaandonatie in België te stimuleren. Anja vond het idee heel mooi en stond er volledig achter. Maar het bracht Noah niet terug.

In de dagen voor de begrafenis hield ik me overdag bezig in de tuin, die er al een tijdje wat verwaarloosd bij lag. Anja begon alle kisten met speelgoed van Noah te sorteren.

Op dinsdag hadden we onze afspraak met pastoor Albert, waarbij we samen overliepen hoe de begrafenismis er zou uitzien.

Elke avond reden we naar Welkenraedt, waar Noahs kistje stond opgesteld, zodat de mensen hem konden komen groeten. Samen met de familie ontvingen we er vrienden en zelfs mensen die we niet persoonlijk kenden. Via de media en Facebook hadden de mensen het volledige verhaal kunnen volgen. Velen wilden dan ook een laatste groet brengen aan ons zoontje en ons hun steun betuigen in deze moeilijke periode. Het waren verschrikkelijk droevige dagen, maar we bleven samen sterk. Het verdriet was groot. Niemand kon begrijpen waarom dit was gebeurd. Noah was er niet meer. De kleine moedige piraat had zijn grote strijd verloren. De glimlach van onze kleine dappere jongen was voor altijd weg.

Op donderdagavond legde Anja alles klaar voor de begrafenis. Ik las nog eens mijn teksten door en nam contact op met Hanne van *Het Belang van Limburg* en een goede vriend van ons om er zeker van te zijn dat alles goed was voorbereid voor de kerkelijke dienst. Ze stelden me gerust: het zou een heel mooie mis worden. Er had zich trouwens een bedrijf aangeboden om buiten de kerk een groot scherm op te stellen, zodat ook mensen die geen plaats hadden gevonden alles mee konden volgen. Ze deden dit kosteloos en anoniem. Een ontzettend mooi gebaar waar we erg dankbaar voor waren.

De nacht was verschrikkelijk. We konden allebei niet slapen en de tranen stroomden bij beken. We probeerden elkaar zo goed mogelijk te troosten en te steunen.
's Morgens waren we allebei vroeg op en maakten ons klaar om naar Naohtje te rijden, zodat we hem naar de kerk konden begeleiden.

Er was veel volk op de been bij de kerk en om door de massa te geraken moesten we een eindje te voet. Tot aan de kerk volgden we de wagen waarin Noahs kistje stond. Toen we aankwamen, zat de kerk al stampvol en speelde Noahs favoriete muziek zachtjes op de achtergrond. We hadden gekozen voor 'Child's Anthem' van Noahs lievelingsviolist David Garrett, 'Viva la vida' van Coldplay en 'Ascendance' van Lindsey Stirling. Omdat ons zoontje graag brandweerman had willen worden, had ik de brandweercommandant van Plombières gevraagd of zijn manschappen Noahs kistje wilden dragen. Het was voor iedereen een emotioneel moment toen die stoere mannen binnenkwamen met dat kleine witte kistje.

Nadat pastoor Albert iedereen verwelkomd had, las ik mijn tekst voor:

## ✄ *Met een glimlach ben je geboren* ✄

*Lieve schat, lieve piraat,*

*Nu is de dag gekomen dat je aan je tweede reis begint. Je eerste reis was op maandag: de terugweg van Giessen in Duitsland naar België.*

*Elke dag genoot je van jouw leven. Er was geen dag dat je niet lachte en je glimlach maakte ons zo sterk dat we samen deze moeilijke tijd hebben doorstaan. Overal waar je kwam of waar je was, heb je met jouw glimlach iedereen vrolijk gemaakt.*

*Kleine lieve schat, voor ons was je altijd een gezonde kleine jongen. We waren lief met je, maar we konden ook streng zijn.*
*Daarom, kleine schat, was je zo bijzonder.*

*In oktober 2013 vernamen we dat je een nieuw hartje moest krijgen omdat jouw eigen hartje het niet meer aankon. Vanaf 4 november 2013 tot vorige week donderdag vonden we in het hartcentrum Giessen samen een nieuwe thuis. Samen kwamen we vele lieve mensen tegen.*

*Toen je na tien weken kunstcoma wakker werd, was je aan een zware machine gekoppeld: je kunsthartje. Ook nu weer week de glimlach niet van je gelaat. Vanaf toen was je de zonnestraal van de intensieve afdeling.*

*In die tijd was je een piraat, je was eens een politieagent (je probeerde die lieve verpleegsters te arresteren), je was eens een brandweerman (je wilde later brandweerman worden), je was eens een ninja of SpiderMan. Zelfs bij je dagelijkse vingerprik was je glimlach aanwezig.*
*Daarom, kleine schat, was je zo bijzonder.*

*Kleine prins, op 4 augustus kregen we de mooiste boodschap: 'Bent u de papa van Noah?' Ik antwoordde: 'Ja, dat ben ik' en kreeg te horen dat er een hartje voor je was. Vanaf die dag heb je gevochten tot het bittere eind. Met veel verdriet heb je de strijd verloren. Maar ook hier was je glimlach aanwezig.*
*Daarom, kleine schat, was je zo bijzonder.*

Dezelfde tekst werd in het Frans en in het Duits voorgelezen door kennissen van ons. Tussendoor werd er veel muziek gespeeld: 'Verlies' van Marco Borsato, 'Mistral gagnant' van Coeur de Pirate en 'Laat me nu toch niet alleen' van Clouseau. Daarna was het de beurt aan Elke, de dochter van mijn broer. Ook zij had een mooie afscheidstekst voor Noahtje geschreven.

## ✍ Lieve Noah, kleine held, dappere piraat ✍

*Ik zoek maar kan ze niet vinden, de woorden die ik nodig heb om te beschrijven wat ik voel, wat wij allemaal voelen... Toch zal ik een poging doen.*

*Bedankt Noah, omdat ik een deel mocht zijn van jouw leven, dat ik je mocht leren kennen en mee mocht genieten van jouw fantastische glimlach, jouw enthousiasme en jouw doorzettingsvermogen. Hoe jong je ook was, je hebt jouw strijd moedig en dapper gestreden. Elke dag opnieuw en telkens met jouw fantastische glimlach. Niets was je te veel, je kon alles aan, samen met je mama en papa. De onvoorwaardelijke, wederzijdse liefde maakte van jullie een sterk en strijdvaardig trio. Samen konden jullie de wereld aan!*

*En dan, die ene dag, 4 augustus... het nieuws waar iedereen zo op gewacht en gehoopt had. Er was een hartje voor jou! Bange uren en dagen hebben we gewacht en gehoopt, al onze energie naar jou gestuurd. Van goed naar slecht, en dan toch opnieuw de goede richting uit... Je was een vechter. Ik voelde, hoopte: dit komt goed, je komt er, je haalt het. Tot plots het lot een andere beslissing nam. Dit kon niet waar zijn, dit mocht niet waar zijn. Het ging om Noah: stoer, dapper en sterk. Maar toch was het waar.*

*Lieve piraat, je hebt een schatkist vol lieve mensen die je hard gaan missen. Na jouw zware en sterke strijd heb jij je gouden schip meer dan verdiend! Maak een fantastische reis, ooit reizen we jou achterna en wil iedereen jouw sterke verhalen horen. Rust zacht, sterke piraat. Je blijft voor altijd in mijn hart en zult voor altijd mijn voorbeeld zijn. Ik hou van jou en zal dat altijd blijven doen.*

Ik wilde nog graag een dankwoord uitspreken voor alle mensen die veel voor mij hadden betekend in de afgelopen maanden en die ons steeds hadden gesteund.

## ᘏ Dankwoord ᘏ

*Lieve Anja, je bent een schat van een vrouw. De tijd dat je elke dag bij ons zoontje was, kunnen ze jou niet meer afnemen.*

*Wij danken het volledige team van het hartcentrum Giessen. Wir danken euch fuer die schoene Zeit. Ihr seit ein tolles Team wir sind stolz auf euch.*

*Christine, wir danken dir dass du Freitags unseren Sohn so liebesvoll betreut hast.*

*Meters, nonkels, nichtjes, Ta Melanie, opa, Karin, Hubert en de kinderen, Marcel, Josline en de kinderen. Vrienden en iedereen die ons steunden willen wij bedanken.*

*De directie en het personeel van Noahs schooltje: dank jullie dat jullie ons zoontje zoals ieder ander kindje begeleidden.*

*Sabine, dank je voor de mooie eendjes, ik hoop dat dit een nieuw symbool kan worden voor orgaandonatie.*

*Kelly, spijtig dat ik mijn belofte niet kan nakomen. Ik wilde zo graag met Noahtje samen met je zoontje Zoran gaan fietsen. Sorry hiervoor.*

*Hanne, Celine, Tom en alle andere reporters, dank u voor de mooie reportages.*

*Korpscommandant RSM en uw personeel, en vooral mijn collega's van CRC Glons: dank u voor uw begrip en uw steun tijdens deze lange, moeilijke weg.*

Tussendoor werden nog enkele mooie nummers van Marco Borsato, Clouseau en Janelle Monáe gespeeld. Ook de kinderen van Noahs schooltje zongen een liedje. Aan het eind sprak ik deze woorden tot mijn zoontje:

### ❧ De mooiste reis ❧

*Lieve schat,*

*Je glimlach gaf iedereen kracht en jezelf ook.*
*Papa trachtte foto's van jou te maken*
*zonder je glimlach, maar dit is niet gelukt.*

*Samen met papa op de quad, dat vond je fijn.*
*Ik had je beloofd dat we samen zouden gaan rijden*
*als je weer gezond zou zijn.*
*Deze belofte kon ik helaas niet waarmaken,*
*sorry hiervoor.*

*Je heengaan van ons zal zeker niet voor niets zijn*
*Je mama en papa gaan daarvoor zorgen.*
*We gaan er ons enorm voor inzetten dat*
*orgaandonatie heel belangrijk zal worden*
*Voor jong en oud.*

*Kleine piraat,*
*Deze reis vandaag zal je mooiste reis worden.*
*Slaap zacht, kleine piraat,*
*wij zullen je iedere dag heel hard missen.*

*Met jouw glimlach verlaat je ons.*

*Je mama en papa*

Ik had voor Anja nog een kleine verrassing in petto.
Ik had namelijk kunnen regelen dat er iemand viool
kwam spelen.

De afscheidsviering was heel emotioneel. Iedereen had
het er verschrikkelijk moeilijk mee dat dit nu het definitieve afscheid was en dat we nooit meer Noahs mooie
glimlach zouden zien.

Na de mis namen we in de kerk afscheid van iedereen. Het was onze wens was dat we ons zoontje in intieme kring, met alleen familie, vrienden, de verpleegsters en dokters zouden begeleiden naar zijn grafje.

Na het definitieve afscheid op het kerkhof vertrokken we naar Welkenraedt, waar de koffietafel plaatsvond. Alles was mooi geregeld en verzorgd. Pas in de late namiddag namen we afscheid van de genodigden. Toen iedereen was vertrokken, gingen we nog even langs bij ons zoontje. Zijn grafje was bedekt met bloemen. Noah was nu heel alleen vertrokken op zijn lange reis zonder ons.

Daarna reden Anja en ik naar huis, waar onze familie ons opving. We vonden het enorm attent van hen dat ze ons niet alleen wilden laten en ons wilden steunen op deze vreselijke dag. Maar we hadden drukke tijden achter de rug en snakten naar rust. We moesten samen de tijd krijgen om ons verlies te verwerken.

# Eresaluut aan een kleine piraat

Op de dag van de begrafenis volgden de media alles. De volgende dag stonden er enkele mooie artikels in de krant.

## Begrafenis Noah

### 'Lieve piraat, nu begint je tweede reis'

**V**oeren - In de kerk van Gemmenich, nabij Voeren, werd vrijdagmiddag de begrafenisplechtigheid van Noah De Schepper gehouden. Het vierjarige hartpatiëntje overleed vorige week na complicaties tijdens de transplantatie. — *door mce/five/tomas*

In de kerk was heel wat volk aanwezig: familie, vriendjes en de brandweer. Er lag ook een brandweerhelm op zijn witte kist omdat Noah later graag brandweerman wilde worden.

In de aanloop naar de begrafenis van hun zoontje hebben de ouders een emotionele boodschap achtergelaten op de Facebookpagina Noahs Ark: 'Lieve schat, vandaag is het dan zover. Mama en papa zijn er klaar voor om jou te begeleiden op jouw mooiste reis. Papa heeft de kleine details nog even besproken, zodat alles goed kan verlopen. Weet je, deze tekst heb ik voor jou geschreven: "Met een glimlach ben je geboren". Papa zal proberen deze voor te lezen.'

Zijn ouders hopen dat de dood van Noah mensen doet nadenken over het belang van orgaandonatie. 'Orgaandonatie: als mijn leven stopt, kan een ander verder', luidt de niet mis te verstane boodschap.

(*Het Belang van Limburg*, 29 augustus 2014)

*Honderden mensen nemen afscheid van 'Kleine piraat'*

# 'Hopelijk stierf Noah niet voor niets'

**N**oah De Schepper, het vierjarige jongetje dat stierf na een mislukte harttransplantatie, werd gisteren begraven in Gemmenich, net over de Waalse grens. De toestand van de kleuter werd maandenlang gevolgd door duizenden mensen. 'We hopen dat Noah niet voor niets is gestorven', zeggen zijn ouders, die hameren op het belang van orgaandonatie. — *Marco Mariotti*

Honderden vrienden, familieleden en mensen die het verhaal van Noah volgden via de media, hebben gisterenvoormiddag afscheid genomen van hun 'kleine piraat'. Dat gebeurde in de kerk van Gemmenich, net over de Waalse grens met Voeren. Omdat de kerk helemaal vol zat, volgde een twintigtal mensen de plechtigheid buiten op groot scherm. Noah wilde in de toekomst graag brandweerman worden, en daarom werd zijn witte kist naar binnen gedragen door de brandweermannen van Plombières, een naburige gemeente. Tijdens de viering zette een van de officieren een mooie brandweerhelm op het hoofduiteinde van de kist. Ernaast, voor het altaar, lag het voetbaltruitje van Wesley Sneijder, dat eerder geveild werd. De koper bezorgde het shirt terug aan de familie.

Papa Frank De Schepper startte de viering met een pakkende brief. 'Lieve piraat, vandaag is de dag gekomen dat je aan je tweede reis begint. Je eerste reis begon afgelopen maandag toen je van het ziekenhuis van Giessen richting België werd vervoerd. Je was steeds onze lieve jongen, gewapend met de eeuwige glimlach. In augustus 2013 kregen we het nieuws dat je een ander hart moest krijgen. Het jouwe kon het niet meer aan. Op 4 augustus, zo'n drie weken geleden, werd ons een donorhart voor je aangeboden. We waren dolgelukkig, maar zijn vandaag toch zo verdrietig. Je hebt gestreden zoals een echte piraat dat zou doen.'

## Quad rijden

Het ziekenhuispersoneel, de schooldirectie van Noah en de collega's van papa Frank werden uit- drukkelijk bedankt. Vader De Schepper veront- schuldigde zich bij zijn zoontje voor het breken van zijn belofte om binnenkort met de quad te gaan rijden. 'Sorry daarvoor', zei hij zacht. De familie kan naar eigen zeggen niet genoeg benadrukken hoe belangrijk orgaandonatie is. Ook Marie-Josée Cloosen, directrice van schooltje De Plank, begrijpt niet dat we vandaag nog steeds zo lang moeten wachten op orgaantransplantaties. 'Noah heeft negen maanden moeten wachten. We zijn er allemaal voor elkaar, en zouden daar best eens aan denken, voor het te laat is', vindt ze.

*Noah DE SCHEPPER*
*2010 - 2014*

**Blue Knights**

De viering, die ook werd bijgewoond door een delegatie motards van Blue Knights, werd voorzien van mooie muziek. 'Afscheid van een vriend' van Clouseau, 'Samen voor altijd' van Marco Borsato en 'Viva la vida' van Coldplay weerklonken toen de laatste groet werd gebracht. Bij het naar buiten gaan galmde de soundtrack van *Pirates of the Caribbean* door de boxen, als eerbetoon aan de 'kleine piraat'. Na afloop trokken de ouders en de familie in intieme kring naar de begraafplaats.

(*Het Laatste Nieuws*, 30 augustus 2014)

# Verder leven met de leegte

We begrepen heel goed dat we nu verder moesten zonder Noah en dat we er voor elkaar moesten zijn. We zouden een zware periode tegemoetgaan. In de dagen na de begrafenis kregen we geregeld bezoek. Dat leidde ons even af van ons verdriet en gaf ons de gelegenheid om onze gedachten even te verzetten. De hele dag door dachten we immers aan Noahtje. Het verdriet was immens. Onze dokter kwam bij ons langs om met ons te praten. We kregen medicijnen voorgeschreven, zodat we een beetje tot rust konden komen 's nachts. De dokter stelde voorts voor dat we nu even tijd voor onszelf zouden nemen en eventueel met vakantie zouden vertrekken.

Ondertussen was Anja elke dag in de weer om de dozen die we hadden meegebracht uit Giessen te sorteren. Alle kleren en speelgoed van Noah die we in het afgelopen jaar van thuis hadden meegebracht om het leven zo aangenaam mogelijk te maken tijdens het verblijf in het ziekenhuis, moesten uitgezocht worden.
Bij elk stukje kleding of speelgoed vroegen we ons af wat we er het best mee deden: bijhouden of het aan iemand geven die het goed kon gebruiken. Het was niet gemakkelijk. We konden niet alles wegdoen. Er waren kleren

en speelgoed waar we nog erg aan gehecht waren. En wie weet zou er ooit nog een kindje komen. Zouden we Noahs kleren gebruiken als het een jongen was, of konden we dit niet doen?

Het was moeilijk knopen door te hakken. Ik was heel blij dat Anja het uiteindelijk deed; ik had er de kracht niet toe. En zo liet ik Anja beslissen wat we zouden houden en wat weggeven. Voor het speelgoed hadden we een nieuwe bestemming gevonden: we besloten het te schenken aan Noahs schooltje, zo konden zijn vriendjes ermee spelen. En Anja had enkele kleerboxen gehaald om de kleren te sorteren.

We hadden natuurlijk zoveel liever gehad dat het anders was gelopen en dat we met ons drietjes een gezellig leven konden leiden. We begonnen ons meer en meer af te vragen waarom dit alles was gebeurd. Waarom was het nieuwe hartje afgestoten? Ik begon mezelf ook verwijten te maken dat ik niet elke dag bij Noah was geweest. Maar dat was onmogelijk geweest. Ik wilde niets liever, maar moest thuis ook van alles gedaan krijgen. Ik had eigenlijk nooit verwacht dat ik me deze vragen zou gaan stellen.

Ik bleef verder berichten posten op Noahs Facebookpagina. Nog elke dag kreeg ik veel reacties. Maar het verdriet bleef. Ik had nog zoveel plannen om dingen met mijn zoontje te doen als we weer allemaal samen thuis zouden zijn. Ik had het heel moeilijk om te aanvaarden dat we die plannen nooit meer zouden kunnen ten uitvoer brengen. Ook Anja gaf toe dat het heel zwaar was om te aanvaarden dat er niets meer mogelijk was.

Telkens als ik ging joggen, ging ik langs bij ons zoontje. Ik bleef dan enkele minuten aan zijn graf staan en liep vervolgens weer huiswaarts. Ook hier kon ik mijn tranen niet bedwingen. Ik stond elke keer weer te snotteren aan zijn graf.

Het weer begon slechter te worden. De bomen begonnen hun bladeren te verliezen, en 's avonds werd het stilaan vroeger donker. Deze periode was voor ons niet zo mooi. Maar we probeerden het thuis toch zo gezellig mogelijk te maken. Anja maakte iets lekkers te eten klaar en ik stak een kaarsje aan. Maar Noahs plaats bleef leeg. We misten hem enorm. Toen Noah nog thuis was, keken we elke avond na het eten samen nog een beetje naar de televisie en knuffelden we uitgebreid met ons zoontje voordat hij naar zijn bedje werd gebracht. Maar ook zijn bedje bleef nu leeg.

We vreesden de komende maanden. Het zou een hele zware periode worden. De donkere maanden november en december. En dan de feestdagen, en januari met Noahs verjaardag. Een verjaardag zonder hem.
Hoe we het verlies ooit te boven zouden komen, ik wist het niet. Ik had het gevoel dat dit nooit zou lukken.

Op 14 oktober 2014 was er in Teuven een misviering georganiseerd door De Plank met een herdenkingsmoment voor Noah. Daarin werd door de kleutertjes een foto van Noah naar voren gebracht, samen met enkele kaarsjes. Er werd ook een tekst voorgelezen die was geschreven door een meisje uit het zesde leerjaar:

*Boem, boem*
*Boem, boem*
*Mijn hartje klopt nog, maar toch...*
*Boem, boem*
*Boem, boem*
*Ik zou niet dood willen gaan,*
*Anders laat mijn moeder een traan.*
*Boem, boem*
*Boem, boem*
*Maar er gebeurde iets ongelooflijks,*
*Ik geloofde het nauwelijks.*
*Boem, boem*
*Boem, boem*
*Ik kreeg een nieuw hartje,*
*Een nieuw partje.*
*Boem, boem*
*Boem, boem*

*Maar het was te mooi om waar te zijn,*
*Mijn geluk ging weg als een trein.*
*Boem, boem*
*Boem, boem*
*Het ging niet goed,*
*Ik verloor al mijn moed.*
*Boem, boem*
*Boem, boem*
*Zo te horen,*
*Had ik de strijd verloren....*
*Boem, boem*
*Boem, boem*

Er wordt ons geregeld gevraagd hoe we alles konden verwerken. De beslissing die we op 21 augustus samen hadden genomen, bleef door mijn hoofd spoken. Ik had en heb er veel problemen mee dat we de toestellen die Noah in leven hielden, lieten uitschakelen en voel me schuldig. Maar we hadden geen andere keus. Noahtje had geen enkele levenskwaliteit meer. Volgens de dokters zou hij volledig verlamd zijn, niet meer kunnen spreken of zien door de zware hersenbloeding die hij had gekregen na de operatie. Hij zou sowieso niet meer de Noah zijn zoals we hem hadden gekend voor de operatie.

Soms stel ik me de vraag of dat ik nog plezier kan hebben in het leven. Maar op deze vraag heb ik voorlopig geen antwoord. Er zijn momenten dat ik gewoon niet weet hoe ik het einde van de dag moet halen. We missen Noah altijd, overal, en dat zal ook altijd zo blijven. Maar het leven moet natuurlijk verder gaan. Hoe, dat weten we niet. Ik hoop dat we dit ooit een plaatsje kunnen geven en dat ik rust zal vinden. Mijn grootste wens is dat we samen weer een kindje krijgen, al zal dit Noahtje natuurlijk nooit kunnen vervangen.

# Ons hart
## voor orgaandonatie

Ondanks ons grote verdriet ging ons leven verder. We kregen vaak bezoek, zodat we niet alleen thuis waren. We kwamen ook geregeld samen met enkele mensen om iets te organiseren, zodat Noah niet voor niets was gestorven. We wilden graag iets doen om andere kinderen te helpen. Ik begon uit te zoeken welke mogelijkheden er waren om orgaandonatie te stimuleren, maar kwam al snel tot de vaststelling dat er nog een heel lange weg af te leggen was. Daarom schreef ik naar de minister van Sociale zaken en Volksgezondheid:

*Mevrouw Maggie De Block*
*Minister van Sociale Zaken en Volksgezondheid*
*Beleidscel van de minister van Sociale Zaken en Volksgezondheid*
*Finance Tower*
*Kruidtuinlaan 50/175*
*B-1000 Brussel*

*Voeren, 15 november 2014*

*Geachte mevrouw,*

*Op 30 september 2014 kreeg ik een schrijven van dhr. Jo Vandeurzen en op 23 oktober 2014 schreef ik u via mail aan. Tot mijn grote spijt heb ik tot op heden echter nog geen reactie van u mogen ontvangen.*

*Ons zoontje Noah De Schepper overleed op 21 augustus 2014 na een harttransplantatie. Tien maanden lang was ons zoontje aangesloten op een steunhartje en hebben we samen gewacht op een donorhart. Was dat er eerder geweest, had hij meer kans gehad om te overleven.*

*De media volgden ons op de voet en hierdoor kregen we heel veel reacties vanuit heel België. In deze periode hebben ook veel personen zich laten registreren om donor te worden. Maar die mensen stelden geregeld vast dat hun gemeente niet goed op de hoogte was van de juiste procedure. En zeker niet over de procedure die ouders moeten volgen die hun kinderen wensen te registreren. De wet hierover is heel onduidelijk. Kinderen kunnen zich niet laten registreren, ook niet indien hun ouders akkoord gaan.*

*Mijn vraag aan u:*
*Volgens ons is het veel beter om deze wet aan te passen. Enkel de personen die geen donor wensen te worden moeten zich laten registreren. Iemand die juist iemand verloren heeft, kan deze beslissing moeilijk nemen. 75 procent van de nabestaanden zeggen nee als ze moeten beslissen om organen af te staan.*

*In België wachten momenteel ongeveer 1200 mensen op een donororgaan, sommigen al langer dan twee jaar.*

*Samen met enkele andere ouders hebben we een vzw opgericht, Noah4Life. De aanvraag is lopende. Ons doel zal zijn kinderen (ouders) die op een orgaan wachten financieel te steunen waar we kunnen. Jaarlijks zullen we ook een kinderafdeling bezoeken om met Kerstmis geschenken te overhandigen. Verder willen we voordrachten geven over het belang van orgaandonatie.*

*Voor u hebben we een verzoek. Zou het mogelijk zijn dit thema op de agenda te plaatsen, zodat deze wet kan worden aangepast? Hierdoor zullen heel veel mensen geholpen worden. Zij zullen u erg dankbaar zijn.*

*Hopend op een positieve reactie,*

*Met vriendelijke groet,*

*De ouders van Noah De Schepper,*
*Frank De Schepper en Anja Van Durme*

In afwachting van een antwoord, en met de extra kennis die we tijdens de opstart van de vzw verzamelden, schreef ik later een tweede brief aan mevrouw De Block. Ik hoop alsnog een reactie van haar te ontvangen en de zaak met haar te kunnen bespreken, zodat we enkele dingen kunnen veranderen.

ASBL Noah4Life
Rue de Vaals 130
4851 Gemmenich
deschepperfrank@hotmail.com


Mevrouw Maggie De Block
Minister van Sociale Zaken en Volksgezondheid
Beleidscel van de minister van Sociale Zaken en Volksgezondheid
Finance Tower
Kruidtuinlaan 50/175
B-1000 Brussel


Voeren, 30 december 2014

Geachte mevrouw De Block, minister van
Sociale Zaken en Volksgezondheid,

Volgend op ons schrijven van 23 oktober 2014 in
verband met onze aanvraag voor de wijziging van
de wet van 13 juni 1986 betreffende het wegnemen
en transplanteren van organen, zouden wij u graag
enkele bijkomende inlichtingen willen verstrekken.

A priori wordt iedereen door de wet als donor be-
schouwd, maar het probleem is dat er nog te veel
oppositie is in vele gevallen. Wij zijn helemaal niet
tegen het feit dat men zich kan verzetten tegen het
afstaan van organen. Maar wij zouden graag zien
dat de persoon in kwestie duidelijk verzet aantekent
tegen orgaandonatie via een document dat wordt
geregistreerd in de gemeente waar de persoon ingeschreven is.

*Op het ogenblik wordt in art. 10 van de wet van 13 juni 1986 gesteld dat:*

*§ 4 De geneesheer mag niet tot wegneming overgaan:*
  *1° wanneer verzet is uitgedrukt op de door de Koning geregelde wijze;*
  *2° wanneer door de donor verzet is uitgedrukt op een andere wijze en voor zover aan de geneesheer daarvan kennis is gegeven.*

*Als de geneesheer aan de nabestaanden die met een onverwacht overlijden worden geconfronteerd, vraagt of ze zich verzetten tegen orgaandonatie, zijn deze op dat ogenblik vaak niet in staat om zo'n zware beslissing te nemen.*

*Conform 2° wordt er aan de familie gevraagd of ze kennis hebben van een oppositie (mondeling of schriftelijk) of dat de nabestaanden zich zelf tegen het afstaan van organen verzetten.*

*Wij zouden graag een hervorming van deze wet zien als volgt:*

*§ 4 De geneesheer mag niet tot wegneming overgaan:*
  *1° wanneer verzet is uitgedrukt tegen de door de Koning geregelde wijze.*
  *2° wordt opgeheven.*

*Zo zou, na hervorming van de huidige wet, een per-*
*soon zich enkel tegen orgaandonatie kunnen verzet-*
*ten door registratie bij de gemeentelijke administra-*
*tie. Een beperking tot een enkele wijze van verzet is*
*de enige manier om de bovenvermelde problemen op*
*te lossen.*

*Bijgevolg dient er in par. 1 al. gepreciseerd te worden*
*dat 'de arts die de wegneming van het orgaan over-*
*weegt, moet informeren naar een mogelijk verzet dat*
*is uitgedrukt door de potentiële donor via het natio-*
*naal registers van donors'.*

*Deze hervorming zou een groot voordeel inhouden*
*voor de nabestaanden (zij hoeven geen beslissing*
*te nemen in droeve omstandigheden) en de genees-*
*heren, maar vooral voor de zieken die wachten op*
*een donororgaan (tegenwoordig sterven er nog hon-*
*derd personen per jaar door een tekort aan organen).*

*Betreffende de minderjarige donor zou beter inge-*
*steld worden dat de ouders voor hun kinderen deze*
*uitdrukkelijke verklaring kunnen formuleren.*

*Op het ogenblik vermeldt de wet:*
*'Iedereen die in staat is zijn wil te uiten, kan zelf zijn*
*uitdrukkelijke wil uitdrukken om donor te zijn na*
*zijn overlijden.'*

Deze zin is helemaal niet duidelijk. Deze wetsbeschikking is moeilijk uit te voeren en heeft hiaten:
- Wie beslist of iemand in staat is zijn wil uit te drukken?
- Voor onmondige kinderen kunnen de ouders of de voogd geen uitdrukkelijke wil in de plaats van hun kinderen kenbaar maken.

Graag zouden we de volgende hervorming willen zien:
- Kinderen vanaf twaalf jaar kunnen zelf hun uitdrukkelijke wil om donor te zijn uitdrukken en dientengevolge een verklaring invullen op hun gemeente van inschrijving.
- Voor onmondige kinderen kunnen de ouders of voogd de wil uitdrukken en de verklaring van donatie invullen op de gemeente van inschrijving.

We hopen dat u een goed gevolg zal kunnen geven aan onze aanvraag. We blijven tot uw beschikking voor alle bijkomende inlichtingen die u zou willen ontvangen. We staan natuurlijk ook open voor een eventuele discussie betreffende dit gevoelige onderwerp.

In afwachting van uw antwoord verblijven wij,

met de allermeeste hoogachting,

President Noah4Life
Frank De Schepper

Ik kreeg steeds meer aanvragen van scholen en verenigingen om te spreken over onze ervaringen met Noah. Het ging me gelukkig intussen al iets beter af dan de eerste keren, toen ik verschrikkelijk zenuwachtig was geweest. Maar de kinderen luisterden geduldig. En ik had meer en meer het gevoel dat Noahs verhaal toch iets had kunnen teweegbrengen omdat heel wat mensen zich kandidaat hadden gesteld voor orgaandonatie.

Op maandag 3 november 2014 vergaderden we voor het eerst over het oprichten van onze vzw. We waren met 22 mensen. Ook de pers was aanwezig. Ik opende de avond met iedereen te verwelkomen en te bedanken voor zijn aanwezigheid. Vervolgens legde ik het doel van de vzw uit. We moesten natuurlijk ook een mooie, passende naam kiezen. Het zou Noah4Life worden. Iedereen was er heel blij mee. Het bestuur werd verkozen en samengesteld. Het werd een mooie avond, en iedereen was enorm gemotiveerd om er iets van te maken.

Na de vergadering kwam het erop aan om alles schriftelijk vast te leggen en de aanvraag in te dienen. Er brak een drukke periode aan. We wilden namelijk alles klaar hebben voor 1 december. Vanaf die dag hadden we immers enkele afspraken staan om kinderen te steunen en informatie te gaan geven. Onze vriend Marcel, die ons al vanaf het begin enorm had geholpen en gesteund, was druk in de weer om T-shirts en affiches voor de vzw te maken die we konden gebruiken op onze infostand.

Op 14 november hadden we de voorzitter van de carnavalsvereniging De Lindemannen en zijn echtgenote uitgenodigd voor een etentje bij ons thuis. Ook van hen hadden we heel veel steun gekregen tijdens de hele periode dat ons zoontje in Giessen in het ziekenhuis lag. Ook zij wilden de vzw heel graag steunen. Ze hadden besloten zich bij het volgende carnaval allemaal te verkleden als piraat als eerbetoon aan Noah. Op hun wagen zal een grote foto van Noah prijken met het opschrift 'Noah4Life'.

# NOAH4LIFE

## DANK U VOOR UW STEUN

### Doel van de VZW

**1.** Orgaandonatie promoten in heel Belgie

**2.** Jaarlijks een benefiet organiseren (met een maaltijd) om het overlijden van Noah te herdenken. De inkomsten van de benefiet zullen naar een goed doel doorgestort worden. Het zal plaatsvinden de *eerste zaterdag na de 21 Augustus.*

**3.** Jaarlijks bezoeken brengen op een kinderafdeling (op de eerste plaats daar waar orgaantransplantaties worden uitgevoerd).

**4.** Kinderen (en hun ouders) financieël ondersteunen waar mogelijk

**5.** Voordrachten houden (bv. in scholen,...)

www.noah4life.be          www.beldonor.be

Le don d'organes :
Si ma vie s'arrête, une autre continue.....
Die Organspende :
Wenn mein Leben aufhört geht ein anderes weiter....
Orgaandonatie :
Als mijn leven stopt, kan een ander verder....

Bankrekening:BE 04732033618231,CREGBEBB,CBC

# De wereld draait door

Als een van de eerste acties met de vzw zouden we met een infostandje op de kerstmarkt van Gemmenich gaan staan. En op 8 december wilden we naar het ziekenhuis in Giessen gaan waar Noah zo lang had gelegen, om alle kindjes een geschenkje voor Sinterklaas te geven. We waren er een beetje bang voor, want sinds Noah was overleden, hadden we niet meer de kracht gehad om naar Giessen terug te keren. Maar met Noah4Life wilden we andere kinderen helpen, en de beste plaats om te starten was het ziekenhuis waar de transplantatie had plaatsgevonden.

Ik voelde weer een beetje vreugde in me opkomen door de plannen met de vzw. Maar ik was nog altijd een gebroken man, ook al was dat niet altijd aan de buitenkant te zien. De nachten bleven erg kort. Ik werd vaak wakker en moest dan steeds aan ons zoontje denken. Allerlei herinneringen gingen dan opnieuw door mijn hoofd. Ik dacht dan terug aan de mooie momenten, maar ook aan de dag dat we hadden besloten om Noahtje van de machines af te koppelen. Ik maakte mezelf allerlei verwijten in die nachtelijke uren. En ik begon de dag met een vermoeid lichaam. Bovendien had ik een blessure opgelopen bij het sporten, waardoor ik enkele weken met een loopgips zat opgescheept. En dus kon ik ook niet gaan lopen en had ik nog meer tijd om te piekeren.

Ook Anja probeerde zo goed en zo kwaad mogelijk de draad van het gewone leven weer op te nemen. Ze wilde weer aan de slag en had zich ingeschreven als werkzoekende. Ondanks het feit dat de mensen van de VDAB haar weinig hoop hadden gegeven dat ze snel een job zou vinden omdat het een erg moeilijke periode was, nam ze toch de koe bij de hoorns. Ze schreef zich in voor een cursus Frans en een cursus boekhouding, zodat ze meer kansen zou krijgen op de arbeidsmarkt.

We hadden ook nog andere plannen. We wilden erg graag samen nog een kindje krijgen en hadden een afspraak gemaakt bij de gynaecoloog. Onze grootste wens was dat Anja snel weer zwanger zou worden, maar het wilde niet lukken. Na een lang gesprek met de dokter werd besloten dat er eerst nog enkele onderzoeken zouden worden uitgevoerd om de juiste oorzaak te vinden. Op basis daarvan zou beslist worden met welke therapie het best kon worden gestart. We begonnen onmiddellijk rond te bellen om de afspraken te maken voor deze onderzoeken. Er wachtte ons een grote teleurstelling: alles was volgeboekt, in alle ziekenhuizen die we contacteerden. De onderzoeken konden pas vanaf januari 2015 plaatsvinden. Maar Anja gaf het niet op en drong aan om toch nog in 2014 een afspraak vast te krijgen. De klok tikte immers, ze werd er niet jonger op.

Tussendoor waren we bezig met de voorbereidingen om onze vzw voor te stellen op de kerstmarkt van Gemmenich. De avond voor de kerstmarkt was er nog een herdenkingsmis voor onze kleine piraat. Het werd een heel mooie mis. Maar ik kon die avond niets zeggen of voorlezen, ik had te veel verdriet. Die avond kon ik weer niet slapen, zoals de meeste avonden. Steeds kwamen de beelden van Noahtje voorbij. Uiteindelijk greep ik naar een slaappilletje en zo viel ik toch in slaap.

De volgende dag in de late namiddag trokken we dan naar de kerstmarkt. Zodra de markt openging, kwamen de bezoekers al naar onze stand om info te vragen over de vzw en over orgaandonatie. We konden heel wat mensen overtuigen van onze missie. Tegen de avond konden we allemaal blij zijn met een geslaagde actie: 145 personen wilden zich laten registreren om orgaandonor te worden.

De volgende dag was ik vroeg wakker. Het was somber weer. Doordat het mistig was, kon ik niet ver kijken. Tijdens het ontbijt kwamen de tranen weer toen ik Noahs lege plaats aan tafel zag. Ik vroeg me af of hij van bovenaf zou kunnen zien wat voor een bijzondere dag het voor ons zou worden. Voor de eerste keer zouden we teruggaan naar de plaats waar hij van ons was heengegaan. Hij zou het vast fantastisch gevonden hebben om pakjes uit te delen aan de andere kindjes op de intensieve afdeling. Zijn glimlach zou iedereen weer opgebeurd hebben.

Tegen halfeen kwamen we aan op de intensieve afdeling van het ziekenhuis in Giessen. Het personeel stond ons al op te wachten. In het bijzijn van Hanne en Tom van *Het Belang van Limburg* overhandigden we hen plechtig een cheque van 500 euro. Dat bedrag stond nog op Noahs rekening. Daarna gingen we langs op alle kamers. De sint ging bij ieder kind een cadeautje afgeven, en ook voor de ouders had hij een kleinigheid meegebracht. De zieke kindjes fleurden helemaal op door het speciale bezoek en de cadeautjes. Ze dachten even niet aan hun problemen en konden weer voor een momentje lachen. Maar bij ons was constant het besef aanwezig dat hier elke dag een kind kon sterven. We voelden ons eigenlijk helemaal thuis, maar tegelijk was het verdriet enorm door alle herinneringen die naar boven kwamen.

Na ons bezoek aan de kinderen zat ik in de cafetaria bij te komen van de emoties. Ook daar werd ik overweldigd door herinneringen. Zo zag ik me op een morgen samen met Anja en Noah ontbijten in deze cafetaria. Noahtje kon heel smakelijk eten en genoot ervan om telkens een hapje van mijn broodje te nemen. We hadden hier vaak veel plezier gehad; Noah was blij eens niet op zijn kamer te hoeven zijn. Deze mooie herinnering zorgde ervoor dat de tranen weer over mijn wangen stroomden.

Ik dronk mijn kopje koffie leeg en ging weer terug naar de intensieve afdeling, waar ik een gesprek zou hebben met de dokter. Tot op heden hadden we immers nog niet veel vernomen over wat de autopsie op Noahs lichaampje had opgeleverd. Wat wél duidelijk was, en wat we al eerder hadden gehoord, was dat er een massieve afstoting was geweest omdat onze kleine piraat te lang had moeten wachten op zijn donorhartje.

De volgende morgen ging in Gemmenich de wekker af om halfzes. Ik stond op en liep even de kamer van Noah in. Een jaar eerder hadden we een brandweerwagen als bedje voor hem gekocht. Maar dat zou voor altijd leeg blijven. Nooit meer zouden we zijn mooie, zachte glimlach zien tijdens zijn slaap. Nooit meer zouden we hem een nachtkusje geven en nooit meer zou hij 's morgens uit zijn bedje stappen om nog even te komen knuffelen. Alles was voorgoed gedaan.

Na enkele minuten verliet ik zijn kamer om me klaar te maken om te gaan werken. Het zou weer een moeilijke dag worden. Verdrietig zat ik aan de ontbijttafel terwijl Anja nog in bed lag. Toen Noahtje er nog was, kwam het geregeld voor dat hij en ik al eerder beneden waren dan Anja. Dan hadden we veel plezier samen, want we begonnen meteen al gekke dingen te doen. Soms lachte hij daarbij zo luid dat ik hem toefluisterde: 'Ssst, schatje, mama slaapt nog.'

Ondanks de vliegende start van de vzw zat ik enkele dagen later weer in een diep dal. Zo was ons leven na 21 augustus nu eenmaal.

# Een kleine piraat woont in ons hoofd

**12 december 2014**
Hoewel de pijn aan ons hart en in ons hoofd blijft knagen, komen de mooie herinneringen meer en meer bovendrijven.

Weet je, lieve schat, vanmorgen was ik even langsgegaan op het kerkhof en je grafje was helemaal bedekt met bladeren. Het was alsof je een dekentje had gekregen van de natuur, zodat je zacht en warm verder kon slapen. Ik mis je nog elke dag. Knuffel, slaap zacht. Ik hoop dat we veel mensen kunnen overtuigen om orgaandonor te worden.

Je papa

**17 december 2014**
Dag mijn kleine lieve piraat, wat heb ik weer een moeilijke nacht achter de rug. Alle beelden kwamen weer naar boven. De mooie, maar ook die van toen we moesten beslissen om de machine te laten uitschakelen. We namen je in onze armen en je viel zachtjes in slaap. Op de monitoren konden we zien hoe jouw hartje stopte met

kloppen. De tranen stromen en blijven maar stromen. Ik mis je zo, elke dag, en weet niet hoe ik ermee om moet gaan. Soms zou ik willen dat er ergens een mooie weg loopt waarover ik naar je toe kan wandelen, zodat ik je in mijn armen kan nemen om je nog eens te knuffelen. Spijtig genoeg zal ik deze weg nooit vinden.

Dikke, zachte knuffel,
Je papa


### 18 december 2014

Het is een regenachtige dag, een dag waar ik niet dol op ben, een dag waarop het mij moeilijk gaat. Hé, mijn kleine piraat, hoe moet ik de pijn verwerken? Zoals iedere dag mis ik je heel erg. Mama maakt alles klaar om morgen met een standje naar jouw school te gaan. Alle kindjes gaan dan een musical brengen. Weet je, schat, dat wordt een zware dag.

Lieve schat, het is bijna kerst, tijd om cadeautjes te kopen. Tegelijk is er eigenlijk maar één geschenkje dat ik wil. Als ik dat kon kopen, dan was je nu weer bij ons. Het doet zo'n pijn te beseffen dat we Kerstmis moeten vieren zonder jou. We hebben er helemaal geen zin in. Jouw mama en ik zullen het heel moeilijk hebben. Iedere dag ween ik, ook al houd ik me sterk. Mijn hart is gebroken, ik weet niet hoe het verder moet zonder jou.

Slaap zacht,
Je papa

## 19 december 2014

Vanmorgen zijn we samen opgestaan en na het ontbijt richting Voeren vertrokken, naar het oude schooltje van Noah. Met een krop in de keel stapte ik de zaal binnen. De klasgenootjes van Noah waren er allemaal. We hadden het zwaar, maar hielden ons sterk. Anja zou helpen met het opstellen van de tafels voor de kerstmarkt die de school had georganiseerd. Ik vertrok naar Borgloon om er met een standje orgaandonatie te promoten. Ik werd bijgestaan door enkele vrijwilligers, die me zouden helpen. In naam van de vzw verkochten we snoepzakjes en pluchen eendjes die een kennis van ons maakte. Ook hier konden we enkele mensen overtuigen om zich te laten registreren als orgaandonor. Dat was ons doel, dat hadden we Noahtje beloofd toen we hem moesten laten gaan.

Om vier uur vertrok ik weer naar Voeren om er naar de musical te kijken en te helpen op onze stand. De musical was heel mooi, maar we hadden het erg moeilijk omdat ons zoontje er niet bij was. Na het optreden stelde ik de vzw voor. We konden er met veel mensen praten en de interesse in de vzw was groot.

De nacht was heel zwaar. Met tranen in mijn ogen viel ik in slaap.

## 20 december 2014

Rond zeven uur werd ik wakker, nog steeds droevig. Ik kon mijn verdriet niet verbergen voor Anja en barstte weer in tranen uit. Het gemis knaagt, ik weet er niet mee om te gaan. Ik zie enorm op tegen de feestdagen.

Tegen de middag kwam iemand van de vzw Anja helpen met het vullen van snoepzakjes voor de volgende actie. Ik werkte aan de pagina van Noah4Life. Ook hier weer was het een moeilijk moment toen ik alle foto's van Noah terugzag.

's Avonds gingen we met vrienden even kijken naar de kerstgrotten in Valkenburg om toch niet altijd thuis te zitten. Echt veel plezier hebben we er niet aan gehad, maar we konden onze gedachten even verzetten.

Het schrijven valt me zwaar, de tranen staan me in de ogen. Maar ik verman me omdat ik absoluut het verhaal van Noah wil neerschrijven en zo veel mogelijk verspreiden. Hij is overleden door de lange wachttijd op een ruilhartje. Zoiets mag andere kinderen niet meer overkomen. Er móéten meer mensen zich registreren als orgaandonor.

## 21 december 2014

Vandaag zondag heb ik dienst in Glons. Ik voel nu al dat het een moeilijke dag wordt. Toen Noah met Anja in Giessen was, skypeten we steeds als ik moest werken. De herinneringen komen steeds terug als ik aan het werk ben. Soms neem ik mijn iPad en wil ik Skype inschakelen. Dan pas besef ik dat dit niet nodig is omdat mijn kleine piraat er niet meer is. Zonder dat mijn collega's het zien veeg ik mijn tranen weg. Ik stel me weer de vraag: waarom? Waarom moesten we hem laten gaan? Waarom moest hij sterven? Waarom Noah? Waarom moeten kinderen sterven? Ze hebben nog hun hele leven voor zich.

Later die dag kreeg ik telefoon van de mensen van de carnavalsvereniging De Lindemannen. Ze vertelden me dat ze op een kerstmarktje weer heel wat mensen hadden kunnen overtuigen om orgaandonor te worden. Via deze weg wil ik hen uit de grond van mijn hart bedanken voor de enorme steun die ze ons elke keer weer bieden.

Elke cent die we dankzij de grote inzet van mensen zoals zij binnenhalen, zal gebruikt worden om voor een moment een glimlach te toveren op het gezicht van kinderen die het grootste deel van de tijd doorbrengen in een ziekenhuis. De glimlach die Noah en ons zo sterk maakte.

### 22 december 2014

Vier jaar lang was dit de dag waarop ik een kerstcadeautje ging kopen voor mijn kleine piraat en enkele geschenkjes voor zijn mama, die Noah dan fier mocht afgeven. Maar dit jaar is alles anders. Het wordt onze eerste kerst zonder onze kleine vechter. Vorig jaar waren we rond deze tijd in Giessen met onze kleine ster en gingen we ervan uit dat we deze kerst samen thuis konden vieren.

We besloten er voor twee dagen tussenuit te knijpen en trokken naar een wellnesshotel in Brussel. Daar verbleven we tot 24 december.

Na de middag reden we huiswaarts. We kwamen er aan in een huisje waar het verdriet duidelijk te voelen was. Overal elders waren mensen samen om kerst te vieren. Kinderen pakten dolblij hun cadeautjes uit. Bij ons was het een avond zoals alle andere avonden sinds het overlijden van ons zoontje. Anja en ik keken samen wat televisie terwijl het hout knetterde in de kachel. We waren niet in feeststemming, het gemis was te groot. Vorig jaar vierden we Kerstmis samen met onze piraat in het ziekenhuis, maar ook dat was een droevige dag omdat Noahs vriendje net was overleden. Deze dagen mogen wat ons betreft vlug voorbij zijn.

### 25 december 2014

De hele nacht heb ik aan jou gedacht, lieve piraat. Aan alle mooie en moeilijke momenten. Je gaf je nooit gewonnen. Tot 21 augustus. Toen had je de kracht niet meer om te vechten en verloren we samen je strijd. Ik had zo graag vandaag een ritje met de quad gemaakt met jou. Sinds jouw heengaan heb ik hem nog niet eens uit de garage gehaald. Ik heb er gewoon geen zin in, het herinnert me alleen maar aan jou. Het was altijd leuk om samen met jou rond te rijden, je amuseerde je rot. Je lachte vanaf het moment dat je op de quad zat. Dan reden we naar het bos en genoten we van de gezonde lucht en het samenzijn. Hoe langer je kon rondrijden, hoe leuker je het vond.

Weet je, lieve schat, jouw mama weent ook heel veel. Maar ze doet dit wanneer ik het niet kan zien omdat ze niet wil dat ik nog meer verdriet heb. We zullen je nooit vergeten, je gaf ons iedere dag zoveel vreugde.

We wensen je een mooie kerst, mijn kleine lieve schat, daar waar je nu rust hebt gevonden.

**28 december 2014**
Goedemorgen mijn kleine piraat,

Vandaag is het bitter koud, maar langzaam komt de zon tevoorschijn vanachter de wolken. Alles is bedekt met een dunne laag sneeuw, het ziet er prachtig uit. Maar de stilte is ondraaglijk. Ik zou niets liever willen dan vandaag een mooie wandeling met je te gaan maken. Samen door de sneeuw lopen en plezier maken. Maar kleine schat, jij bent er niet. Je ligt rustig te slapen in jouw kist, die nu je bedje is geworden.

Ook je mama ligt in bed. Ze is ziek. Zo zonder haar denk ik nog meer aan de tijd dat we samen waren. Hoezeer we het samen naar onze zin hadden en hoopten dat we het volgende jaar gezellig samen thuis zouden zijn, jij met je nieuwe hartje. Het neemt de pijn niet weg, maar ik hoop dat we samen toch iets kunnen veranderen, zodat andere kindjes niet meer zo lang moeten wachten op een nieuw orgaan.

Slaap zacht, ik mis je. Je zult voor altijd een plaats in mijn hart hebben.
Je papa

## 1 januari 2015

Het jaar 2014 is met veel verdriet geëindigd. Er was geen vreugde in huis, we hebben niet samen naar het vuurwerk gekeken.

Lieve kleine piraat, je mama en papa wensen je een zacht 2015 toe. Jij bent van je pijn verlost. Onze pijn blijft. We missen je elk moment van de dag. De tijd die we samen mochten zijn, was de mooiste van ons leven. Je hebt ons onvergetelijke momenten bezorgd.

We wensen iedereen een gezond 2015 toe, geniet van de momenten met jullie familie. Wij zullen ook in het nieuwe jaar orgaandonatie blijven promoten.

Anja, Frank en het bestuur van Noah4Life


## 5 januari 2015

Een dag waarop je vijf kaarsjes had moeten uitblazen.
Een dag die een mooie dag had moeten worden.
Een dag waarop we allemaal samen jouw verjaardag hadden moeten vieren.
Maar alles is voorgoed gedaan.
Nooit zullen we dit nog kunnen doen.
Mama en papa hebben het vandaag bijzonder zwaar.
Deze dag zal voor altijd een dag zijn zonder vreugde.
Maar je glimlach zal altijd in onze herinnering blijven.

Weet je, lieve schat, je mama brengt iedere dag een bezoekje aan je graf.
En kijkt dan of de kaarsjes blijven branden.
Papa heeft niet altijd de kracht om langs te gaan.
Er is geen dag dat ik niet aan je denk.
Ik wens je een mooie verjaardag toe.

Als ik het moeilijk heb, luister ik steeds naar 'Afscheid van een vriend' van Clouseau:

> *Alles is voorgoed gedaan*
> *Als jij er klaar voor bent*
> *'k Heb aan je zijde gestaan*
> *Mijn God, ik heb je graag gekend*
>
> *Ik blijf nu hier, jij gaat naar daar*
> *En daar is niet zo ver van hier*
> *We spreken af, ik weet niet waar*
> *En daar ontmoeten we elkaar*
>
> *Zonder jou tikt de klok even snel*
> *Maar de tijden veranderen wel*
> *Dus ik neem afscheid, jij moet nu gaan*
> *Weet dat je in m'n hart altijd blijft voortbestaan*
>
> *Slaap zacht, je hebt het verdiend*
> *Je vocht tot aan je laatste zucht*
> *En ga, ga nu m'n vriend*
> *En droom voor eeuwig opgelucht*

*Net zoals vroeger kom je wel terecht*
*Ik weet: je vindt een thuis heel gauw*
*En ik herhaal wat jij me ooit hebt gezegd*
*In m'n hart blijf ik je trouw*

*Zonder jou tikt de klok even snel*
*Maar de tijden veranderen wel*
*Dus ik neem afscheid, jij moet nu gaan*
*Weet dat je in m'n hart altijd blijft voortbestaan*

*En ik weet: ik zou dankbaar moeten zijn*
*Maar precies daarom doet het zo'n pijn*

*Zonder jou tikt de klok even snel*
*Maar de tijden veranderen wel*
*Dus ik neem afscheid, jij moet nu gaan*
*Weet dat je in m'n hart altijd blijft voortbestaan*

*Zonder jou tikt de klok even snel*
*Maar de tijden veranderen wel*
*Dus ik neem afscheid, jij moet nu gaan*
*Weet dat je in m'n hart altijd blijft voortbestaan.*

Hi lief schatje,

Mama hier. Het is 4 januari 2015, een dag voor jouw verjaardag. Vorig jaar rond deze tijd was ik samen met Karin jouw verjaardagstaarten aan het bakken op het kleine appartement dat we huurden. Je wou graag piratenboten, en dus overlegde mama hoe ze die het best kon maken. Er waren veel verpleegsters en dokters, dus maakten mama en Karin twee piratenboten en nog veel muffins erbij met piratendecoratie. Tot zeker halfeen 's nachts hebben we gebakken en jouw boten gedecoreerd. Ik was fier op mezelf dat het zo goed gelukt was en ik hoopte dat je het mooi zou vinden.

Mama en papa wilden je verrassen met een mooi gedecoreerde kamer. Maar omdat het voor ons niet mogelijk was om dat te doen zonder dat je er iets van merkte, heeft een verpleegster deze taak van ons overgenomen. 's Nachts toen je sliep, versierde ze, samen met enkele andere verpleegsters, jouw kamer met ballonnen en slingers. Gelukkig sliep je meestal heel goed en konden ze dat allemaal doen zonder dat je het doorhad.

Voordat Karin en ik naar jou toe konden de volgende morgen hadden de verpleegsters en dokters al voor jou gezongen. Je was dolblij met je versierde kamer. Ook de piratenboten vond je de max. Je wou ze eerst niet aansnijden, anders ging de boot stuk. Je had een mooie dag met vele cadeautjes, ook van de verpleegsters en dokters. Een lieve verpleegster was zelfs op haar vrije dag langsgekomen om jou een zelfgebakken verjaardagstaart te brengen. Iedereen wou je een bijzondere dag bezorgen op je vierde verjaardag. Ook opa, die een dag na jou jarig is, en Ta kwamen op bezoek. Alle mensen die je liefhebben waren er.

Nu zijn we een jaar later, mijn lief schatje, jij bent jarig en je bent niet meer bij ons. Hoe graag had ik weer taarten voor jou gebakken en jou een mooie verjaardagsparty gegeven. Het is je vijfde verjaardag en het had weer een mooie dag moeten worden. Mama en papa hebben vele sms'jes en Facebookberichten gekregen voor je verjaardag: iedereen denkt aan je en mist je.

Het zal nooit meer hetzelfde zijn zonder jou. Vandaag zijn Corina en Claudia langsgekomen, de mama's van jouw vriendinnetjes Malou en Pauline, om samen naar het kerkhof te gaan en jou verse bloemetjes te brengen.

We zullen je nooit vergeten. Je blijft altijd in mijn hart.

Jouw mama

# Slot

Lieve schat,

De tijd dat we samen mochten genieten, zal ik nooit vergeten. Spijtig genoeg was deze tijd veel te kort. Ik had graag nog zoveel mooie dingen willen doen met jou en je mama. Dat je nu niet meer bij ons bent, zal altijd heel moeilijk voor ons blijven. We hadden zo gehoopt dat alles goed zou komen. Helaas is dit niet gelukt. Na elke operatie heb je gevochten als een echte dappere piraat, en meestal won je. Maar jouw laatste strijd heb je verloren.

Papa en mama hebben dit boek speciaal voor jou geschreven. Kleine piraat, wij zijn zo fier op jou. Jij hebt ons leren omgaan met vreugde en verdriet. Jij gaf ons de kracht om samen deze periode te doorstaan. Je bent, ook al ben je er niet meer, een kleine held. We hopen dat we met jouw verhaal heel veel mensen kunnen overtuigen om orgaandonor te worden of een wetsverandering aangaande orgaandonatie erdoor te krijgen, zodat jouw strijd niet voor niets is geweest.

Kleine dappere piraat, wij wensen je een mooie reis. We missen je iedere dag.

Slaap zacht,
Papa

# *Brieven aan Noah*

## *Brief van tante Krista*

5 januari 2010, een dag om nooit te vergeten. Ik was zo
fier als een pauw, want ik was meter geworden van een
jongen met de naam Noah. Maar de blijdschap maakte al
gauw plaats voor zorgen, want kleine Noah had hartproblemen. We wisten al op voorhand dat er een probleem
zou zijn, maar hoe erg dat zou zijn, moesten we nog afwachten. Het bleek het begin van een lange lijdensweg
te zijn.

De eerste twee maanden waren cruciaal met operaties,
onderzoeken, ups en downs. Na twee maanden mocht
Noah eindelijk naar huis, zij het met een maagsonde,
want zuigen aan een fles was te vermoeiend voor zijn
hartje. Die maagsonde was niet zo evident, want Noah
was al bij al een levendig kereltje, waardoor hij een paar
keer zijn maagsonde eruit trok. Zo mocht ik eens baby-
sitten op een zondag en terwijl ik hem eten aan het geven
was (door middel van een spuitje in de maagsonde) trok
hij zijn maagsonde eruit. Paniek natuurlijk, ik had al een
vriendin opgebeld die thuisverpleging deed om te vragen
of zij de maagsonde opnieuw kon steken, maar zij durfde

dit niet bij zo'n klein kind. Dus reed ik naar de spoedaf-deling in Tongeren, waar de klus in enkele minuten ge-klaard was. Dit waren zo van die momenten dat je dacht: Noah is niet zomaar een gewone baby. Ook die lach van hem die er al was van toen hij baby was, was zo speciaal. Iedereen smolt voor die lach op zijn gezichtje. Na vijf of zes maanden mocht de maagsonde eruit en begon ook het eten goed te gaan. In Noahs eerste levensjaar hebben we heel wat mooie dagen gekend, zoals zijn doopsel en niet te vergeten het huwelijk van papa Frank en mama Anja, waarbij Noah de hele dag aanwezig was.

Wat mij het meeste bijblijft van Noah is zijn opgewekt-heid, zijn stralende glimlach, en vooral zijn gevoel voor muziek. Noah stond op met muziek en ging slapen met muziek, alles waar hij geluid uit kon krijgen moest eraan geloven. Zo was hij eens bij ons thuis en op een gegeven moment stond er een liedje op van zijn favoriete groep. Hij begon uit volle borst mee te zingen. Daarbij gebruikte hij de knoppen van de ladekast in de keuken als micro-foon. En toen begon hij ook nog eens te dansen. Hij was alleen op dat moment, hij hoorde of zag niets of nie-mand. Hij was een echte show aan het geven. We lagen allemaal plat van het lachen. En toen de muziek ophield keek hij heel verbaasd naar ons als om te zeggen: wat is er aan de hand?

Zijn verkleedsessies waren nog zo'n passie van hem. Dan was hij een politieman, dan weer een zeerover. Als dokter verkleed ging hij mee met de verpleegsters op ronde, dan weer als brandweerman, waarbij hij het voorbeeld van zijn nonkel Jean-Marie volgde. Dan moest nonkel Jean-Marie zijn brandweerhelm meebrengen en opzetten. Samen gingen ze dan het vuur blussen. Hij vertelde altijd dat hij later ook brandweerman wilde worden. Maar het liefste van al was hij piraat. Dan kon het niet meer stuk, daar kon hij zich echt in uitleven. Het was zo mooi om hem te zien in zijn fantasiewereldje.

Noah heeft een mooi maar veel te kort leventje gekend waarin hij omringd werd door liefde. En je kreeg zoveel terug van hem.

De laatste tien maanden waren zwaar voor Noah, maar ook voor zijn papa Frank en mama Anja. In oktober 2013 ging het van kwaad naar erger. Noah lag in Bonn in het ziekenhuis en zijn toestand ging achteruit. Hij was mager, bleek, altijd moe. Je zag het: het ging niet goed met hem. Na lang aandringen en een woede-uitbarsting van papa Frank werden eindelijk de nodige papieren in orde gebracht voor de operatie. Enerzijds was iedereen opgelucht dat de operatie zou plaatsvinden, maar anderzijds waren we enorm bang voor de gevolgen. Na lang wachten kregen we te horen dat de operatie niet was verlopen zoals het moest. Noah had verschillende hartstilstanden gehad en lag aan de hart-longmachine. We zaten allemaal samen om mijn broer en schoonzus te steunen toen ze ons het slechte nieuws kwamen vertellen. We waren allemaal compleet overstuur.

Toen we eindelijk bij Noah mochten, was mijn broer volledig buiten zichzelf. Hij kwam al schreeuwend naar buiten gerend, wenend, bonkend op de deur. Het ging door merg en been. En dan Noah te zien liggen: met ontelbare buisjes verbonden aan machines, zijn linkerbeentje volledig blauw en opgezwollen en zijn gezichtje bleek en gezwollen. Het was verschrikkelijk om te zien. Ik ben toen vijf dagen lang elke dag van 's morgens tot 's avonds in het ziekenhuis geweest. Elke dag reed ik van Tongeren naar Bonn om mijn broer en schoonzus te steunen.

Na tien dagen was Noahs toestand onveranderd. Hij lag nog steeds in coma. De artsen in Bonn besloten hem over te brengen naar Giessen, waar een hartkliniek is die gespecialiseerd is in harttransplantaties. Ondertussen wisten we dat Noahs hart nog maar voor 20 procent werkte en dat hij op de lijst stond voor een nieuw hartje. Maar eerst werd er een kunsthart geplaatst, waar Noah mee verder kon leven tot er een donorhart kwam. Deze operatie werd uitgevoerd op 4 november 2013. Het was weer een erg risicovolle operatie. De operatie duurde ongeveer tien uur. Ook wij gingen naar Giessen om mijn broer en schoonzus te steunen. De dokters kwamen ons vertellen dat de operatie gelukt was, maar dat het zeer moeilijk was geweest. Die vreselijk lange uren die we samen doorgebracht hebben, brachten ons dichter bij elkaar. Je trekt je op aan elkaar, je zoekt steun bij elkaar, je geeft elkaar hoop. Dit is zo onmenselijk en toch gebeurt het. Uiteindelijk mochten we Noah zien. We waren opgelucht maar ook verdrietig omdat hij weer aan machines lag.

Zes weken duurde het vooraleer Noah zijn oogjes opendeed. Vanaf toen ging het elke dag een beetje beter. Hij was wel erg zwak en moest weer op krachten komen. Mama Anja stond iedere dag klaar om hem hierbij te helpen, terwijl papa Frank centjes verdiende en ervoor zorgde dat thuis alles in orde werd gebracht voor als Noah zou thuiskomen na de transplantatie. In de weekends kwam Frank dan naar Giessen om bij zijn twee schatten te zijn. Ook wij gingen zo veel mogelijk naar Giessen om onze kleine piraat te verwennen met cadeautjes, snoep en nog van alles wat hij graag had. En natuurlijk ook om mijn broer en schoonzus te steunen.

In die periode richtten mijn twee dochters en een nichtje de Facebookpagina Noahs Ark op, waarmee ze Frank en Anja emotioneel en financieel wilden steunen. Want alles kostte natuurlijk een bom geld. Zo moesten mijn broer en schoonzus een studio huren voor

700 euro per maand om iedere dag bij Noah te kunnen zijn. Daar kwamen ook de vervoerskosten, telefoonrekeningen en ziekenhuisfacturen bij. En dan waren er natuurlijk ook nog de gewone kosten van thuis. In de nacht van 3 op 4 augustus kregen we telefoon van mijn broer; er was een hartje voor Noah. Hij huilde van geluk, en wij ook. Ik maakte direct de kinderen wakker met het blije nieuws. Wij konden niet meer slapen en maakten ons klaar om naar Giessen te vertrekken. Daar was ook Anja's familie al gearriveerd. Samen wachtten we de hele dag. 's Avonds laat kregen we het slechte nieuws dat Noahs nieuwe hartje niet wilde kloppen en dat hij aangesloten was op de hart-longmachine. De volgende uren waren cruciaal. Noah zou ook hersenletsel hebben opgelopen en zou links verlamd zijn. Dit was niet te vatten.

Het was uiteindelijk al zes uur op dinsdagmorgen toen Frank en Anja Noah eindelijk mochten zien. Wij waren maandagavond laat terug naar Tongeren gereden om dinsdagmorgen opnieuw naar Giessen te vertrekken. Daarbij kwam nog een dilemma; wij zouden op donderdag 7 augustus op vakantie vertrekken naar Griekenland. We waren al inlichtingen gaan inwinnen in het reisbureau. Alleen in geval van overlijden konden we de reis annuleren en kregen we een deel van de kosten terugbetaald. Wat gedaan? Na overleg met mijn broer besloten we toch te vertrekken, maar ik moest beloven dat als er iets gebeurde ik zo snel mogelijk naar België zou terugkeren.

Zo vertrokken we op 7 augustus met gemengde gevoelens richting Griekenland. Iedere dag belde ik met mijn broer over de toestand van Noah. En iedere dag vertelde hij dat mijn petekindje een klein beetje vooruitgang had geboekt. Tegen de tijd dat we thuiskwamen, was er een redelijke vooruitgang. Dat was op zondag 17 augustus. Op dinsdag 19 augustus reden we terug richting Giessen en mochten we Noah even zien. Hij was nog steeds aan de hart-longmachine en allerlei andere slangetjes en buisjes gekoppeld. Maar de dokters waren positief: als de toestand zo bleef, mocht hij op donderdag 21 augustus worden afgekoppeld van de hart-longmachine. Maar het lot besliste er anders over.

Dinsdagavond reden we een beetje gerustgesteld terug richting Tongeren met in ons achterhoofd alle hoop gevestigd op donderdag. Woensdagnamiddag kregen we het verschrikkelijke nieuws dat Noah een hersenbloeding gekregen had en dat ze hem dringend moesten opereren. De kans was zeer klein dat het nog goed zou komen. Dit was onmenselijk, we konden het niet vatten en de vraag 'waarom?' bleef maar door ons hoofd spoken. Zoveel vragen en geen antwoorden. En nog maar eens bang afwachten. Hoe vaak hadden we dit al moeten doorstaan de laatste weken? Het was gewoon onhoudbaar.

Mijn oudste broer en zijn familie zijn dan van Leuven naar ons gekomen en samen hebben we bang afgewacht tot tien uur 's avonds. Toen belde Frank met de mededeling dat Noah geen enkele kans meer maakte en dat hij nog een hersenbloeding gehad had. De dokters wilden nog een laatste keer opereren. Ze wilden hem niet opgeven, maar ze wisten op dat moment al dat Noah geen waardig leven meer zou hebben. Hij zou verlamd zijn, niet meer kunnen zien en horen en zou leven als een plant. Was het dat wat we wilden? Nee, dit zou Noah ook niet willen, dit konden we hem gewoon niet aandoen. De beslissing om Noah te laten gaan was een van de moeilijkste momenten ooit voor Anja en Frank.

Op donderdag 21 augustus vertrokken we opnieuw naar Giessen om afscheid te nemen van mijn kleine lieve schat. Hartverscheurend was het. Dat kleine lichaam dat daar zo roerloos lag in dat grote bed. Zijn hele leven lag nog voor hem, hoe oneerlijk is deze wereld? Familie, vrienden, iedereen stond rond Noahs bedje. De ene streelde zijn haren, de andere pakte teder zijn handje vast, weer iemand anders fluisterde lieve woordjes tegen onze piraat. Op de achtergrond speelde zijn lievelingsmuziek. Zou hij het horen? Ik kon het niet geloven, was dit een droom? Spijtig genoeg was het de harde werkelijkheid.

Frank en Anja waren een wrak. Ieder moment konden ze instorten. En toch hielden ze zich sterk om dit laatste moment met hun kleine piraat zo dierbaar mogelijk te maken. Toen wilden Anja en Frank alleen zijn met Noah. Iedereen verliet de kamer, alleen de dokter en een verpleegster bleven. Frank en Anja namen Noah bij hen op schoot, omarmden elkaar en gaven hun kleine piraat een laatste zoen. Wij konden alles volgen door het raam van de ziekenhuiskamer. De dokters deden wat ze moesten doen en zo verliet Noahtje ons voorgoed. Dit beeld staat voor altijd op mijn netvlies gebrand. Hoe gaan we dit ooit verwerkt krijgen? Hoe zullen we dit ooit een plaats kunnen geven? Nooit zullen we dit te boven komen.

De dagen erna beleefden we als in een roes. Je leeft op de automatische piloot, je bent niet van deze wereld. De begrafenis was heel mooi, Noah had geen mooier afscheid kunnen krijgen. Anja en Frank hebben dat prachtig gedaan. Maar nu begint het verwerken, het rouwen, het leven zonder Noah. Elke dag kijk ik naar foto's van Noah en ween ik. Ik kan het zo moeilijk vatten dat hij er niet meer is. Maar dan denk ik aan die stralende glimlach, en dan weet ik dat Noah niet voor niets is gestorven. Ons doel met de vzw is om orgaandonatie te promoten.

Noah, mijn lieve kleine piraat, je blijft voor altijd in mijn hart en ik zal altijd van je houden.

Je meter

## Brief van juf Hanne

Noahs eerste schooldag was op 1 september 2012. Zoals voor iedere kleuter was dit erg spannend. Hij vond het eenmaal moeilijk om afscheid te nemen van zijn mama en papa. Maar eenmaal in de klas genoot hij ervan om bij de juf op schoot te zitten en kennis te maken met onze klaspop Jules. Jules wist altijd hoe hij een glimlach op Noahs gezicht kon toveren. Samen zingen met Jules was voor Noah een van de topmomenten tijdens het onthaal in onze klas.

Noah was een kleuter die graag bij zijn juf was. Ik noemde hem mijn magneetje. Waar ik was, was hij ook. Zelf genoot ik ook enorm van zijn aandacht. Tijdens de speeltijden zocht hij graag het gezelschap op van de juf die toezicht had. Die wist hij telkens weer te charmeren. En zo mocht hij de juf die buiten stond een handje geven of kreeg een plekje op haar schoot. Noah lag ook goed in de klasgroep. Gek doen met zijn vriendjes vond hij geweldig. Zo zullen we Noahs eerste optreden op het grootouderfeest zeker niet vergeten. Hij zorgde voor een hele show op zijn eigen guitige manier.

Veranderingen op school of uitstapjes waren voor Noah altijd heel spannend, soms was hij bang. Maar hij wist zich daar steeds over te zetten. Het was geweldig als juf om samen met hem die stap te zetten.
Zo was er een schoolfeest waar Noah eerst niet mee wilde optreden. Samen met zijn mama wisten we hem gelukkig te overtuigen en uiteindelijk heeft hij met volle

overgave meegedaan. Achteraf waren hij en de juf natuurlijk zo fier als een gieter.

Noah was een pientere kleuter, die vlot twee talen sprak. Werkjes maken met de juf was voor hem geen probleem. Je zag dat zijn mama en papa enorm veel tijd met hem doorbrachten. Ze vonden het heerlijk hun zoon van alles te leren. Mama kwam hem elke dag met veel plezier ophalen en hoorde graag van de juf hoe alles verlopen was. Dit waren steeds leuke babbels, die ik al enorm gemist heb.

Op 2 september 2013 begon Noah heel moedig aan het nieuwe schooljaar. Hij was een jaartje ouder nu en kende de gewoontes van de school. Hij voelde zich er goed en veilig. Spijtig genoeg duurde het nieuwe schooljaar niet lang voor hem. Noahs hartje kreeg het namelijk weer moeilijk. We missen hem enorm op school.

Het ga je goed, lieve Noah. We blijven met onze gedachten altijd bij je!

Juf Hanne

## Brief van nichtje Tatiana

Wat me vooral bijblijft van Noahtje is zijn muzikaal talent en zijn verkleedpartijtjes. Hij kon het als de beste. Noah zelf en ook wij hadden er veel plezier in. Van dokter tot ridder en piraat, met telkens de gepaste moves erbij. Hij voerde een heel showtje op waarbij iedereen dan plat lag van het lachen. En dan zijn aanstekelijke lachje erbij: om nooit te vergeten. Daarnaast zat er ongelooflijk veel ritme in hem. Hoe hij voor de tv meezong en -danste met de liedjes van K3, of in de auto meezong met Maroon 5. Of hoe hij in alles iets zocht wat geluid maakte en dan zijn eigen liedjes begon te maken.

Ik ben zo fier dat ik zijn nichtje heb mogen zijn en deel heb mogen uitmaken van zijn veel te korte, maar o zo intens leventje. Vanaf het eerste moment wist ik dat Noahtje ons leven zou veranderen, en daarbij dat van vele anderen. Er zal geen dag voorbijgaan zonder Noah in mijn gedachten.

Noahtje was een ongelooflijk kind; lachen en plezier maken. En toch had hij al zoveel meegemaakt. Hij was een kleine dappere held voor velen onder ons. Noahtje heeft gevochten tot het eind. Hij deed me realiseren hoeveel pijn er is in de wereld. Daar ben ik me nu heel bewust van. Door de dood van Noah bestaat mijn prioriteit erin om zieke mensen meer te helpen en even stil te staan bij hun lijden.

Als iedereen dat zou doen, zou de wereld er weer wat mooier uitzien.

Ik schreef ook een gedicht voor Noah:

*Mijn allerliefste schat,*

*Waarom is de wereld zo onaardig,*
*En het leven zo onrechtvaardig?*

*Waarom ben jij van ons afgenomen*
*En zien we jou nog alleen in onze dromen?*

*Niks kan beschrijven hoeveel pijn het doet,*
*Je gaf ons elke keer zoveel moed.*

*Waar ben je nu, vraag ik me af.*
*Ik voel nog steeds de liefde die jij ons gaf.*

*Want wat we samen beleefden,*
*en wat je mij hebt gegeven,*
*Is iets wat je nooit vergooit,*
*de mooiste herinneringen ooit.*

*Van onschatbare waarde*
*en het mooiste op aarde,*
*Iets wat je nooit vergeet,*
*is wat jouw lach met ons deed.*

Jou te kennen was zo fijn,
je los te laten doet enorm veel pijn.

Ik zal je zo hard missen in mijn leven,
en zal altijd om je blijven geven.

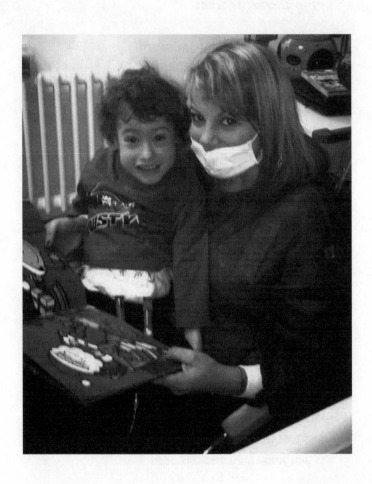

## Brief van nichtje Deborah

Waarom? Dat is de vraag die maar door mijn hoofd blijft spoken. Noahs leven was veel te kort, maar we beleefden zoveel mooie momenten samen die ik voor altijd zal koesteren.

Als baby was Noah niet altijd even gemakkelijk, maar hoe zou je zelf zijn als je al zoveel operaties achter de rug had? Als nonkel, tante en Noah op bezoek kwamen, waren we altijd enthousiast. Noah even vasthouden was niet altijd gemakkelijk, hij was erg gehecht aan Anja en als ze hem dan even aan ons gaf, begon hij heel snel te huilen. Ik had soms ook echt schrik om hem vast te houden, want hij leek zo fragiel. Maar met de tijd beterde dat. Zo bleef hij eens slapen bij ons. Op de zetel luisterend en kijkend naar K3 at hij op zijn gemak een koekje.

Maar lang kon hij niet blijven stilzitten. Hij sprong op, danste in het rond en verzocht iedereen met hem mee te doen. Om voor wat spektakel te zorgen zocht hij twee takken in de bak met hout voor de open haard en begon hard te drummen op het ritme van de muziek. We moesten vaak zeggen: 'Rustig, Noah', want hij bleef maar gaan op de muziek en wist van geen ophouden. Ook tijdens een autorit was het altijd ambiance in de auto, zodra je Maroon 5 opzette, begon hij *elk* liedje luidkeels mee te zingen. Zelfs toen het niet zo goed met Noah ging en hij in Giessen in het ziekenhuis lag, zorgde hij ervoor dat je je nooit verveelde. Zo herinner ik me dat ik met hem dokter en patiënt moest spelen. Ik was de patiënt en hij de dokter. Ik moest dan zeggen waar ik pijn had en hij zorgde er in een mum van tijd voor dat ik genas. Ongelofelijk. Hij was diegene die pijn leed en ziek was, maar toch dacht hij daar niet aan. Hij was meer bezig met mij te verzorgen dan dat hij ook maar de tijd nam om te klagen. Ook toen moest ik dikwijls zeggen: 'Rustig, Noah.' Ik denk dat hij wel eens vergat dat hij ziek was. Als er bezoek was, liet hij niets merken, hij leek een heel gewoon kind. Soms, heel soms had hij wel eens een mindere dag en dan was hij liever op zijn gemak en keek hij naar een film. Maar klagen? Dat woord kende hij niet.

Toen zijn nieuwe hartje er was, waren we zo blij! Maar al snel bleek dat het niet goed ging aflopen. De pijn die ik toen voelde kan ik niet beschrijven. Heel onze familie leed, en vooral nonkel Frank en Anja. Ik hield me zo sterk mogelijk om hen te steunen, maar toen ze ons vertelden dat de dokters niks meer voor Noah konden doen, stortte mijn wereld in. Ik kon niet geloven wat ik zag. Was dat Noah wel die daar zo levenloos in dat grote bed lag? Ik wou nog zoveel tegen hem zeggen. Ik kon hem niet loslaten. Ik kon het gewoon niet. Heel de familie stond rond zijn bedje en ik durfde niet opkijken naar de anderen. Dat beeld zal en kan ik nooit meer vergeten. Het enige wat ik kon zeggen, was: 'Dit kan toch niet?' Zelfs vandaag de dag kan ik het nog steeds niet geloven. Ik koester de herinneringen voor altijd en Noah zal voor mij altijd een heel groot voorbeeld zijn. Een jongetje van vier jaar dat zo dapper, moedig en sterk was.

## Brief van journaliste Hanne en fotograaf Tom

Begin november 2013. Een ochtendvergadering als elke dag. De taken worden verdeeld. Onze opdracht: de ouders van een Limburgs hartpatiëntje interviewen. Op vier uur rijden, in het hartcentrum van het Duitse Giessen. Een verhaal waar je in bijt als journalist. Om daarna weer afstand te nemen. Voor ons eigen goed. Maar dat is iets wat bij Noah niet lukt.

Anja en Frank zitten in zak en as. Noah wordt na een hartstilstand beademd. In hun eenkamerappartementje vlak bij het ziekenhuis doen ze hun verhaal. Oprecht. Bezorgd. Frank met tranen in de ogen. Anja die hem troost als het even niet meer gaat. Maar samen staan ze sterk. Samen hebben ze hoop. Hoop op een nieuw hartje voor hun kleine man.

Drie maanden later stappen we opnieuw in de auto naar Giessen. Dit keer geen tranen, maar drie lachende gezichten. Het gaat goed met Noah. Het is nu alleen nog wachten op een donorhart, dat zijn kunsthart moet vervangen. En dat wachten weegt, maar Noah maakt het draaglijk. Lachend en spelend. Dan is hij ridder, even later piraat. Zijn hartmachine wordt een piratenboot. Tussendoor wordt hij verzorgd. Hier een vingerprik, dan weer pillen. Maar hij blijft sterk en vrolijk. En wuift ons met tromgeroffel uit.

Na negen maanden is er eindelijk dat ene telefoontje: er is een hart voor Noah. Het lange wachten wordt eindelijk beloond.

Toch loopt het mis. Twee weken lang blijven we hopen dat het toch nog goed komt. Voor Frank. Voor Anja. Voor Noah. We gunnen het hen zo hard. Maar het leven is nog harder. Het heeft niet mogen zijn. Hoe sterk Noah ook was, hoe goed hij ook kon vechten. Rust zacht, kleine piraat.

Tom en Hanne

## Brief door CV De Lindemannen

Toen we het verhaal van Noah te horen kregen via zijn nichtje Tatiana begon onze inspiratie meteen te borrelen. We wilden de ouders van de kleine piraat een hart onder de riem steken. Ons eerste initiatief was een wafelverkoop. Het werd een groot succes. Hierna waren onze leden gedreven om aan een tweede uitdaging te beginnen. Dit werd een benefiet op 30 augustus 2014 in Sluizen. In een tent zouden er optredens zijn en een veiling van gesigneerde voetbalshirts van onder andere Anderlecht, Club Brugge, Genk, Ajax, Sint-Truiden en Standard. BMC sponsorde de actie met een wielertruitje. Maar het noodlot sloeg toe en op 21 augustus vernamen we dat Noah overleden was.

Elk lid was diep geraakt door dit vreselijke nieuws, want Noahtje was voor ons een echt Lindemannetje geworden waar we voor vochten. Het benefiet werd een stille tocht van Sluizen naar de grot in Nerem. Daar werd een herdenkingsviering gehouden en luisterden we samen naar Noahs lievelingsliedjes. Daarna werden 200 witte ballonnen en een speciale ballon in de vorm van een piratenboot de lucht in gelaten door de ouders van Noah en de wandelaars die samen met ons bij de grot stonden. Nadien ging de stille tocht verder in de richting van de tent in Sluizen. De avond werd er afgesloten met een cheque van 4950 euro ten voordele van Noahs Ark.

We hebben samen besloten ons verder in te zetten voor orgaandonatie. Jaarlijks zal een deel van de opbrengst van onze activiteiten naar de vzw Noah4Life gaan. In 2015 gaan we aan de verschillende carnavalsstoeten deelnemen verkleed als piraten. Op onze wagen zal 'Noah4Life' staan, als eerbetoon aan Noahtje.

Zangeres Diane Jacobs schreef speciaal voor ons het nieuwe carnavalslied van De Lindemannen: 'De Lindemannen en de kleine piraat':

*Wij zijn piraten op volle zee,*
*En de golven die nemen ons mee.*
*De Lindemannen gooien weer hun net*
*En hebben samen de grootste pret.*

*Refrein:*
*Kleine piraat, hier komt je schip*
*Noah4Life, jij keek nooit sip.*
*Kleine piraat, met jou aan het roer*
*voelen wij ons flink en stoer.*
*Lindemannen, Lindemannen schip ahoi!*
*Lindemannen met Noah4Life.*

*Echte piraten die zijn niet bang*
*ook al duren dagen, nachten zo lang.*
*De Lindemannen zijn altijd in de weer*
*al gaat de zee soms flink tekeer.*

*Refrein:*
*Kleine piraat, hier komt je schip*
*Noah4Life, jij keek nooit sip.*

*Kleine piraat, met jou aan het roer*
*voelen wij ons flink en stoer*
*Lindemannen, Lindemannen schip ahoi!*
*Lindemannen met Noah4Life.*

*Refrein:*
*Kleine piraat, hier komt je schip*
*Noah4Life, jij keek nooit sip.*
*Kleine piraat, met jou aan het roer*
*voelen wij ons flink en stoer.*

2014 was een jaar om nooit te vergeten. Noah, onze kleine piraat, zit voor altijd in ons carnavalshartje.

Carnavaleske groeten,
CV De Lindemannen

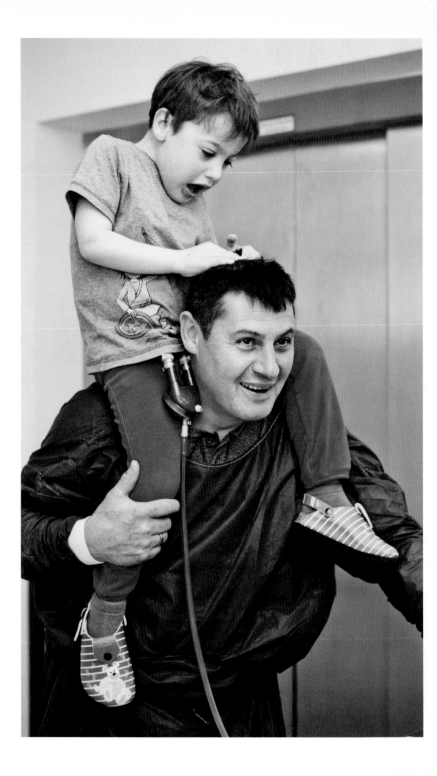

# THE MERCENARIES

# THE
# MERCENARIES

\*

## JOHN HARRIS

THE
COMPANION BOOK CLUB
LONDON

This edition is published by
The Hamlyn Publishing Group Ltd.,
and is issued by arrangement with
Hutchinson & Co. (Publishers) Ltd.

*Made and printed in Great Britain
for the Companion Book Club
by Odhams (Watford) Ltd.*

SBN.600771202

# PART ONE

## ( 1 )

FLOATING LOW over the perimeter of the aerodrome, the elderly rebuilt RE8, a relic of the 1914-18 war, flashed a golden fire as the doped surface of its enormous top wing caught the sun. In the distance, beyond the foothills, the stupendous, snow-capped summits of Kilimanjaro stood out of the tawny-coloured Serengeti plain.

As the lumbering old machine, with its queer bent-in-the-middle profile, banked, throttled back, over the thorn trees, a mixed herd of hartebeest and zebra lifted their heads at the sound of the engine. For a second the machine was reflected in the river whose presence was marked by a belt of darkly fringed trees rising out of the light green of the surrounding acacias, then its shadow, star-shaped, began to speed over the red sunbaked ground, leap-frogging among the mimosas and camel thorn.

The hartebeest and the zebra and a couple of giraffe among the tall papyrus flicked their ears, then one of the zebra on the edge of the herd began to canter. It was joined by a second, then a third and a fourth, until the whole herd was bolting hell for leather towards the river, trailing a huge cloud of golden dust.

From the far side of the field, near a group of shabby huts that caught the golden glow of the afternoon sun, Ira Penaluna watched the old machine above the dwindling dust cloud with narrowed eyes. A cast-off from artillery spotting above the trenches in France and Flanders, the Harry Tate had become part of the East African army of General Smuts, and finally found its way to Rhodesia; and it had been there that he had acquired it for the carrying company he had started in the hope of introducing the new form of air transport to post-war Africa.

He might have chosen better, he thought wryly, because

5

the RE8, unattractive with its overhanging top planes and its reputation for instability, had become notorious as an indifferent performer—even in a war that had been full of bad aeroplanes. But there had been no better. Surplus machines of the latest types had been sold for a song in Europe, but he had arrived there too late and not only the machines but the routes had been snapped up; and coming to Africa he had had to make do with what he could find.

As he stared up at it, he became aware of a Lancia, with a high-backed tonneau from which the hood had been stripped, turning through the bush from the road behind the huts and beginning to head towards him, its front wheels wobbling over the uneven ground. He glanced at it for a second, then turned his attention again to the aeroplane, a stocky young man in unpressed khaki slacks and a leather coat stained with castor oil. Standing with a flying helmet hanging from his hand, he was a striking figure, with the cornflower-blue eyes of the West Country and a mop of black hair that indicated the steep Cornish hills from which his family had descended, but his features, which had once been good-looking, now had a distinctly lopsided look that came from a scarred chin and a broken nose, both relics of forced landings in France.

Ira Abel Penaluna had started his air carrying company in Africa with high hopes after the Great War in Europe, knowing that after nearly four years of front-line flying he couldn't ever go back to the drab routine of the solicitor's office where he'd been an articled clerk. In any case, threatened with the sack in 1915 because his hands were grimy with the oil from the old Douglas motor-cycle he always drove like a lunatic, he'd broken his agreements by charging off in a fury to join the Royal Engineers as a boy bugler, in the hope that they'd make him a despatch rider and send him to France. Fortunately for both the Royal Engineers and his own peace of mind, as he'd been on his way to the recruiting office, he had seen floating across the road above him an aged Farman that had, he recalled, so much white linen fabric about it, it had looked like a Monday morning wash on a line, and, his eyes on the sky, he had driven full tilt into a herd of cows changing fields and had landed in hospital with concussion and a new conviction that the only way to go to war was in an aeroplane.

6

As the Lancia slid to a stop alongside him with locked wheels, a drifting cloud of dust obscuring it for a moment, the driver leaned out, a brown envelope in his hand, wiry and squirrel-quick in his movements.

'What's wrong, boss?' he asked.

'Engine, Sammy.' Ira jerked his head towards the RE8 now turning into wind. 'Can't you hear? He got back from Moshi just after I landed.'

He indicated the old Avro 504 near the huts which, with the RE8, represented the whole flying fleet of his uncertain little air-line.

The driver of the car had cocked his head and was listening to the unsteady throb of the RE8's engine.

'Sounds rough,' he said.

Ira nodded. 'Like a sack of old iron.'

The driver of the car grimaced. Small, slight and black-eyed, Sammy Shapiro was the descendant of a long line of Jewish shopkeepers who had fled the previous century from European pogroms to Whitechapel and from there to Africa at the time of the Kimberley diamond rush. One thin artist's hand gripped the door of the Lancia as he stepped out of the car, his head up, his eyes all the time on the slow-moving aeroplane moving along the fringe of the field.

'I got the letter here,' he said over his shoulder, gesturing with the brown envelope.

Ira wasn't listening. 'Which letter?' he asked.

'The one from the Johannesburg Finance Company.'

His face lifted to the sky, his eyes never leaving the old aeroplane trying to manoeuvre into a correct position for an approach and landing, Ira grinned.

'Our help in ages past,' he said. 'Our hope for years to come. What's it say? Have they granted the loan?'

Before Sammy could answer, the engine of the RE8 coughed harshly—twice—almost like cannon-shots across the still air—then it died abruptly. Immediately the grin died on Ira's face and he began to walk forward.

'Get the car, Sammy,' he said shortly.

As Sammy turned aburptly, moving quickly and surely, the nose of the aeroplane dipped and the port wing dropped, and almost before they had realized what had happened it had dis-

7

appeared behind the trees just beyond the field. They saw a blade of the propeller fly, whirring, through the air, and fragments of wood and fabric spinning away, almost as though in slow motion, and small trees and shrubs shaking as they were smashed down as though by a scythe. Then the noise of the crash came to them as the big machine ploughed across the dusty surface of the earth, throwing up a vast yellow cloud like a great bird taking a dust bath. The wide white wings flailed the air madly for a second or two, then they disappeared and the tail came up, the rudder hanging loose, and as it slewed round, the Harry Tate came to a stop, crumpled and twisted and catching the sunlight like the faceted face of a diamond where the torn fabric was stretched out of shape across the shattered spars.

As the dust began to drift away, Ira began to run, then Sammy, diving for the Lancia, started the engine and swung it round, its engine screaming, in a tight circle that almost flung it on its side. As it caught him up and came alongside him, Ira, still running, flung open the door and fell inside, and the car, almost as old as the crashed aeroplane, began to rattle at full speed across the field, bouncing and swaying over the uneven surface. Behind it, from among the huts where they had been watching, came two or three African labourers in torn shirts and trousers, their wide flat feet slapping the dust in the wake of the car.

The dust had settled by the time they reached the far side of the field and they could see the words on the fuselage of the crashed machine, MOSHI AIR CARRIERS, LTD.

'Thank God it didn't burn,' Ira said over the roaring of the Lancia's engine and the rattling of the doors and the clattering and clinking of the tools that filled the space where the rear seat should have been.

Then, staggering from the bush, upright and apparently whole, they saw the pilot approaching them, stumbling among the trees with a hand to a bloody nose and a torn trouser leg flapping round his ankle.

The car slid to a stop, the dust drifting past it as it rocked on its springs, and the two of them fell out of it and started running.

'Cluffy! You all right?'

The pilot came to a stop, tall, far too handsome in a fair Saxon

8

way that was strangely colourless against Ira's darker sturdier figure, and gave them a shaky smile.

'Sure,' he said. 'No damage. I'm fine.'

He turned, rubbing the knee which showed through the rent in his khaki trousers and stared back at the crashed machine. It lay on its side, with one wing a crumpled mass of wood and linen, the other canted at an angle of forty-five degrees to the sky, its spars ruined, its fabric torn and gashed by the thorn trees.

'Those bloody Royal Aircraft Factory engines,' he burst out in an explosion of rage. 'They're the most misbegotten bloody sewing machines ever designed.' He swung round to Ira. 'It cut,' he said furiously. 'Just like that. Cut on me. It started knocking over Mbuti and it grew louder and louder until it sounded as if someone was using a sledge on it. Then I got a puff of smoke and switched off and when I started her again I thought she was going to shake herself loose.'

He turned again and began to approach the aeroplane which lay among the white thorn trees like a broken butterfly among a litter of small bleached bones, moving cautiously as though he thought it might leap up at him and seize him by the throat. Ira followed him, his eyes on the man, not the machine.

The engine had wrenched itself free from the housing, sheering the bolts, and had flopped forward with twisted scoop and bent exhausts, still smoking and covered with oil, earth and fragments of tree and foliage, over the broken propeller hub. Cluff kicked at the layer of red dust that covered the wreckage and turned to look at Ira. 'It's a bloody mess,' he observed.

'I don't suppose it's worth salvaging,' Ira said. 'Who'd want to buy a machine that nobody ever liked anyway—and an engine nobody ever trusted?'

Assisted by the African labourers who had now arrived and were talking quietly in their deep resonant voices, Sammy was poking more closely among the splintered spars and torn fabric. 'I'll have the instruments off it, anyway,' he said. 'Might come in.' He grimaced. 'Not much else,' he said. 'What good's the engine without the machine to put it in?'

Cluff began to grin. 'And who in God's name's got another Harry Tate to sell?' he asked.

He was still staring at the wreck when he went pale and began to shake as reaction and shock caught up with him. Ira led him

9

away and, giving him a cigarette, lit it quickly for him. As he drew deep puffs at it, the shaking stopped.

'Hell, Ira,' he said. 'I'm sorry. She *was* insured, wasn't she?'

Ira nodded. 'Yes,' he said shortly. 'She's insured. But not for much. Never mind her, though. Let's get you to hospital. You look as though you need a doctor to give you a once-over.'

They pushed Cluff into the car and ran him into the town and Ira helped him, stumbling a little now from the stiffening knee, into the hospital. Sammy was waiting outside in the car when he reappeared.

'You'd better get back to the field, Sammy,' he said. 'There's the trip to Kalarera to do with those engine parts. It's the last chance you'll get, because there aren't any more booked. I'll look after the Harry Tate.'

'There's nothing to look after,' Sammy pointed out. 'Cluffy made no mistake about it.'

'Fine, then. It'll be a nice cushy job.'

Sammy glanced quickly at Ira, guessing he was forcing himself to be brisk and cheerful to hide the feeling of sick misery and disappointment that was filling his breast.

'Shove off,' Ira urged. 'I'll get a lift back from someone as soon as I hear what they've got to say about Cluffy. So long as *he's* all right, there's nothing to worry about.'

Something in Sammy's face as he stood by the car took the smile off his lips. He was pushing with his hand at the dust on the studded bonnet, studiously casual. Ira's eyes narrowed.

'Go on,' he said. 'I'm old enough to take it. What's up? I know something is.'

Sammy fished in his pocket and produced the brown envelope he had been about to hand over when the RE8 had crashed.

'The letter,' he said. 'The one I told you about. From Jo'burg. From the finance company. They've turned you down, Ira.'

Ira lit a cigarette with slow precise movements. 'Have they?' he said with a bright and totally unexpected smile. 'Marvellous! Bloody marvellous! Particularly when it's become a cabalistic fantasy among those in the know that you have to have money to carry on eating, sleeping and living—let alone flying aeroplanes.'

Sammy stared at him, disconcerted by his attitude. 'Lor', boss,' he said indignantly. 'It's not funny.'

Ira's heavy brows came down abruptly and the look in his eyes made Sammy back away. 'I know it's not funny, you bloody idiot,' he snorted. 'They were our last chance. There's nobody else. Go on. Shove off before I burst into tears.'

Sammy and the car had gone when Cluff appeared soon afterwards, limping heavily and with a strip of sticking plaster across his nose. Ira got to his feet from the stone steps where he had been smoking, brows down and deep in thought. In spite of Sammy's news, he forced himself to smile.

'How do you feel?' he asked.

Cluff grinned. 'I'm fine,' he said. 'The pill-roller said I could go home. Nothing at all to worry about.'

Ira's smile died abruptly as he realized Cluff had used almost the same words as he had himself to Sammy a little while before. Cluff looked sharply at him.

'What's wrong?' he asked.

Ira told him. He still hadn't recovered from the blow of Sammy's news. Five years of hard effort had vanished at a puff of wind, five years of debt and worry, five years of fighting to keep old uncertain inflammable machines like the RE8 flying when they were long past their best. It was all over now.

Cluff's smile had vanished, too, now. 'That's it, then,' he said heavily. 'We're finished. No more Moshi Air Carriers.'

Ira nodded. 'Yep,' he agreed.

'God, Ira, it's not really as bad as that, is it?'

'Yes, it is. It's just as bad. I'll have to get a job and so will you. What'll you do?'

Cluff stirred the dust with the toe of his boot. 'I suppose I'll go back to Blighty,' he said slowly.

'What to do?'

'Thought I'd rejoin.' Cluff gestured, faintly embarrassed. 'The R.A.F.'s still expanding.'

Ira frowned. '*I*'m not going back,' he said. 'There's a depression on in England. People out of work.'

'Glad to have you in the Services, though,' Cluff pointed out. 'I'll be all right. I had a medical. I'm still up to scratch.'

'*You had a medical?*' Ira stared. The thought that Cluff had been considering desertion even before the final disaster to the RE8 had put paid to the company seemed like treachery to him.

Cluff gestured. 'Hell, Ira,' he said. 'I was only looking ahead. It was coming. We could both see it coming a mile off. We weren't blind. I mean—one RE8 and one old Avro, and East Africa Air with an office in the town and a fleet of Junkers.'

Ira stared at him a second longer, then, because he had never been one to cry over spilt milk, he nodded. What Cluff said was the truth. It wasn't so much desertion as plain common sense.

He pulled a wry face. 'How'll you get home?' he asked. 'You've got no money. You always spent everything you earned on that girl of yours.'

Cluff pushed at the sunbaked dust with his foot. 'Well,' he said, 'when we started you always said you'd buy my share if I wanted to throw my hand in.'

Ira caught his breath to hold back his bleat of protest. Buying out Cluff would take every last cent he owned. Their possessions amounted only to the old Avro, the insurance on the crashed RE8, which wouldn't come to much, the Lancia, a second-hand typewriter, a shabby tin-roofed bungalow in Moshi, a solid-tyred lorry they'd bought from the army, and a workshop full of old tools. But he accepted the responsibility without comment.

'I'll give you a cheque,' he said.

Cluff smiled again and Ira knew he was relieved. He'd been unhappy and unsettled for some time. He wasn't the type for responsibility. He never had been. 'Thanks, Ira,' he said. 'I'll not forget. You always were an honest bastard, I'll say that. What about you? Why don't you go in for instructing somewhere? You're one of the best I ever came across.'

'Teaching Sammy frightened me to death.'

Cluff paused awkwardly. 'Why don't *you* go back in the Service?' he asked. 'They'd jump at a chap with your record.'

Ira laughed. 'I'll stick to being a pauper,' he said.

( 2 )

They took a taxi back to the tin-roofed bungalow where they'd been living, a shabby little place in the cheapest part of the white quarter of the town. Its fans and its plumbing didn't work, the tin roof made them gasp in the heat of the day, and the garden was overgrown and covered with dust.

Ira dropped from the taxi on the main road by the junction of the weed-fringed cul-de-sac where it was situated. 'Get inside and pour yourself a stiff drink,' he advised. 'I'm going out to the field.'

'I'll come too, if you like,' Cluff offered, and Ira shook his head.

'Not much point, is there?' he smiled. 'Not now.'

Cluff stared at him uncomfortably. 'Perhaps I can help,' he said.

'I should stay here,' Ira suggested. 'You've had a shaking. You'll probably feel it later.'

Cluff nodded. 'What are you going to do?' he asked. 'About the company, I mean.'

Ira considered. He hadn't the slightest idea. When the bottom dropped out of your world, ideas were hard to come by in a hurry. 'I'll need to think a bit,' he said. 'I'll be all right.'

Cluff looked unhappy. 'O.K., Ira,' he said. 'I might as well clear up a few things.'

'You've decided?'

Cluff nodded. 'I suppose so. Some time ago, in fact. I'll look up a ship home. Do a bit of packing.'

He waved and the taxi's engine roared as it began to bump along the rutted road towards the bungalow. For a moment Ira stared after it, frowning, then he swung on his heel and began to walk along the melting tarmacadam in the direction of the airfield.

Later, sitting down at the army-issue folding table in the shabby hut they used for an office, he brushed the dust away with his hand and, picking up a sheaf of papers, blew the fine red grains from them.

There was nothing he could do across the field where the African labourers were already heaving the splintered spars of the RE8 aside and wrenching free the torn fabric so they could get at whatever might be salvageable, and he sighed and lit a cigarette. The idea of starting an air carrying company had come to him in the squadron mess after the Armistice in 1918. The place had been silent, terribly silent. The lack of noise had seemed strange at first, and the stillness across a land desolated for years by gun-fire was immense. At the end of the hazy autumn afternoon it had seemed overwhelming—like being buried alive.

With the litter of war and the crooked crosses still about them, it had been almost as though every single hour of four wretched years had been coming back to bruise the memory and suddenly it had seemed a doubtful privilege to have survived.

The squadron had long since dwindled almost out of sight as men had gone home for demobilization, and skilled mechanics had vanished. Pilots had flown for the last time and packed up their kits. Canadians, South Africans and Australians had vanished for ever, and the silence had become too heavy for the few who were left to lift. On the last night before going home he'd talked to a few of the remaining pilots, Cluff, Manners, Brannon and Avallon.

'What are *you* going to do?' he'd asked them.

'Get a flying job somewhere,' Brannon had said.

'Back to the bank,' Cluff had decided. 'Play safe.'

'Dunno.' Manners had been dubious. 'Can't imagine ever settling down to work again.'

'I'm staying on,' Avallon had decided. He was married and had joined the Flying Corps from the Brigade of Guards and, with a title somewhere in the family, somehow it had been typical of him that he should stay on.

As it happened, apart from Avallon, out of the four only Cluff was still flying. Brannon had settled for testing parachutes and had been killed almost immediately, and Manners, who had been unable to imagine settling down, had gone into a drapery business and now, with a wife and three children, was unlikely ever to change.

As for Ira, afraid that flying was going to be lost to him, he had volunteered to go to Russia to fly Camels against the Bolsheviks, but the adventure had soon gone sour in muddle and stomach-sickening squalor, then he was back in England, exactly where he'd been before, and it had been Cluff, the least adventurous of them all, Cluff the cautious, Cluff the careful, who had been mad enough to join him in the hopeless attempt to start an air carrying company in East Africa.

He frowned. Might have been, he thought. The company that might have been. Curiously enough, he didn't feel half so depressed as he felt he ought to be. Poverty, somehow, seemed to go with flying.

He'd grown up with it and lived with it as long as he could

remember. He could still recall the family quarrels that had been brought on by his father's obsession with what he called 'the science of aviation'. There's never been enough money for luxuries or even, sometimes, for necessities, because it had all been spent on the linen and spruce kites with their erratic engines he had built.

But his father had been more right than he knew and at the age of twelve and already well used to planing, sanding and stitching the fragile wings of his father's machines, Ira, to the envy of every boy in the neighbourhood, had been given a five minutes' flight in Colonel Cody's kite-like two-decker at Brooklands and, by 1913, had known everything there was to know about the strange new science of aerodynamics. Yet when one of his father's dubious engines had finally failed him and sent him to his grave with a broken neck, and his mother had thankfully got herself remarried to a solidly earth-bound accountant, Ira had been dragged away to the opposite end of London and articled to a solicitor in the vain hope that he'd get the nonsensical new sport out of his system.

His mother had already been too late, however. By that time he'd known every machine that had ever been built, from the Wright Brothers' wavering Flyer through Blériot's monoplane to the frail Farmans with which the new air arm had gone to war. He'd made models and had already known the mysteries of bracing and rigging and had helped to push out the first Tabloid for its maiden flight at Brooklands. He'd been more air-minded than he'd known and had rushed to join the Engineers only because it had not really crossed his mind that anyone had been seriously using aircraft for hostile purposes in war.

By the time they'd sent him, still under age, to France, he had fought his way out of the fitting and rigging sheds and aboard a BE2c as an observer, and by the middle of 1916 he was a pilot, less known for his skill as a flier than as a mechanic. Behind his back had been a 120-horse Beardmore and he'd sat in a cockpit which had felt like a pulpit, with his observer in front in what looked like a hip bath. Afterwards had come Bristol Fighters and then Sopwith Camels, and with his ability with engines and a gift for shooting, they had given him a small notoriety and a chestful of decorations.

Curiously enough, he thought, staring unseeingly at the

papers in his hands, he remembered remarkably little now about the war in the air, beyond the skill which after so many years had become instinctive rather than anything else. All he remembered about it now was the profound beauty of the sky, the loneliness, and the vastness of the great blue bowl where his duties had taken him.

Pushing at the dusty papers, the insurances, the invoices for petrol and spares held down by rusty spanners, the copies of letters he'd sent to and the replies he'd received from the Johannesburg Finance Company, Ira felt bitter for a moment that such an auspicious start should have come to so little.

As he thrust the papers aside, suddenly irritated by them, he heard the Avro returning and went to the door to see it land. It would be the last straw, he thought, if Sammy, who was still only a newcomer to the game, crashed this one, too.

But there was no mistake about Sammy's approach and the old machine came in surely, the Monosoupape engine poppling harshly, Sammy's head leaning over the side of the cockpit into the spray of castor oil that fogged his goggles; and the aircraft slid neatly into position, the Mono's crackling roar pounding brassily across the still air.

Sammy had appeared on the airfield as a skinny fourteen-year-old in a shabby shirt and shorts when Ira had first arrived with Cluff five years before, with one old Curtiss JN4 and the RE8 which now lay wrecked across the field. Ignoring all attempts to shoo him off, he'd hung around the fringes of the field until, during a sudden violent storm, they'd called on him to help with aeroplanes that were flying wheels off the ground on their mooring ropes. From that moment, Ira had known they'd never shake him off. Sammy had been as much a dead duck as far as flying went as he himself had been in 1915.

He'd been with them ever since, starting full time when the Jenny had crashed in a storm and put Ira in hospital with a broken ankle two years before. It had been one of Sammy's relations who'd discovered the old Avro stored in a warehouse in Johannesburg, the damaged relic of an air display, and Sammy who had persuaded them to buy it. He had gone with Ira to fetch it, had helped him to put it together, spending days with him covering the wings with fresh fabric and patching the battered sides. He had helped service the Monosoupape engine and unearthed a whole load of spares in Durban docks, and had learned to drive the aged Lancia, charging madly round the airfield, a broad delighted grin on his face, making agonized noises with the gears until he had mastered the controls. In Sammy there was an instinctive ability with mechanical things and a driving urge to fly, and he had been hooked from the first day Ira had taken him up on the test flight of the Avro.

The aircraft sank lower, the engine poppling, its speed falling all the time, then the tail dropped and, as the machine lost flying speed, the wheels struck in a puff of yellow dust and the old biplane bounced gently, the long double-strutted wings swaying. Under Ira's approving eyes it began to rumble to a stop, trailing a cloud of dust which drifted away in the prop wash.

Sammy turned at the end of the field, his thumb pressing the cut-out, and the Avro swung, the comma-shaped rudder fishtailing, the long ski-like skid shuddering between the wheels, and began to move swiftly back towards the hut. As it jolted to a stop again, poppling and burping over the last dusty bump among the dried yellow grass, Ira threw away his cigarette and returned to the papers.

He sat at the desk again, staring unseeingly at them for a while, then he threw them down again, disgusted. They were all bills, and, with his savings spoken for, all he'd have when he'd finished paying them would be the single plane, the car and the lorry and the workshop full of old tools. No tin-roofed bungalow and not a scrap of working capital to buy spares which, God knew, were hard enough to obtain at any time in East Africa. And not far away with a new steel hangar and a horde of technicians and a Midas store of capital in the bank, his rivals, Central Africa Air, were busy, he had no doubt, kicking the last underpinnings from beneath his feet.

He became aware of Sammy standing in the doorway, his dark young face sombre in the fading light.

'I made it,' he said.

Ira nodded without looking up. 'Good,' he grunted.

'Mr. Penaluna'—Sammy addressed him nervously—'how's it going?'

Ira raised his eyes and the look in Sammy's face made him smile. 'It isn't going, Sammy,' he said. 'It's stopped. We've just gone bust.'

17

Sammy drew in his breath sharply but he didn't seem disturbed. He had an incredible faith in Ira's ability to deal with things and he seemed to pause only to wonder how long it would take him to work out their salvation. 'The letter?' he said.

Ira nodded. 'Sure. The letter. No loan, no airline. They made it good and final. It's no good going back for another try.'

'Does that mean we're finished?'

'Too bloody right it does.'

Sammy jerked his head. 'What about Mr. Cluff?'

'He's pulled out.'

'Didn't he trust you?'

'Too much. He's going to walk off with every penny I own.' Ira looked up and chuckled. 'You can't blame him, Sammy. It's no good going down with a sinking ship.'

'Are we sinking?'

'We've sunk. Without trace.'

Sammy frowned, not quite understanding Ira's cheerfulness. 'Does that mean we don't ever fly again?'

Ira looked up quickly at the note of tragedy in the boy's voice. 'Nobody'll ever stop *you* flying, Sammy,' he said cheerfully. 'Not now. You ought to have been born with wings. I've seen birds that didn't fly as well as you. You fly as if you were born in a cockpit and if I had a company you could always have a job with me. You're one of God's chosen few. You'll never have a home or a steady job again.'

Sammy was grinning now, then his face became serious again. 'Have we really finished, boss?' he asked again, as though he just couldn't believe it.

Ira nodded. 'No one's ever likely to want to fly with us again,' he said. 'We've folded up. Tight as a duck's backside. Nothing in the world would convince the finance company that we stood a chance with Central Africa Air down at Nairobi with seven planes and an office in the city, pinching all our customers. They just didn't believe me when I said we were fighting back. And they were right.'

'And Mr. Cluff?'

'Going home.'

'What'll we do, boss?'

'We can always get a job with Central Africa Air.'

'Perhaps if we hang on, boss . . .'

18

Ira grimaced. He seemed to have been hanging on by the skin of his teeth for years now, trying to raise money out of bankers who wanted collaterals he couldn't provide. Hanging on at first had been exciting but it had long since lost any charm it had ever possessed, and he'd begun at last to see some of the frustrations felt by that urgent, obsessed and impractical man, his father. Hanging on ceased to be a challenge when it finally dawned on you you'd be hanging on the next year and the year after that and for ever and ever, amen. Even a challenge could turn sour in time and, though Ira could be as dourly tenacious as anyone, he was young enough to feel it wasn't much of a life.

'I don't think so, Sammy,' he pointed out. 'I don't feel like hanging on. I'm no businessman.'

'You're a fine airman, boss. Tip-top. Gilt-edged.'

'Doesn't make me able to run an airline. I can strip any engine you like to show me and rig any plane, and if I couldn't fly I'd have been dead in France. But that doesn't make me a success in peacetime, Sammy.'

Ira paused, shoving the papers about his desk. Telling Sammy there was no future for him with the company was one of the hardest things he'd ever had to do. Moshi Air Carriers Ltd. had long since come to mean as much to Sammy as it did to Ira. It wasn't so much loyalty as involvement. Sammy had become craftsman enough already to feel that it was *his* company, too.

'You'd better get it into your head, Sammy,' he went on slowly. 'I can't give you a job any longer.'

'Perhaps something'll turn up.' Sammy leaned forward eagerly. 'Let *me* help you run the show.'

Ira studied the earnest young face with interest. 'Think you could?'

'I'm a Jew.'

Ira grinned, fished in his pockets and tossed a bunch of keys on to the desk. 'It's all yours, Sammy. If you can understand the bloody books you'll be a miracle. Cluff never could.'

( 3 )

It seemed that Cluff couldn't get away fast enough.

He held an uproarious party in the hotel at Moshi the night before he left, as noisy as any mess celebration in France, but Ira remained sober all through it, trying hard to find pleasure in Cluff's desire to smash things. He restrained him from throwing bottles at the lights and pouring beer into the piano and, with the help of Sammy, put him to bed in a hired room and left him with the South African girl, who'd occupied far too much of his time in the past few months, holding his hand and trying to decide whether it was worth while jumping in with him or not.

'Where now, boss?' Sammy said as they climbed into the old Lancia outside the hotel.

'The field, Sammy.'

'The airfield?' Sammy's eyebrows shot up. 'At this time of night?'

'I'd like to think. You can leave me there, if you like. I can sleep on the camp-bed in the office.'

The breeze was blowing clouds of dust across the field but there was a moon as big and yellow as an orange as they stopped outside the hut. Sammy watched silently as Ira climbed out and stood among the trembling yellowed grass.

'You all right, boss?' he asked eventually.

'Just leave me, Sammy. I'm fine.'

Sammy drew back into the shadows, but he didn't go. Instead he sat in the Lancia, huddled out of the flying dust, watching.

For a long time Ira stood with his hands in his pockets, his trouser legs flapping in the breeze, staring at the Avro, all that was left of his company now, then he walked across to the old biplane and moved round it slowly, watching the long wings tremble in the gusty wind and noticing how from one angle the yellow of the moon gleamed across the doped surface and how from another the struts and the drumming wires stood out in silhouette against the silver-blue sky.

After a while he put his foot on the step and climbed into the cockpit, and sat for a moment, working the control column idly and watching the ailerons move up and down feeling the machine quiver in the breeze almost as though it were flying. The Avro had been the only sound aircraft the company had ever possessed. The Jenny and the RE8 had never been capable of hard commercial work, but they'd been all they could find and all they could afford, and Sammy's discovery of the wrecked Avro had been the only thing that had saved the company from tottering to its grave eighteen months before. They'd been over-ambitious and under-financed, and it was now all over. Ira stared at the compass, tachometer and pressure gauge, which, apart from the length of string he'd tied to a centre-section strut to indicate side-slip, were all the instruments the machine boasted, then he crouched down in the cockpit and stared forward, over the blunt snout. The Avro was a sound machine and, despite their age, dozens of them were still being flown all over England by nomad pilots who preferred putting on exhibitions of stunt flying to settling down. An Avro had been the first real aeroplane Ira had ever flown and, after a succession of curved-winged fragilities that were really only powered box-kites, it had had a reassuring stability about it. From the days of machines with an unenviable reputation for going into a spin on the slightest excuse, the Avro had taken flying a step nearer something with a future.

Ira sighed, catching the stink of dope and the bitter nutty tang of castor oil with which the frame and fabric of the old machine were soaked. Things had come a long way in the few short years since it had been built, and the Americans had even got an aeroplane round the world. For a moment he was lost in a daydream, his mind filled with memories he hadn't had for years. When the war had finished he'd put them all behind him and hadn't suffered from a moment's nostalgia. He'd joined up just one year older than the century and had ended the war still not much more than a schoolboy with a gift for survival.

For the first time in years he found himself listening for the broken revving of Clerget engines as the Camels came back from patrol, side-slipping in their familiar crablike movement over the poplars, and the shouts of the mechanics as they raced forward across the stiff frosted grass to seize wing tips and swing them into line. Curiously the memories of combat refused to materialize. Instead, it was the blinding light that dominated the dome of heaven and the sun flashing fire across the wings of his machine; the fabric bellying in the slipstream and the quivering of the fuselage about him and the tang of lacquer, exhaust, oil, leather and clean hot metal. It was the cumulus castles rearing into the blue, full of bumps and nodules and buttresses, all piled one on top of another in vast cloud mountains with their own misty crags and cornices towering thousands of feet above the minute speck of his machine. He had watched their birth a hundred times, seeing them grow before his eyes, alive with light, knowing all the time that they were as transcendent as a moment in time, as frail and ephemeral as his own ability to hang suspended in the air, obsessed by loneliness and beauty.

He recalled the scroll that had been given to him when he'd first been commissioned. 'George, by the Grace of God, of the United Kingdom of Great Britain and Ireland, and of the British Dominions beyond the seas. . . . To our trusty and well-beloved servant, Ira Abel Penaluna . . . reposing especial trust and confidence in your loyalty, courage and good conduct, do by these presents constitute and appoint you to be an officer in our special reserve of officers. . . .'

George, by the Grace of God, had been glad to have him in 1915. Now, ten years, a great deal of killing and several promotions later, George by the Grace of God couldn't have cared less what happened to Ira Abel Penaluna. As far as George by the Grace of God was concerned, his trusty and well-beloved servant could fiddle for a living.

Probably flying was out of his reach now, and who would employ a man still young—not much older, in fact, than Sammy Shapiro crouched out of the dust clouds in the Lancia by the hut—who knew only one trade, the handling of an aeroplane? Central Africa Air might have offered him a job but he had no real wish to heave into the sky the big metal Junkers they owned. He could go back to the R.A.F.—with his string of decorations, they'd still have taken him like a shot—but he couldn't see himself standing on parade again or going through the motions of discipline. The very nature of his calling made it one for individualists and, from what he'd heard, the R.A.F. wasn't what the old Flying Corps had been. They learned their trade by numbers these days and the man who flew by the seat of his pants was already in a minority.

He thought for a moment of finding a job in an office somewhere, but he rejected it without really considering it, and climbing out of the aircraft again, walked back towards the hut. Sammy moved towards him out of the shadows.

'Mr. Penaluna. You all right?'

'Sure. Why shouldn't I be?'

'I thought—I thought . . .'

Ira swung round to the puzzled face of the boy. 'God,

22

Sammy, you didn't think I was going to sit in the plane and shoot myself or something, did you?'

Sammy frowned, looking faintly irritated with him. 'I didn't know what to think, man,' he said. 'It ain't every day a bloke goes bust.'

Ira slapped his shoulder. 'Well, you needn't have worried,' he said. 'I don't tick over like that, Sammy.'

Sammy managed a twisted grin and Ira put an arm round his shoulders.

'Sammy, you know what Foch said. "My centre's giving way. My right is in retreat. Situation excellent. I shall attack." Let's go and find a drink. It's not too late, even now, I'll bet.'

Sammy stared at him again, his expression changing slowly, then as Ira climbed into the car, his mouth split wide in his great grin and he started the engine and swung it round with a careless crash of gears, and went roaring across the field towards the road, the moonlit dust it trailed drifting slowly among the thorn trees and sparse grass.


A week later, with the imminent and inevitable sale of the Avro hanging round their necks like a dead albatross, Sammy turned up at the airfield, his eyes sparkling with joy and affection, his expression mysterious and conspiratorial so that Ira knew immediately he had something up his sleeve. It was a special look Sammy always wore when he was about to announce anything of particular importance. He'd worn it when he'd arrived with the information that he'd found the Avro and he invariably wore it before announcing any modification he'd worked out. He was already an intelligent craftsman who could be relied on to think up advanced refurbishing as if it were part of the job, and his improvements had always been heralded by the look he wore now. He liked to savour his surprises and hated giving them away too soon.

'Still no hope, boss?' he asked.

Ira shook his head. 'You've seen the books,' he said. 'I went to the bank again. They wouldn't play. If we stay here much longer there won't even be an aeroplane to fly, because I'll have to sell it to eat. You'd better start looking for a job. What are you going to do? Find some great fat millionaire and persuade him he needs a private aeroplane and you to fly it?'

Sammy didn't answer at once. 'Perhaps *you* ought to fly him instead,' he said, pushing at the dust on Ira's desk as though his life depended on it.

Ira grinned. 'Come on,' he urged. 'What is it? You've been looking like a sick calf for a couple of days now. What have you got on your mind?'

Sammy looked up abruptly and grinned back at him. 'A bloke,' he said. 'He'd heard of you. He might have a job for you.'

'Doing what?'

'Flying an aeroplane.'

Ira stared. 'Here?'

'Perhaps not here.'

'Why didn't *you* grab the job?'

'I couldn't do it. That's why.'

Ira's eyes narrowed. 'Out with it, Sammy,' he said.

Sammy shrugged. 'One of my cousins in Jo'burg told me about him. I've been writing round.'

'Have you, by God? What's this chap want?'

Sammy shrugged. 'Perhaps we'd better let him tell you himself,' he said. 'I arranged for him to be here. In an hour. I went to see him in Moshi.'

'Did you, by God? So that's where you've been?'

'I'm your friend, see, boss,' Sammy said. 'I'm your partner.'

Ira stared at him and Sammy chuckled at his expression. 'You ought to know that once a Jew gets his hands on the books you've *got* to make him a partner. He asked me to speak to you.'

'Englishman?'

'No.'

'South African?'

'No.'

Ira studied Sammy from the corner of his eye, then he stood up abruptly and began to sweep the bills from his desk.

'Better wheel him in,' he said.

To his surprise, it was a Chinese who was sitting in the big new Packard that drew to a stop by the ramshackle office. He was fanning himself with a straw hat as he opened the door and climbed out.

Ira thrust out his hand. 'Understand you want to do business with me,' he said.

24

'That's correct.' The other was a tall good-looking man with a long thin face and the high-bridged nose of North China. His clothes were immaculately cut and he spoke excellent English.

Ira gestured at the office where Sammy was standing by the door like a commissionaire. 'Better come in,' he suggested. 'It's not much of a place to talk business. Normally we always did what we wanted at a hotel.'

What he meant was that most of his decisions had been made over a drink in a bar, but it passed as the truth. The Chinese seemed unperturbed.

Inside the office, Ira pulled a chair forward and indicated a second one which Sammy held out, and the Chinese introduced himself.

'My name is Lao Tse-L'Ai,' he said quietly. 'I'm searching for pilots to go to China to fly aeroplanes. I heard about you.'

Ira's eyes flickered towards Sammy standing in the corner.

'China,' he said slowly. He knew nothing about China save that it appeared to be retarded and medieval and that the Chinese did everything backwards—from signing their names to writing letters. He had a mental vision of one of Lao's aeroplanes flying tail-first and almost burst out laughing. He pulled himself together quickly. 'What sort of flying?' he asked.

Lao gestured. 'Perhaps I had better explain,' he said. 'After the Manchu dynasty was overthrown by revolutionaries in 1911 the republic's first president was Yuan Shih-K'Ai, but when he insisted on making himself emperor, his generals in Yunnan rose in revolt, and, as he fled, defeated, it suddenly occurred to them that, since *they* had the troops, *they*, not the politicians, had become the holders of power in China.'

Ira nodded, wishing he knew more about Chinese history. During recent years the Far East had been somewhat overlooked in the greater events taking place in Europe and remarkably little of what had been happening there had ever found its way into Western newspapers.

Lao had drawn a deep breath and was gesturing with a long pale hand. 'Since that time,' he said, 'the republic has become the sport of the military and, though there has been a succession of cabinets both in Peking and in the south, both assuming the name of government, both are really controlled by their own generals.'

Ira studied the Chinese warily. He seemed completely in control of the interview. 'Whose side are you on?' he asked bluntly.

Lao avoided a direct answer. 'I am on the side of democracy,' he said.

Ira pushed a packet of cigarettes across. 'Go on,' he encouraged.

Lao took a cigarette and lit it carefully, the bony structure of his narrow Manchu features heightened by the glow of the match flame.

'These generals,' he went on, 'support or betray for money whichever government they represent. They organize the opium trade, sell positions, tax the people and finally retire to Japan or Singapore with immense fortunes. They don't fight much, preferring instead to offer or accept bribes. The poor are oppressed, and the soldiers are like bandits in uniform. The whole of China has become a battlefield.'

'Where do I come in?'

Lao leaned forward. 'There is a general in the north,' he said. 'General Tsu Li-Fo, the Baptist General, the Warlord of the South-West. He is a disciple of Sun Yat-Sen, the great Liberal thinker, and he has sworn to end it all. He is a Christian and, with the backing of the Peking government, is gathering an army to give China back its democracy.'

Ira was suitably impressed even if not entirely convinced, and Lao went on quickly. 'Unfortunately,' he said, 'the warlord who opposes him to the south, General Kwei, has an aerial balloon which makes all attempts to move dangerous.'

'Because it can see everything that's going on?'

'Exactly. And he talks now of acquiring aeroplanes. But General Tsu is very air-minded, too, and he is trying to organize a fine up-to-date air force himself.'

A doubtful look crossed Ira's face. Flying in someone else's war wasn't quite the same as flying in your own. In Russia he'd never been able to find much enthusiasm for the work.

'There will be no shooting,' Lao assured him, as though he'd guessed his thoughts. 'We are not asking you to fight—only to organize and train our men. That is all.'

Ira nodded again. 'Go on,' he said. 'I'm interested.'

Lao smiled and gestured towards Sammy who was listening

26

carefully by the door. 'I have heard you are an experienced instructor and engineer,' he went on, 'and that you were a leader of distinction in the war in Europe. I think you are the man we want.' He paused. 'Especially as I have heard you are no longer anxious to run your airline.'

'Capable' would have been a better word, Ira thought.

'What about pay?' he asked.

'General Tsu is a wealthy man,' Lao pointed out. 'He will agree to anything reasonable. Shall we say four hundred dollars a month—plus expenses?'

Ira controlled his gasp with difficulty. Four hundred dollars a month seemed like a fortune when you'd been keeping a whole airline running on very much the same amount, scratching for coppers, hopefully paying for petrol on the never-never, hardly ever catching up with debts, and scrimping and saving even on the safety margins to keep the aircraft flying. Four hundred dollars represented untold wealth.

'All right so far,' he said cautiously and he saw Sammy grin. 'But what about aircraft? And spares, vehicles, ground organization—that sort of thing.'

'We have several fine new aircraft. Modern ones with guns.'

'What sort?'

'I'm not an expert.'

Ira gestured. 'Want another?' he asked.

Lao nodded towards the door and rose. 'The machine out there?'

'The very one.'

Outside, Lao kicked the tyres and the skid of the Avro and stared into the cockpit. 'Did this machine carry a gun?' he asked.

'It was a trainer. The best.'

The Chinese studied the rear cockpit thoughtfully. 'Tell me about it,' he suggested.

Ira drew a deep breath. He'd been listening half his life, it seemed, to the slow clonkety-clonk of rotary engine cylinders as they sucked in petrol, and had sniffed the burnt castor oil they threw out for so long he'd more than once suffered from bowel disorders.

He settled for simple sales talk. 'So easy to fly,' he said, 'pilots killed themselves when they went on to more advanced machines. Dual controls. Gnome Mono engine. They keep on going even when parts drop off. One of them once took off itself and flew forty miles chased by the pilot in a car. When he found it, it had landed safely in a field.'

It was a story he'd heard many times and, though it may have been apocryphal, it was still worth re-telling.

The Chinese seemed impressed. 'Very well,' he said. 'We will ship it to China. Will you go with it?'

Ira was on the point of blurting out a joyous 'Yes!' when he felt rather than saw Sammy's eyes on him. They seemed to be boring a hole in the back of his head and he turned to see the desperate appeal in them.

He gestured. 'I have a pilot under contract to consider,' he said. 'Perhaps he'd come, too.'

'Is he a good instructor?'

'I trained him myself.'

'Very well. We can accept one more, though we already have two other instructors waiting in Shanghai.'

'I see.' Ira decided to push his luck a little further. 'Then that raises another point: Who's going to run the show?'

'You wish to?'

Ira had long since decided that the world could be divided into three groups—those who wished to lead, those who were willing to be led, and those who were neither one nor the other. He'd once been called by Cluff 'a bloody independent Cornishman' and he supposed he was, and he couldn't see himself in a subordinate position.

'Yes,' he said firmly. 'If I come, I run the show.'

Lao seemed satisfied. 'You would be given the rank of major,' he said. 'Two other aircraft will be waiting in Shanghai, and we have also recruited expert mechanics. If I may come and see you here tomorrow I will bring the necessary documents for you to sign.'

As the Packard drew away, Ira turned back towards the office, his breath coming out in a great gasp of relief. Sammy was staring at him from the far side of the hut, quivering with anticipation like a setter waiting for the gun.

Ira grinned. 'Sammy, lad . . .'

'Yes, boss?'

'When you're a partner in a firm you don't call the Old Man "boss" or "mister".'

28

'No, boss—I mean, Ira.'

They were both laughing now.

'I think we've got a job,' Ira said.

Sammy hurtled round the table, scattering papers to the floor in his excitement. Unaffectedly, he seized Ira's hand and began to kiss it, and Ira pushed him away furiously, slapping at him wildly.

'Cut it out, you bloody idiot,' he yelled. 'Flying men don't go in for kissing each other.'

'No, Mr. Penaluna—I mean, Ira.' Sammy straightened up, quivering and trying to hold down his excitement and grinning all over his face. 'It's because I'm a Jew. We're always too bleddy emotional!'

( 4 )

Turning his back on the dusty field near Moshi was harder than Ira had expected. He was surprised to find he had thrust down roots and the idea of leaving frightened him a little.

He sold the Lancia and the lorry and the tin-roofed bungalow for knock-down prices and, with Sammy's help, crated up the tools and spares from the workshop and shipped them south before flying off in the Avro for Mombasa. In Mombasa they stripped the machine of its wings and, with Sammy sitting on the tailboard of a hired lorry holding the skid, towed it into the docks and saw it hoisted aboard ship.

Waiting in Durban for them were two seedy-looking individuals who introduced themselves as the mechanics Lao had engaged.

'Geary,' the tallest of them said. 'Fitter.'

'Lawn.' The other gave a boozy grin. 'Rigger.'

Ira eyed them dubiously. Geary was an unwholesome South African, shiftless and unsettled, who looked as though he'd liked Cape brandy for far too long. Lawn was a short fat North Countryman much older than he claimed, who had found his way to Durban after the war looking for work. Privately, Ira decided he wouldn't have offered either of them a job as a tea-boy.

'Call me Yorky, Sonny,' Lawn said condescendingly. 'Sergeant Lawn, R.F.C., I was, but Yorky's good enough for me.

In China afore. I can 'andle coolies. Corporal in the York and Lancasters, see? 'Ong Kong, 1909.'

He interspersed his conversation with words like 'tiffin' and 'chow' to show he knew what he was talking about, then he gestured at Sammy, standing nearby, uncomfortable as a tailor's dummy in a new suit that was as stiff as a board, a high celluloid collar and a flat cap as wide as his shoulders. 'Who's the young shaver?' he demanded. 'Babu? Clerk?'

'Mr. Shapiro's a pilot,' Ira pointed out. 'And you service his aircraft as you do mine.'

'Oh!' Lawn seemed a little disconcerted. He glanced at Sammy again, disbelievingly, then he flipped his hand in a gesture that was almost a salute. 'Righty-o, Mr.—er—er . . .'

'Penaluna. Ira Penaluna.'

'*The* Ira Penaluna,' Sammy added gleefully.

Lawn pulled a face. He'd obviously heard the name before. 'They used to say 'e was a bit regimental,' they heard him observe with a heavily doom-laden voice as he shuffled away with Geary. 'And here I was thinking this was going to be a bloody picnic.'

The voyage followed the pattern of all such voyages, with the passengers sorting themselves into groups, cliques and love affairs, and it was quite obvious that more than a few of them were not spending the nights in their own bunks. The warmth and the moon were working havoc on people out from England for the first time, and the passenger list entered a state of grave dissolution, with Ira startled to find himself fighting off the advances of the over-eager daughter of a well-heeled British nobleman across the vast bed of her expensive first-class cabin.

Trying to avoid her when the ship put into Bombay, he found himself thrown with Sammy into the arms of Geary and Lawn on a trip ashore that turned into nothing more than a voyage through the red light district of Grant Road, where women of every conceivable shade whined at them behind barred windows as they rode past in rickshaws. It was his first sight of the Far East, with its barefooted coolies stinking of garlic, their blue-brown skins shining with sweat, and he noticed uncomfortably Geary's tendency to treat them all as subhumans.

Bombay was followed by Colombo and Penang and soon

afterwards by Singapore and Hong Kong with its acres of bobbing junks, then as they approached the entrance to the Yangtze, the water grew more oozy and yellow, with the brown patched sails of junks standing out on the horizon like drab moths. A coastal steamer approached and passed, then they were in the mouth of the river—still thirty miles wide with a thin brown line in the distance across the expanse of yellow water, all there was to be seen of the land.

Suddenly, Ira was caught by a sense of unease he hadn't so far felt. In Moshi his responsibility in China had seemed remarkably small, and he'd felt he was being well paid, but now, unexpectedly, the country seemed huge and unknown and it struck him with tremendous force how small England was and how narrow an outlook it gave a man. Even East Africa, largely British in influence, had left him unfitted, he realized, for this unknown land with its teeming millions. Even here, before he'd set foot ashore, he was aware of its size and foreign-ness, and the thought that he was proposing to lose himself somewhere in its hidden centre unnerved him a little.

On the river and by the coast, where the foreign concessions and the treaty ports existed by the power of the gunboats, China was Westernized, he knew, but he and Sammy and two other pilots, as yet unnamed, for around four hundred dollars a month, were gaily going to place their lives in the hands of the unreliable Lawn and Geary up-river in that part of China which was still untouched by European civilization and which, with its ancient customs and its lack of amenities, still seemed to have one foot firmly in the Middle Ages.

He'd talked to one or two old China hands at the bar and it appeared that what Lao had told him in the security of Moshi airfield was not quite correct. Certainly there was a Nationalist uprising going on up-country, with one government in Canton trying to overthrow another government in Peking in some sort of Bolshevik leftover from the Russian Revolution, run until his death by a left-wing Chinese intellectual called Sun Yat-Sen, but it hadn't yet become clear whose side General Tsu was on, and it was quite obvious that China was not so much being saved from voracious warlords as being divided up in a vast upheaval, with a constant shifting of power from one group of soldier-politicians to another. Warlords were busily aligning and realigning themselves, it seemed, not for the good of the country but for their own private ends, and General Tsu was not so much the saviour of his people as a rapacious old rogue who was busy feathering his own nest.

As he considered it, Ira found it hard for the first time to imagine China and sophisticated machinery like aeroplanes going together. Flying was still virtually unknown in the East and all those things airmen had learned to expect in Europe and America, even after only a few short years, would be conspicuous here only by their absence. For the first time he had begun to realize that petrol wasn't something you merely ordered or indented for. In China you had to find it first and, having found it, you had to make sure that corruption and graft didn't cause it to be immediately lost again. Spare parts would be as precious as gold dust and even trivial things like nuts and bolts would be jewels in a land where a wooden peg was still used to hold a cart or a plough together.

The Whangpoo, where the ship dropped anchor, was a muddy little river twelve miles up the Yangtze. It was seething with life, sampans moving about like swarms of black water beetles and tugs fussing round vessels anchored in midstream or at the busy wharves. River steamers with black and red funnels, top-heavy with their tiers of decks, came past, sirens booming at the sampans, and junks with poops and prows like twin pagodas, and huge coloured eyes on the bows, manœuvred awkwardly on the swiftly flowing tide.

As the ting-ting of the bridge telegraph ringing to stop engines came to their ears, the sun began to go down, turning the whole river into molten gold. Even here, in midstream, the vast noisy life of China intruded, the number of boats and vessels indicating the turbulent existence that went on ashore. As they stared over the stern, against the lights of Shanghai, a ghostly junk slid past, so close they could see its magenta sail was webbed like a bat's wing and jigsawed with patches, and could hear the rhythmic chant of the crew straining at the huge stern oar. The smell that passed with it was powerful and nauseating.

'Bouquet de bloody Orient.' Lawn's harsh voice came from the foredeck. 'The old foo-foo barge. Shit.'

He was obviously in his element, as Sergeant Lawn, ex-corporal of the York and Lancasters who had served in Hong Kong before.

He was gesturing at the junk as it sailed past them. 'Night soil they call it,' he was saying to Geary. 'But shit's shit, isn't it, even on Judgment Day? That bloody pong's all over China, mate—cities, villages, paddy fields. They use it for manure. Gets you in the end so's you never even notice it.'

Ira stared down at him, wondering what he'd let himself in for. He'd long since decided he didn't like Geary and he was beginning to feel now he probably wouldn't like Lawn either.

'The women are all right, mind,' the harsh voice went on relentlessly. 'Big Russian bits down from Vladivostock. All pink and white and blonde, with tits like footballs. Princesses escaping from the Revolution, they say. If you fancy something with a title, Shanghai's the place to find it.'

As the ship worked alongside next morning under a heavy sky, Ira stared across the water to the line of the bund. Shanghai was an odd mixture of East and West and the United States, with its electric signs and brash advertisements and big square hotels. There were far more cars even than there had been in Nairobi and trams groaning round every corner, and there seemed to be people of all nationalities living there—British, American, French, Japanese, Slavs, Croats, and Russians who had fled from the Bolsheviks.

Blue-clad coolies, hawking and spitting as they worked, swarmed along the bund and across the junks that covered the water like a heaving mat—selling food, lifting bales, pulling carts or huge wheelbarrows whose single wheels all screeched fiendishly like slate-pencils dragged across a slate. The din was appalling. The honking of launches and the roaring of klaxons were overlaid by the incessant high-pitched yelling of the Chinese labourers, toy sellers, sweet sellers, goldfish sellers, cooked-noodle sellers, flower-design sellers—vendors of every imaginable object—all competing for the right of way against the rickshaw boys, chair carriers and wheelbarrow-bus porters staggering under their loads of half a dozen women and children.

An enormous swarm of coolies was unloading sacks of rice and beancakes from a river steamer just astern, the sun flaring like a scarlet lantern through the yellow dust that drifted in the breeze, and from the half-starved Chinese, the bony fans of their ribs showing as they laboured, came a sad plaintive song like the humming of insects, rising and falling, the two notes never ceasing as each man jogged down the gangplank under his load. The whole line of the shore seemed to be pulsating with life, a grey, brown and blue mass of human beings, shoving and heaving, each individual conducting a permanent fight against all the others for breathing space, space to eat and work, to make love and bring up a family, even space to die, a swarm of minute drab specks threaded through with occasional flashes of colour.

Ira swallowed quickly, wondering what he'd let himself in for, then a hand touched his arm. It was Sammy, excited and grinning all over his face as he watched the scene below.

'Chap in the lounge to see you, Ira,' he said. 'Yank. Says he's our agent.'

Ira nodded, still staring down at the bund, not knowing whether to laugh, protest or feel afraid.

'O.K.,' he said, tearing himself from the rail. 'I'll come.'

( 5 )

The man waiting in the lounge was lanky, slow-speaking and lantern-jawed, with blond hair plastered to his skull. He had a gold-topped cane and a high stiff collar that seemed to saw at his ears.

Ira liked him at once for his shy, self-effacing manner, and the humour behind his eyes.

'Eddie Kowalski,' he said, making a gesture with his hat that was almost a bow. 'Yank. I guess you'll find me quite trustworthy, nevertheless, because I was in this flying thing of yours from the beginning. I'm your agent in Shanghai and my background's O.K. Until recently it was the Chase Bank, but I've just left 'em to handle business on my own. Real estate, import-export, anything. I'll be handling your financial arrangements, that insurance you so wisely insisted on for everybody, and what supplies it's been possible to get for you.' Kowalski stopped and gave a sudden infectious grin. 'Though they aren't so goddam much, I guess.'

They sat in the crowded lounge, surrounded by the movement of porters with baggage and the stiff farewells of the old China

34

hands returning after their leaves in England. The place was full of people and luggage—tweedy Europeans still garbed for winter; uniformed ship's officers; and a multitude of Chinese clerks and shore workers who had swarmed all over the ship for a thousand and one contracted tasks. The din was deafening and they had to shout to make themselves heard.

'Call on my firm for help any time,' Kowalski urged. 'Politically, I guess you've come at a lousy time.'

'Why?'

Kowalski gestured with his drink. 'Brother, how do you explain chaos? Bismarck said it was best to let China sleep but, holy mackerel, she's awake now and hell's a-poppin'.'

He gulped at his beer and gestured at the waterfront. 'The slopeheads are beginning to want their country back,' he explained. 'From you. And me. And the French. And the Japanese. And all the other bastards who're on their goddam backs. They object to the treaty ports and I guess I would, too. They were hi-jacked from the Manchus when they'd lost their power and now all the river and rail trade's run by 'em. They suck every bit of profit out of China and take it to Europe and the States, and the white taipans have so little regard for the slopeheads they're even excluded with the dogs from their own goddam parks.'

'Don't these warlords do anything about it?'

Kowalski grinned. 'You bet,' he said. 'But not the way *you* think. Because both the Canton and Peking governments are broke, and they appoint the warlords to run their provinces and raise taxes. Unfortunately, they stuff the dough into their own pockets instead and recruit armies to make sure they can't be slung out. They get their men from the coolies and the criminals and, if the warlord decides things are getting too hot for him and quits to go to Hong Kong or Singapore or Japan with all the dough he's stashed away, his boys go on the rampage and in a few hours they're nothing more than bandits.'

'And what about the war? Who's really fighting who?'

Kowalski laughed. 'This is getting to be a regular Gettysburg address,' he said. 'Chiefly, it's just private scores being settled—like the one between Tsu and Kwei. The rest fight with silver bullets—dollars. When they meet, they bargain and one of them retires. Taxes are levied by the new guy—hell, sometimes fifty

35

years in advance!—merchants are milked dry, a few heads fall, a few women get raped, a few boys get dragged off for the armies and a few crops get stolen, and the new regime's installed. Cities are always being "liberated" but it makes no goddam difference because everybody who knew how to govern has gone or been murdered. The Americans, the British, the French and the Japanese stay out of the mess unless their nationals are in danger.'

'And what about Tsu? *Is* he a warlord?'

'Sure is.'

'And *does* he support Peking?'

'Officially. Unofficially, the only thing Tsu supports is Tsu.'

Ira smiled uncertainly. He had a feeling he wasn't going to like the Warlord of the South-West very much.

'Is he any good?' he asked.

'As a general?' Kowalski pulled a face. 'Nope. Regular brass brain. As a tax collector? Yep.'

'What about Kwei?'

'He's also a good tax collector, but maybe *he's* also a good soldier, too. I don't know. He belongs to Chiang.'

'Who's Chiang when he's at home?'

'Chiang K'ai-Shek. One of the late Sun Yat-Sen's boys and the latest candidate for over-all warlord of all China. He fancies himself as a dictator but he'll go as far as all the others, I guess, and no farther. He wants to sweep away all warlords and foreign devils like you and me, and he doesn't like Tsu because Tsu once called him a liar and a thief.'

Ira sat back, staring at the American, overwhelmed by the intricacies of the Chinese internal situation. In time, no doubt, he'd sort out all these people with their tongue-twisting names and they'd become identities instead of mere labels belonging to political parties that meant nothing to him.

'What's *your* view?' he asked. 'On why I'm here, I mean.'

Kowalski grinned. 'Brother, take everything that's going,' he advised. 'If *you* don't, some other guy will. Steer clear of the Shanghai white women. The first thing they do is size up how good you'll be in bed. Don't eat the lettuce—you'd be surprised what they use for fertilizer—and watch out for the peasant. He's up to all sorts of tricks behind his kow-tow. Get all you can out of it. In ten years' time it won't be possible. China's been milked

36

for generations by foreigners and they're only just beginning to catch on. Any minute now there'll be an explosion. So follow Tsu but, boy, make goddam sure you've left a line of retreat open to the coast.'

While they had been talking, a tender had arrived alongside to take the Avro to the Chinese side of the river, and Ira went to scout Lawn from his cabin. He was aware of disappointment, and anger at being misled, and had a feeling that what he'd bitten off was likely to prove bigger than he could chew.

Lawn showed no sign of enthusiasm as he explained what he wanted, and Ira knew at once he was going to trot out every excuse he could think of to avoid work. He was dressed for going ashore in a blue suit and solar topee, and he looked uncertain as Ira approached.

'Geary's not goin' to like workin' in this weather, sonny,' he pointed out immediately.

'Why not? That's what he came for, isn't it?'

' 'E was expecting it to be like Durban. 'E'll need time to get used to it. 'E was 'oping to go ashore.'

'So were you, by the look of you. All you've got to do is handle the coolies. You said you could.'

Lawn still looked unwilling but he agreed in the end and, watched from the water's edge by hundreds of yelling, laughing Chinese, gambling away their wages or swopping them for bowls of rice and herbs and dried fish, they got the Avro on to the tender and ready for its trip across the river. With an audience of hundreds, their lemon skins reflecting the thin sun, their grinning faces shadowed by conical straw hats and headcloths it was like a circus performance, with shrieks of joy and cart-' wheels greeting every slip and every bout of cursing. But it was finished at last and Ira was standing alongside the Avro, running his hand over the taut, patched fabric, when Kowalski appeared with a Chinese in heavy overalls.

'I've got a sampan waiting right now,' he said, gesturing beyond the stern of the tender. 'You'd better come out to the airfield and meet the other pilots. Mr. Peng here'll accompany the machine to the other side. We've a lorry there waiting to tow it away.'

Cigarettes in hand and still in blue suits and topees, Lawn

and Geary were sucking with a desperation that suggested they were dehydrated at bottles of beer brought for them from ashore by a coolie in a sampan. They'd done remarkably little work, and Ira followed the American only after first taking the precaution of warning Sammy to be on his guard.

'Stick with the machine, Sammy,' he said. 'Don't let it out of your sight. And watch those two beauties. *You* know what to do even if they don't.'

As he set off with Kowalski, a cool breeze was blowing along the bund between buildings and warehouses that stretched away in the long curve of the river, bringing with it the smell of drains and rotting vegetation and something else that was probably the odour of millions of unwashed bodies. On the opposite side was the shabby tangle of the Chinese town of Pootung with more wharves and warehouses, and out in the river, near the China Merchants' Wharf, a British gunboat shaped like a flatiron swung at anchor, an odd-looking craft with a low freeboard and yellow-painted funnels. Under an awning, a couple of officers were drinking, surrounded by coolie servants, and just astern an old paddle steamer flew the pendant of the Senior Naval Officer of the station. A couple of junks barged past, the striped Chinese flag flapping, one cutting across the bows of the other, the crew cheering and beating gongs and letting off strings of fireworks, while the crew of the other chattered and danced with rage and terror.

'Every junk tows a string of demons,' Kowalski explained. 'They get rid of them by crossing the bows of another who has to add 'em to his own. That's why the first junk's so pleased and the second's so goddam burned-up.'

Half-deafened by the din, they pushed their way towards a walkway that led to a pontoon beneath the brick business section, shoving between coolies, hurrying clerks, houseboys carrying strings of fish, and merchants in long blue gowns. A wobbling black bicycle with a doped and trussed pig across it paused to let them pass, and a singsong girl, with enamelled face and vermilion mouth, on her way home with a fat amah panting along behind on deformed lily feet, gazed with interest up at them.

Moving to the water's edge was like trying to push through a football crowd. The banners billowing above their heads outside the shops, the splashes of vivid colour that came from the Chinese symbols on the walls, the high-pitched yelling and the incessant plink-plonk that seemed to be everywhere they went gave the river bank a carnival air.

The sampan was a tiny boat with a low blunt prow, wider at the high stern so that it looked like a hansom cab without the horse. Ira and Kowalski sat on a strip of rush matting and swayed as the boat rocked to the strokes of the wizened boatman standing above them with a single, pivoted oar. As they moved off, the old man began to sing softly, in the same monotonous tone as the coolies along the bund.

Kowalski went on talking. 'I fixed it for the other machines to be at a field we've hired at Linchu,' he said. 'You'll be able to assemble 'em there, I guess. Gasoline's already waiting. When you're ready, you'll fly 'em to Kailin, near Hwai-Yang. Hwai-Yang's Tsu's headquarters, two hundred fifty miles from Nanking. You'll recognize it by the Tien An-Men steps on the river. He's collected his machines there under his chief of air staff, Captain Yang, and training'll commence as soon as you arrive.'

They disembarked among a floating, creaking, bumping mat of sampans and junks, and a small boy immediately approached Ira with shrill offers of entertainment.

'My sister schoolteacher,' he said. 'Give nice time. Very filthy.'

Kowalski pushed him aside as though he'd never even seen him and threaded his way through the beggars displaying their leprosy, their paralyzed limbs, their twisted bones and their wounds. The stench was staggering.

'On the Chinese side of the river,' Kowalski explained with a grin, 'things aren't quite so grand as on the European side.'

An elderly Vauxhall with the hood up was waiting for them alongside an old solid-tyred Thorneycroft lorry. A Chinese held the door open and they sped through the teeming streets, honking their way in and out of mule trains, ox-carts, Peking carts, ancient broughams and trotting ponies, and barrows weighed down with fruit and vegetables. There were sedan chairs, bicycles, and a multitude of rickshaws, and all the drivers, bearers and runners were shouting abuse or greetings at each other, while all the time watermen flung ladles of water under their feet to lay the choking dust. There were no Sikh policemen on this side of the river to marshal the traffic and there seemed no order or sense in its movement.

All round them there was the sound of hammering, from coppersmiths, iron workers, blacksmiths and silversmiths; and the high-pitched voices from tea-houses and shops mingled with it in a curiously Chinese melody.

Eventually they left the town behind them and began to rattle along a road through a plain set with rice and maize, and broken with paddies smelling strongly of human manure. Here and there wooden pump wheels were rotated by blindfolded donkeys or sinewy coolies on treadmills, and from time to time, Ira saw tombs among the pines and small poverty-stricken farms.

The day was still heavy and the sky now contained great thunderheads of cloud along the horizon, so that the afternoon was full of steamy heat that made his starched collar wilt.

'The rainy season'll be over soon,' Kowalski explained. 'In Hwai-Yang they have a short spring with a lot of rain, and then a dry summer with nothing but dust storms. Tsu's keen to have everything ready for the dry season when campaigning starts.'

As the car rattled over a raised knoll, they saw the flying field ahead of them, a wide stretch of bleak marshy ground covered with sparse grass, with a single small hut about as big as a wood-shed, two foreign-looking tents of thin canvas with high sides, and a lopsided lorry whose springs appeared to be in a sorry state of repair.

'Is *this* it?' Ira's jaw dropped. There seemed to be nothing but the flat treeless plain with a glint of water in the distance. 'What about fitting shops? Rigging sheds? Motor transport? Stores? Some sort of office?'

Kowalski shrugged, his face solemn and amused at Ira's bewilderment. 'Brother,' he said, 'you're in China now.'

Alongside the solitary hut were two aircraft, still tarpaulined and with crated wings. A small group of coolies, all brown skin, ribs and blue rags under broad bamboo hats, squatted near them with a set of greasy cards marked as dominoes, shouting and laughing and gesticulating. They were watched by a small huddle of children, chattering like magpies, and two or three women who appeared to be washing the caked grime from a baby's face with a cloth they were dipping into a teapot.

Ira was staring with interest at the aeroplanes. They were

ageing rapidly and looked, in fact, as though they had one foot in the grave, but an acute sense of delighted nostalgia caught him as he gazed at them. One of them was a German Albatros, a good scout machine in its day with its hundred-and-sixty-horse-power Mercedes engine, fast and manœuvrable even if with a reputation for being heavy on the controls. The second machine, he saw at once from the flanged rudders and elevators and the lifting surface between the wheels, was one of Anthony Fokker's designs, and a D7 if he wasn't mistaken—a machine so good with its big B.M.W. engine, every German factory in production in 1918 had been turned over to them. There had been a time in France when his heart would have stopped to see either of them approaching him in the air.

As the car came to a halt, a European in breeches and boots and a tweed jacket came forward to meet them. He was tall, heavily built and good-looking, with thick black hair, a flushed red face and red eyeballs like boiled marbles to match. Ira noticed immediately that his hands shook and caught the scent of whisky.

'Sweet Sufferin' J.,' he said at once to Kowalski in an Irish accent you could cut with a knife. 'Look at the importance of him! Riding in a car! And here we are a week now, and divil a bloody mechanic anywhere in sight!'

The American gestured at Ira. 'They've arrived,' he said dryly. 'Together with another aeroplane. This is Ira Penaluna.'

The tall man turned slowly to stare at Ira. His eyes were unfriendly at first but then the anger melted into curiosity.

' "By Pol, Tre and Pen ye shall know the Cornishmen," ' he quoted. 'There was a kid called Penaluna in France. A broth of a boy in the air. There can't be two with a name as daft as that.'

Ira smiled. 'Same bloke. Should I know you?'

The Irishman shrugged. 'Shouldn't think so. Not in the same class. Pat Fagan's the name. Padraic O'Faolain Fenoughty Fagan, if you're wantin' the lot. The man who fought the monkey in the dustbin.'

He was still staring at Ira, his hostile manner slowly vanishing, and beyond him. Ira saw a woman, also dressed in breeches but wearing a yellow shirt and a leather coat, appear from the hut and vanish into one of the tents.

'Holy Mother of Mary,' Fagan went on ruefully. 'No wonder

41

they said "no" when I offered to run this little circus. It might just as well have been Rickenbacker or Billy Bishop who turned up. What brought *you* out to this hole?'

'Flying. What brought you?'

Fagan gave a hoot of laughter and flicked his hand in an expansive gesture. 'Poverty. Not bein' able to face twenty-five years of nose-to-the-grindstone and well-done-thou-good-and-faithful. Too many ex-pilots trying to make a livin' back home. Take your pick. They're all true. Too much eye-on-the-ball in England. Seemed easier to go to South Africa.' He gave a hoot of laughter. 'Sure, though, in South Africa, there weren't *enough* people. It didn't pay. We went bust.'

'The planes yours?'

'Yes.'

'Where did you get 'em?'

Fagan gave a broad grin that seemed full of malicious triumph. 'Inherited 'em,' he said.

There was something in his manner that seemed to preclude further questions and Ira tried a new tack.

'What about the other pilot?' he asked.

Fagan grinned, held up a portentous hand and disappeared into the crowd. Kowalski stared after him, frowning.

'You'll need to keep a sharp eye on our friend Fagan,' he advised quietly.

Ira turned to him. 'Why?'

Kowalski smiled. 'I guess it won't take you long to find out.'

Fagan was pushing his way back to them through the crowd now, with the woman Ira had seen earlier. He stopped in front of them, mischievous-looking as a rebellious schoolboy.

He gestured at Ira. 'Himself,' he said to the woman, then, turning to Ira, he gave a shrill laugh that sounded slightly mad, and made the introductions.

'Your other pilot,' he said. 'Ellie Putnam—er—that is—Ellie Fagan. Me wife.'


( 6 )


Ellie Fagan was a lean blonde American, with a thin hard body that had a tigerish tautness about it, as if the slightest noise would make her jump. She stared arrogantly at Ira, her short cropped hair like a golden helmet, her expression full of sharp resentment.

She was older than Fagan and her attitude towards him seemed a mixture of aggressive hostility and acute unease, as though she were expecting him all the time to break out and smash something. It was a feeling that was not lost on Ira, because Fagan's size alone seemed dangerous and his unrestrained bull-in-a-china-shop enthusiasm made Ira want to flinch.

'The planes were Ellie's,' he was saying with a noisy gaiety that seemed wildly out of place. 'I took 'em over when Ches Putnam—er—went out of business. Inherited 'em, you might say, with Ellie.'

Ellie's face seemed to twist scornfully, so that Ira half-expected her to produce some cutting retort that would reduce Fagan to a midget, but she refrained, though it seemed to require an effort, and contented herself with warily studying Ira.

'You were expecting maybe Richthofen?' she asked.

Ira smiled and shook his head and she went on in the same flat Middle-West accent. 'Not a dame, anyway.'

'No,' Ira agreed. 'Not a dame.' Though he'd certainly not been surprised. Quite a few women had been bitten by the flying bug since the war and he could even remember seeing Louie de Havilland sewing the fabric of her husband's frail machines at Farnborough long before 1914.

'I met Ches Putnam while he was instructing on Spads for the Army Air Force,' Ellie went on briskly. 'We got around a bit after he quit, and ended up in South Africa.'

Her manner was brittle and her speech staccato, and Ira questioned her cautiously, aware that it wouldn't take much to bring her violently, angrily, alive. 'What about flying?' he asked.

'I'm comfortable in an airplane,' she said. 'I've been handling 'em since I was sixteen. My old man was barnstorming in the States till he broke his neck crashing a June Bug. We're unlucky. Some fliers are. My brother killed himself in a Nieuport in France. The first sound I remember was a Curtiss tuning up.'

'What sort of experience . . . ?' Ira began and her face came alive at once.

'What you can do, I can do,' she said quickly. 'Maybe better.'

There was a pause before Ira spoke again. 'Look,' he said slowly, his voice mild, 'I don't give a damn if you're male,

43

female or neuter. I've come out here to train pilots, and a good instructor's more use to me than an aerobatics expert.'

Her expression altered subtly as she stared back at him, and some of the tautness went out of her manner. 'I can instruct,' she said. 'My husband gave me all the dope.'

Ira glanced at Fagan, but she shook her head. 'Ches Putnam,' she said. 'We used to give lessons in Durban. I've taught plenty people to fly.'

Ira was about to ask what had happened to her first husband, the American, but she jumped in quickly, as though she wished to save him embarrassment. 'Ches was killed two years ago,' she said. 'In South Africa. We ran a display but it didn't amount to much. We had some bad luck. There were four of us. Ches and me and two South Africans. But a couple of kids were killed when an engine failed and it cost us a lot. Then one of the South Africans flew into a house and Pat joined us.' She nodded at Fagan, who jumped clumsily to attention and looked heavily charming and sympathetic. 'Then the other South African killed himself when his motor cut while he was stunting. After that . . .'

'After that it was Ches,' Fagan burst in noisily. 'That seemed to be the end of a perfect day. We came here.'

Ellie nodded. 'We kept putting the planes together,' she said in a flat disinterested voice, 'but you can't put a dead man together again.'

Ira glanced at Kowalski. He had a shrewd idea what their display had been like—no discipline and no maintenance, and backed by even less money than he'd had himself.

'Let's have a look at the planes,' he said.

The two machines, stripped of non-essentials and devoid of guns, were heavily patched and sadly in need of varnish, dope and paint, and Ira saw now that the D7's cockpit had been enlarged and a second cramped seat fitted behind the pilot's. Judging by the names scrawled on the fabric inside, it had found its way on to the market via the United States Army Air Force. From the inspection sheets and log books that Ellie produced, the Albatros had had an even more chequered history and had turned up via Roumania, Turkey and Italy.

'Ches got them from a park outside Rome,' Ellie said in her flat drawl. 'I guess they've been around a bit. They were all

44

there were at our price. The big guys got all the two-seaters. We converted the D7 ourselves but it never flew well with two in it. They were O.K. for putting on a show but not for trips round the airfield.'

Watched by the gaping coolies, they pulled aside the tarpaulin and Ira climbed into the Fokker's cockpit, with Ellie standing alongside explaining the controls.

'B.M.W. 3-A engine,' she said. 'Six-cylinder in-line. Welded-tubing fuselage. Wings one piece. Spars run from end to end. Makes 'em strong. She's got no bad habits and with twenty gallons of gas she'll stay up for an hour forty-five. The Albatros's got an increased compression ratio and we're supposed to get ten horse more than the standard one-twenty but we never do.'

It was Ellie, not Fagan, who supplied the answers to Ira's questions, and it seemed to have been Ellie who had run their air display.

She was still standing on the step, her head inside the cockpit, when Kowalski interrupted and jerked a hand. The Thorney-croft towing the Avro was bumping across the field at an alarming rate, the plane swinging wildly from side to side behind, the crates bouncing about in the rear of the lorry as it roared towards them, followed by a horde of gay scabrous children shrieking in the cloud of dust it raised and with Sammy banging on the hood yelling for the driver to slow down.

The coolies had risen to their feet at Kowalski's exclamation and were huddled in a group with their children and the women, staring across the field, their chattering stilled, their jaws hanging, their eyes full of joyful anticipation. Ellie was standing alongside the Fokker as Ira climbed to the ground and she flashed a quick glance at him, as though wondering how he would react.

The lorry stopped in front of Kowalski and the Chinese driver jumped down.

'Fly machine have got,' he said with a grin.

Pushing through the crowd, Ira saw at once that one of the Avro's undercarriage struts was cracked. A wheel was bent also and, through a gash in the fabric, he saw one of the longeron struts was smashed and several control wires snapped.

Sammy was jumping down from the lorry, almost in tears, his face puffed and bruised.

45

'That bastard Geary did it, Ira,' he explained, chattering with rage and dismay. 'He backed the lorry into it. He was in a hurry and wouldn't let the Chink do it.'

Ira peered at him. 'What happened to your face?' he demanded.

'Geary. When I told him what he'd done.'

Ira's eyes narrowed. 'Where's Mr. Bloody Geary now?' he asked.

'I don't know, Ira. Honest. They both of 'em hopped it. I grabbed a wrench to hit him with but they'd gone. We're on our own.'

The expedition seemed to have got off to a somewhat inauspicious start. They had three unassembled aircraft, one of them damaged, and all of them old and too often repaired, no fitters, no equipment, very few tools and at least one pilot who seemed to be slightly unbalanced.

'This little tea-party appears to be jammed full of exciting possibilities,' Ira observed ruefully to Sammy.

He wasn't far wrong. Within a week it had become quite clear that nothing, whether business or pleasure, could be done directly in China. Every approach was devious and protracted, and nothing could be achieved without a middle-man's rake-off, or 'squeeze,' and, staring at the instructions given him by Lao at Moshi, at Kowalski's letters, at the notebook that was suddenly full of things which had to be done, and the lists of all the things they were lacking, Ira was conscious of a sad letting-down of the spirit.

'Let's hope there's a bit more bloody organization in Hwai-Yang,' he said with feeling.

Fortunately, Kowalski was well used to the tortuous delays and the complex methods of working, and wasn't in the slightest put out. He had conducted them to their hotel and had seen them installed, talking business with Ira all the time, filling a notebook with his lists of demands, unflurried by the need for urgency and the prospect of unfailing vacillation on the part of the Chinese. Though it took time, he began to find them tools, drills, hacksaws, lamps, batteries, oil, grease, paint, a lathe, and even a small petrol generator.

'Tsu's going to start squealing soon,' he grinned as he turned them over to Ira. 'He was never known for his generosity and this little lot's going to cost him a packet of dollars, believe me.'

'We haven't even started yet,' Ira commented grimly.

To their surprise, and although they spent most of their time on the Chinese side of the Yangtze, their arrival had not gone unnoticed; and a few red-faced English matrons, picking up their wavelength on the grapevine of gossip, began to call at their hotel, leaving cards and inviting them to cocktail parties. For the most part they were large and frozen-faced and seemed to consider they were doing them a favour.

Wealth and position were the criteria of virtue in white Shanghai and they were obviously expected to take up their proper place in an accepted hierarchy with the British Minister and his satellites at the top. The invitations were strictly formal and never failed to have Ira's correct rank and every one of his decorations in the right order.

'God, they do things right out here, don't they?' he observed to Kowalski, turning over a sheet of pasteboard as big as the blade of a shovel.

'Brother,' Kowalski laughed, 'you just try and do 'em *wrong*.'

Ira tapped the pasteboard. 'Think we ought to go?' he asked.

'It'll maybe grease a few wheels and open a few doors.'

The party was not the success they had hoped for, however, because Fagan drank too much, and Ellie—in a shapeless and old-fashioned dress that hung on her lean frame like a sack—reacted to the monumental British formality by being rude in the best transatlantic manner. The final straw was the appearance of Ira's over-eager girl-friend from the voyage out, a clear knock-out in a dress that must have cost a fortune and her eyes gleaming at the sight of Ira. They called a taxi early and, bundling the protesting Fagan into it, headed for the safety of the Chinese side of the river. There were no further invitations, especially when it was discovered they were working for the Chinese instead of the Chinese working for them.

From this point on, spares began to arrive in dribs and drabs on the bare marshy field at Linchu that seemed to be constantly swept by warm showers and high winds, to be followed at once—almost as though they could smell work—by a vast number of coolies, carpenters, laundrymen and labourers, each one with his assistant and his makee-learn boy, who trailed around after him learning pidgin English and the habits of Europeans for the time when he, too, would work for one.

None of them was much good and those who didn't regard the aeroplanes as a rather elaborate joss, like the paper animals and motor cars and furniture they'd seen carried at weddings and funerals, considered them highly dangerous beasts that had to be approached with care. Within a week, one of them had blown himself up opening a can of motor spirit with a cadged cigarette in his mouth, and when they picked him up with singed eyebrows and hair and a startled look on his face, he promptly turned and bolted from the field, never to return.

They all seemed to get on with Ira, but Sammy, although he made them giggle and roll on the ground at the string of dubious Chinese words he'd begun to pick up, never missed a thing they did wrong and became known to them as a man whose eyes could see not only forward but also in the opposite direction through the back of his head.

Neither Ellie nor Fagan was a mechanic and was able to do no more than the simplest inspections, so that Ira managed to insist at least on a routine check on all engines before they even contemplated moving north. Leaving the resentful Fagan and the coolies to concern themselves with sorting out spares in the tents Kowalski had produced, they set up a fitter's bench on a flat stone and, with trestles flung together by a Chinese carpenter, got down to testing compression and examining ignition, valves and pumps, going through what ill-kept log books and inspection sheets Fagan possessed, and comparing invoices and lists of spares that came, with the lists of those that never came.

Fagan grumbled all the time, noisy, pathetic, resentful of Ira's authority, yet curiously attractive with his lunatic humour and his Irish charm. 'White men don't get themselves covered with grease and oil, me eager ould son,' he pointed out gaily. 'They get coolies to do that sort of work out here.'

'That's O.K.,' Ira said equably, 'if the coolies know how to service a Mercedes DIII—and I don't think ours do.'

Fagan made one of his wild gestures. 'Ah, Sweet Sufferin' J., they can do it with someone standin' over 'em, can't they?' he insisted. 'Sure, they soon get the hang. Monkey see. Monkey

48

learn. We got a nigger to do it in South Africa. We never worried very much.'

Ira studied him for a moment. 'I expect that's why your motors always cut,' he said gravely. 'And why you killed yourselves with such monotonous regularity.'

Fagan studied him for a second, then he gave his mad laugh. 'Ach, well,' he shouted, 'there's nothin' like a disaster or two for puttin' a sparkle in the old eye, is there?'

He was never serious, rarely entirely sober and always difficult to work with. Among other things, he claimed to be a practising Catholic and, flourishing a rosary, demanded time off to go into Shanghai to worship.

Since he didn't return until late and didn't seem very sober when he did, Ira soon decided he used most of the time for drinking. He was devious, not very clever and unwilling to take orders, and dodged away most afternoons to sleep off his previous night's whisky.

Eventually he failed to turn up at all and Ellie's face grew more and more thunderous as the day progressed. The following morning Kowalski sent a message by his Chinese clerk in a taxi to the effect that he'd found Fagan drunk and required Ira's assistance to get him home.

'God damn him,' Ira snorted in disgust as he threw down his tools. 'I wouldn't mind if all the bastard did was pinch the coolies to fetch him Hong Kong beer from Linchu—which is what he does most of the time.'

The taxi dropped him at the address in Shanghai that Kowalski had given him, but it turned out to be a brothel where there were plush red sofas, gilt mirrors and a sleazy Russian blonde, her skin dusted with white powder so that her flesh looked faintly greenish, who insisted Fagan owed her twenty dollars.

' 'Twas the bullet I got at Balaclava,' Fagan said as they fought to get him past the blonde and into the taxi. 'It was jumpin' in the wound and I needed a drink to take away the pain. Don't let Ellie see me, bhoys. She'll wipe the floor with me if she finds out.'

As they reached the hotel and appeared on the landing upstairs from the grilled lift the porters used, the furious, affronted Ellie was waiting for them in the doorway of her room, her eyes glittering, her mouth a tight line.

49

'O.K.,' she said between gritted teeth. 'Go ahead, get him inside and I'll crack his skull with the bed leg.'

The confrontation ended in a farcical scene on the landing with Fagan swaying in large trembling dignity in front of her, his face twisted into a sad clown's grin that was meant to express understanding and love. Its only effect was to make her drag his gun out of his luggage and threaten to shoot him with it.

'I ought to put a slug in you, you treacherous, stinking, whoring son-of-a-bitch,' she snapped.

' 'Twouldn't be worth it,' he said. 'She had none of the unparalleled virtuosity at the game I've come to expect from you.'

His attempt at humour burst in his face as Ellie immediately exploded into a rage again, storming up and down the corridor, swinging the enormous Colt while he grinned his death's head grin at her and the giggling waiters and the floor-boys and the liftman all looked on from the stairs.

The following morning, though Fagan didn't appear, Ellie was waiting in the hotel lobby for the car that took them to the airfield, as though nothing had happened. Her face was expressionless and her lips tight, and she sat huddled in her old leather coat, obviously not intending to make or receive comments on what had happened. It had very early become clear that she and Fagan had never legalized their marriage before a priest or a registrar, but, though Fagan didn't hesitate to throw out hints about their relationship, Ellie hugged it to herself as though she had had long since regretted it and had no intention of sharing her secret with anyone.

'One thing,' Sammy observed grudgingly. 'She doesn't let you down.'

The work proceeded slowly and laboriously, with Fagan always more a hindrance than a help, though Ellie, when she wasn't occupied in handling him, took the indifferent conditions in her stride. Like everyone else, she was caught by Sammy's infectious enthusiasm and was well used to eating al fresco meals in tents.

'I'm the original outdoor girl,' she pointed out. 'I've been doing this since I left the cradle and I guess I've not lived in a house for more than a coupla months in my whole life.'

With her taut-spring manner, it was hard to imagine her being feminine enough to cry, but, after raised voices in the room along the corridor where she and Fagan conducted their eternal warring, they often heard her, sharp and incisive above Fagan's wheedling, suddenly collapse into unexpected sobbing.

She never let them see her weakness, however, as though she had long since sworn to herself never to expect sympathy, and she was always crisp and efficient in everything she did at the field. And she never refused any task, however dirty, though one of her more startling habits, in spite of the indifferent weather and the cool breeze and the stares of the coolies, was to strip to the waist after work in the evening to wash the oil off.

'She's a nut,' Sammy commented, staring over the engine compartment of the Albatros to where she was towelling her lean body by the tent. 'They're *both* nuts. It's a wonder they didn't *all* kill themselves in South Africa. They've been runnin' these motors on auto petrol or something to save money, and it's played hell with the valves.'

Aviation petrol arrived at last, in drums on a creaking cart pulled by a couple of drowsy oxen, together with oil, and two more tents. As Kowalski was able to find them, a decent fitter's bench followed, with rope, blocks, tackles, a Weston purchase, a new generator and as many spares as he could find. As the weather gradually began to brighten and the sun began to dry the earth, the wind blew up vast storms of yellow dust that got into their eyes and nostrils and between their teeth and forced them to erect screens over the engines.

Between them, Ira and the tireless Sammy had the Albatros assembled when Geary and Lawn turned up again. They were flat broke and they climbed out of the taxi in a heap, minus their luggage.

Sammy was standing on a trestle alongside the Fokker, drawing a piston from the engine, and he turned without saying a word, laid it on the bench, wrapped clean rags round it, and climbed down, wiping his hands on a ball of waste cotton.

Lawn was looking sheepish as Ira strode towards them, but Geary had a fag-end in his mouth and his face wore a mutinous expression. Ira eyed them grimly, more than ready for a fight. They'd been having trouble with the B.M.W., whose condition had reduced Sammy to a speechless fury, and not much had gone right for some time.

Geary seemed to anticipate trouble and indicated Ellie even before Ira had come to a stop.

'I don't like working for a woman, sonny,' he said. 'I never worked for a woman before.'

Ira snorted. 'If I say so,' he said, 'you'll work for an Azerbaijan-Persian pansy. And if I see you crawling off to a bar again when you should be here I cancel your contract immediately. I can recruit whole squadrons of fitters in Shanghai if I want 'em —and all of 'em better than you.'

As they turned away, he touched Geary's arm and indicated Sammy standing nearby with glittering eyes, clutching a wrench in his fist and more than willing to give back what he'd received.

'One other thing, Mr. Geary,' he said, short, stocky and distinctly hostile. 'If you touch Sammy again—if you so much as lay a finger on him, or anyone else either—I'll personally take you apart myself. Right?'

Geary stared down at him for a second, defiantly, then his eyes dropped and he nodded.

'Right.' Ira gestured at the aircraft with a hand that was black-green with the thick sump-oil from the B.M.W., which had spread its dark smears on his clothes and face. 'Now get your bloody coats off! I want these machines flying.'

'O.K., son,' Lawn said uncertainly, trying to placate him and still a little condescending.

'*And don't call me "Sonny"!*'

Lawn jumped. 'No, sir,' he said, and without thinking threw up an instinctive salute.

As they sullenly took off their jackets and turned towards the machines, Fagan put a heavy hand on Ira's shoulder. 'By the Holies,' he said. 'The soldierly straightness of him! How's that, Ellie, for handling the beer-cheapened hoddy-noddy? I know now why the English won the war.'

Ira's temper exploded. 'Do you?' he snorted. 'Looking round at what we've got here, *I* don't!'

He was staring at Fagan as he spoke and the Irishman flushed. As he turned away, Ira saw Ellie looking at him out of the corner of her eye. She was standing with her feet apart, hugging her elbows in a stance she often used, the short fair curls falling over her forehead. As she caught his eyes on her, she came to life abruptly and began to walk towards the aeroplanes. Then she stopped and turned, looking back at him.

'Makes a change, I guess,' she said in a flat voice, 'to have a guy around who knows what he wants.'

Then she gave him a twisted smile that was not unfriendly and strolled off after Fagan.

( 7 )

Although Linchu was a bleak little place of mud and wattle huts, with nothing to offer a group of red-blooded young people with money to burn and an excited willingness to explore, there was plenty to do in Shanghai just across the river, without having to rely on the business and diplomatic circles of the International Settlement. In spite of the Sikh policemen and the ferociously efficient Customs Service, the city was alive with touts, pimps, white slavers, thieves, smugglers and pick-pockets, with a great deal of graft and corruption in the hands of White Russian refugees from the Bolshevik revolution who were prepared for a price to provide anything from a car to a woman.

Every morning the newspapers carried some new sensation, whether it was murder, gang rivalry, opium smuggling or the sacking of some town up-country in the interminable civil war inland. Every evening there were eager girls—some of them even from the staid homes along the Bubbling Well Road, who were bored with cocktails and the eternal dinner and tennis parties, and found fliers more exciting than stockbrokers—and Ira and Sammy rarely got back to their hotel before the early hours of the morning.

Sometimes Fagan was with them in their search for somewhere to spend their money, and sometimes even Ellie, chatting professionally about aeroplanes in her crisp businesslike way with Sammy. Fagan seemed to have discovered all the noisiest, most scandalous dives in Shanghai, and had a gift—when he wasn't in the doom-laden mood that set Ellie's nerves on edge—of turning even the simplest meal into a celebration. He was always picking up European or Chinese girls for the unattached Ira and Sammy, whom he seemed to feel were missing something from life without anyone to share their beds, and there were wild parties and difficult moments in the early hours of the morning, and more than a few tears and high words at bedroom doors.

He seemed to regard the boyish Sammy as the ideal butt for his jokes.

'I don't want your bloody women!' Sammy was finally driven to yell at him after he had spent half an hour shoving two Chinese girls into Sammy's room as fast as Sammy had shoved them out.

Fagan hooted with laughter. 'Why?' he demanded. 'You got one already?'

'No.' Sammy glared. 'I haven't.'

'Maybe you prefer boys?'

His face furious, Sammy leapt across the bed, his fists swinging, and the two of them rolled on the floor in the corridor, with the two Chinese girls screaming for help at the top of the stairs.

Ira separated them with difficulty and pushed Fagan into his own room, doubled up with mirth. For Sammy, however, it was no laughing matter.

'One of these days,' he said cryptically, 'that bleddy lunatic's going to die of one of his own jokes.'

In spite of Fagan and the willing girls, they managed to remain uninvolved, even if heavily engaged, and for all the late nights, even managed to put in a great deal of work. Within a week they had the Fokker reassembled and airworthy, with Sammy lying over the engine compartment and Ira in the cockpit, the propeller turning at low revs while a couple of coolies draped themselves over the tail. Sammy's head was cocked as he studied the tappets and listened to the ticks and clicks behind the firing of the cylinders, his thin sensitive craftsman's face alight with pleasure. Ira watched him with pride because Sammy's skill was his own, accepted greedily and already improved upon. He felt warmer towards Sammy than anyone else in the world. Together they seemed already to have been through a lifetime not only of disasters and disappointments but also of hectic affairs and noisy parties, and Sammy, with his thin body and beaky face, the absolute antithesis of Ira's stocky bulk, was nearer to him, he decided, than his own family had ever been.

Sammy caught his eye and smiled back, an affectionate,

54

genuine smile that was full of gaiety and natural human warmth. 'She's O.K.,' he shouted as Ira closed the throttle. 'These B.M.W.'s are beauts. They even stand up to the sort of ill-treatment Fagan gave 'em.'

'Shove the engine cover on,' Ira said switching off. 'I'll fly her.'

As he went with Sammy to the tent to fetch his helmet, Ellie climbed into the cockpit and sat for a second, jiggling the controls.

'Those guys sure know motors,' she said grudgingly. 'She doesn't sound like a load of scrap iron any more.'

Fagan watched her, shrewdly assessing the histrionic possibilities of the situation. 'Take her up, Ellie,' he urged. 'Show 'em what you can do.'

She stared at him for a moment, then she nodded. 'Swing her,' she said. 'He wanted to know if I could fly. I'll show him I can.'

As the B.M.W. fired, Ira's head appeared immediately from the tent. Ellie was wearing neither coat nor helmet, but she was waving the chocks away and, as he ran out, followed by Sammy, the little machine sped across the field, dust and scraps of chaff flying upwards in the propeller wash, one of the coolies running after it, trying vainly to lasso the tail with a rope and screaming, 'Mastah! Peng Ah-Lun! Fly machine escape!'

As Ira came to a stop, she pulled the machine up in a steep turn, the ace-of-clubs tail wagging, and began to climb sharply, the wings shimmering and translucent in the sun, until she was about three thousand feet up, then she stalled, the wings glinting, fell off in a dive and turned towards the tent. The engine buzzed like a hornet as she came over them, pulling up so low it set the tent flapping and heaving against its guys.

For a quarter of an hour she treated them to a display which proved without any doubt her ability to fly an aeroplane, then she set the Fokker gently down again and taxied towards the tent. Fagan was grinning all over his face, enjoying the fury in Ira's eyes. Sammy, knowing better, watched cautiously and kept out of the way.

Ellie jumped briskly out of the cockpit and walked towards them, then her smile died as she saw Ira's expression. 'Well,' she said, suddenly hostile again. 'Wasn't it good enough?'

'What the hell did it prove?' Ira demanded.

'That I can fly a goddam ship,' she snapped back. 'That's what you wanted, isn't it?'

'We'd accepted that,' Ira snorted. 'You didn't have to pull the wings off it to prove it.'

She stared back at him, and abruptly the arrogance went from her eyes.

'I'm sorry,' she said shortly. 'I guess I shouldn't have.'

'There's a roster board in the tent,' Ira growled, his temper subsiding. 'In future we stick to it.'

As he turned away, she stood watching him for a moment, her eyes hurt, then Fagan laughed his shrill laugh.

'Steady, the Buffs,' he said. 'Don't let it get you down, old girl. It's only the old Service working itself out of his system.'

She was still staring after Ira and she turned on him like a tiger. 'Shut up,' she snapped.

Fagan's face fell and he gave a wild gesture. 'Listen, all I said . . .'

Ellie stared at him with contempt. 'You say too goddam much,' she said. 'You always did!'

Before the next week was out, all three machines were serviceable and Ira took them up in turn to satisfy himself they were properly rigged and the engines firing firmly.

Fagan, restless and lacking in concentration, seemed bewildered by the precautions he was taking. 'Will you, for the love of God, give over?' he complained. 'We all know how to make emergency landings. We can set 'em down if the engine cuts. It's just that they're heavy on the controls, that's all. You have to use a bit of strength with 'em.'

To prove his point, he insisted on taking up the Albatros, but his taxiing was wild and almost removed the tail of the Avro; and his take-off, while it was as spectacular as Ellie's, was not nearly as skilled. Clearly not intending to be outdone by her, he stalled, dived and spun the old machine until Ira's hair stood on end and finally brought her down in an uncontrolled landing that was far too fast so that he had to apply rudder to avoid hitting the lorry. He swung wildly at the last moment to send all the coolies running for their lives, and sliced with his wing-tip through the frayed guy-ropes of one of the tents so that the whole lot came down across the tail of the machine.

56

'Ach, well,' he said with maddening cheerfulness, as they untangled the torn canvas from his elevators and rudder, 'what's a little mistake between friends?'

Sammy eyed him as he swaggered away. 'This geezer's dangerous, Ira,' he observed. 'They're *both* dangerous. They've got the look of doom on 'em, and they'll finish us between 'em.'

The loss of the tent and the hair-raising display of flying had been enough to make Ira decide that something would have to be done about Fagan, but before he could get him on one side to tell him loudly and clearly what he thought of him, a spectacular quarrel developed between Fagan and Ellie and, before they knew what was happening, he was in one of his fits of heavy self-deprecation and the dinner party they'd planned to celebrate the fact that they were finished turned into another of his disasters, as his usual aggressive hostility followed the bottle.

As they tried to get him out to a taxi, all the old resentments against Ira burst out in bitter reproach. 'Why should *he* always be tellin' *me* what to do?' he said to Ellie. 'Why should *he* be running the show?'

The argument was a repetition of a dozen others they'd heard and Ellie's face was hot and resentful. 'Maybe it's because he's run other shows before,' she pointed out sharply, and Fagan gave a hoot of rage.

'Did *I* not run *our* show?' he demanded. 'In South Africa?'

This final riposte, at which they always seemed to arrive as though they'd both been aiming for it all the time, provoked the usual explosion and the usual retort.

'No, by God, you didn't, you Irish ape! It didn't start to go down the drain till *you* got your great maulers on it.'

Kowalski looked relieved when he learned they were ready to leave for the north. 'It's just as well,' he said. 'Tsu's getting nervous and he's keen to get his ships flying. I've arranged transport by river for the mechanics and the spares and tools. Carpenters can be hired when you arrive. The field's to the north of Hwai-Yang, with two hangars, barracks and sheds. Maybe you'll even see Tsu's machines standing outside ready. The summer campaigns'll be starting soon.'

It was clear that General Tsu wanted everyone to know his warlike intentions because it was announced in the Shanghai papers that he had every intention of knocking seven bells out of Generals Kwei and Chiang, and was proposing to cross the Yangtze into Kiangsi and march south. Judging by the comments they heard in the bars, his announcement threw British, American, French and Japanese officials into a state of high alarm because his move could involve their gunboats in scuffles if his crossing was made too close to a treaty port.

'Maybe he had too much samshui at dinner,' Kowalski laughed. 'This goddam war's been going on since 1911 and no one's won yet.'

Two days later they saw Lawn and Geary off on the three-decker, *Fan-Ling*. The generator, the lathe and all the spare parts, tools and luggage were aboard, and Ira unwillingly handed over the money which he had been paid the night before by Kowalski.

He trusted Geary about as far as he could throw him and he guessed that Lawn was weak enough to allow himself to be dragged after him into any kind of mischief that arose. They had never achieved very much, Geary working slowly and resentfully and Lawn following his example because he was too stupid to think for himself.

'Get out to Kailin'—he gave them their instructions carefully —'and mark us out a landing strip. Then telegraph. You can have a full fortnight before we fly up.'

The sun was bright on the brown river between the junks and sampans as he pushed his way off the steamer through the shouting vendors of eggs, rice cakes and bananas who crowded round him. Sammy was waiting for him on the bund with Ellie and Fagan, and by the time he'd reached them, Geary and Lawn had disappeared—into the bar, he suspected, to spend some of the money he'd given them for expenses.

'I don't trust those two birds,' he said slowly, and Fagan gave a hoot of laughter.

'I'm happy to let you have the responsibility, me old ardent son,' he shouted, unpredictably friendly again. 'A feller's got to pee or get off the pot and Sammy says you're a saint and I was always a dilettante. I might have been better at flying otherwise.'

The ship left in a cloud of smoke and sparks as relatives and friends of the passengers set off fireworks to speed on their way the demons which might be following them. Amid a crackle and a roar and a series of loud pops, the ropes were cast off to the shouts of the Chinese captain, while on the foredeck a grinning deckhand produced a gong and added to the clamour.

Ira gazed after the steamer edging between the junks and sampans. Neither Geary nor Lawn had put in an appearance at the rail and it seemed like an omen for the future, because he knew perfectly well they hadn't come to China either for love of flying or for love of him.

He caught Ellie watching him with her sad, tired eyes, and smiled quickly.

'I think it'll be a good idea to keep well in touch with Kowalski,' he said slowly. 'Nobody down here knows where we're going but him and, sure as hell, once we're away from the coast, nobody's going to give a damn either.'

# PART TWO

## ( 1 )

SEEN FROM THE AIR, China appeared to be totally devoid of landmarks. There were no fields, no roads, no railways and, it seemed, no towns. There would be no 'flying by Bradshaw,' and it was decided that Ira, as the only capable navigator among them, should lead in the Avro with Sammy as his passenger.

As they pulled on their helmets, to Ira's disgust, Fagan produced a flat bottle which was already half-empty.

'Half past drinking-up time,' he shouted. 'Irish whiskey, no less. To keep us warm.'

With his incredible genius for turning even a simple everyday problem into a catastrophe, he had managed to disappear the night before when Ira had been eager to get everyone to bed for an early start, and they had had to hire a taxi and go round all the night clubs and parties before they found him at the home of one of the officials of the British Consulate, riotously noisy and just on the point of disappearing upstairs with the official's wife, while the official lay behind the settee in the lounge with a glass and a bottle still in his fists. A furious argument had followed and Ira had had to threaten to fetch Ellie before they had managed to drag him away, deflated and enraged and bitterly resentful of having to do what he was told.

He gave his mad laugh and handed the flask to Ellie and, as his eyes flickered over his little party, Ira decided that he'd have looked to the future in inland China with horror if he'd been sharing it with only the Fagans.

They were sweating in their heavy clothing but by the time they'd climbed to four thousand feet it was cool and, immediately, with the Avro in the lead and the two faster single-seaters weaving throttled back on either side, Ira turned and headed north. Behind him, he could see the dark sea marked by a great stain of yellow where the Yangtze brought down the mud from the north. The heavy clouds of the spring rains still hung over the horizon, dark and menacing, the sky a strange deceptive place, changing from light to malevolence and back all the time.

Then he saw Fagan had moved ahead, impatient with the slower Avro, and was pretending to offer him a tow with a piece of rope he was holding up, and his half-witted joke suddenly irritated Ira.

He began to think of what lay ahead. It wasn't going to be easy. For a lot of the time at Linchu they had worked under leaking tents which had not helped them with their ignition problems, and testing had had to be done when the marshy state of the field had enabled them to get off the ground. The ageing German machines were as likely to fade under them as not, and he was surprised in fact that something of the sort had not happened already. Whatever servicing had been done under Fagan's rule—and he suspected that so long as the motors had fired he had considered them serviceable—had not been much more than perfunctory.

Now that they were preparing to operate away from the coast, however, they could no longer afford to take chances because damaged parts were going to be virtually irreplaceable, and to add to his troubles, not surprisingly there had been no telegram from Hwai-Yang and he had had to take the decision to leave, not knowing what they were going to.

He frowned, suddenly beginning to understand all the warnings that had been offered to him at all the farewell parties that had been thrown for them. Through all the tearful goodbyes and the long female faces and the offerings of silk stockings to tie to the struts as keepsakes, it had become quite clear that nobody expected to see them in Shanghai again for a long time, and Kowalski, arm-in-arm with a couple of short-skirted, long-legged shingled American girls from the Consulate, had summed it all up.

'It's a goddam queer situation you've got yourself into, Ira,' he'd said. 'Make no mistake about that.'

Ira grimaced, realizing for the first time what Kowalski meant. Fagan was going to be no help, and Ellie, a homeless embittered girl who'd lived out of a suitcase for so long she'd forgotten what it was to have roots, was likely to be as uncomfortable a companion as Fagan himself, with the mixture of hardness, gaiety and misery that showed in her deep, sad eyes.

61

Mixed in with Geary and Lawn, whom he knew he couldn't trust an inch, a chaotic political situation and a general who seemed about as trustworthy as a snake, it seemed to have all the elements of a comic opera. Out of the lot of them only Sammy seemed reliable.

Apart from the single metal track, there seemed to be nothing in the flat sunlit country below to give them their bearings. All roads seemed to end within a few miles of Shanghai and only the thin ribbon of steel moving north in great loops indicated where the solitary railway lay. The hills soon slipped behind, and beyond them there was nothing but the featureless plain with innumerable small villages round Lake Tai, all of them surrounded by maize and sorghum fields and rice paddies where docile peasants laboured with ancient tools. There were no woods, no highways, nothing but lakes and interwoven cart-tracks spreading starfish-like from each village to connect it with those about it. A forced landing would leave them fifty miles from any modern form of transport or communications, and they would have to dismantle the aeroplane themselves and rely on ox-carts to return it to civilization.

But the Monosoupape roared out in a steady beat, and the three machines, rising and falling slowly together like horses on a roundabout, pressed further north. Once, his goggles up on his forehead, Ira saw a group of tombs, relics of the Emperors, the road to them through the horsetail pine and sweet gum lined with marble dragons and elephants, but nothing else to mark the empty land.

Fuel had been arranged at fields ahead of them and they eventually stopped for the night near the city of Nanking which threw its grey rope of wall round hills, fields, mud huts and tiled roofs. Leaving the aeroplanes in the custody of an awed constable in a long gown and carrying a sword, they bedded down in a shabby inn with dirt floors built round a courtyard that was filled with people cooking, eating rice, drinking tea, washing mother-naked under the pump or playing strange games with blocks of ivory and coloured balls. It was impossible to sleep because of the din from the kicking mules and the scavenging pigs and dogs and the shouts of the sweetmeat and cake sellers moving through the crowd; and they rose early and, watched by gaping coolies, checked the uncertain German engines before they set off again, heading nearer the hills and the steep gorges of the Yangtze.

Fagan had slept late, gaily and maddeningly indifferent to the performance of the always dubious Albatros, and after the first half-hour of flying it came as no surprise to Ira to see him dropping behind. After a while the round mackerel-shaped machine began to drop below him, the sun glinting on the curved upper wing, until finally it disappeared in a steep glide among the scrappy clouds.

When they landed at Tangtu there was no sign of it and they waited the whole of the next day, with Ira alternately raging with fury against Fagan's sloppiness and dancing with anxiety for his safety, before a young Chinese in a long gown arrived on a pony to tell them by means of signs and a torrent of high-pitched pidgin that the machine had come down safely and was now on its way in.

They took the message to mean that Fagan had managed to make repairs, and when he didn't arrive before dark they began to wonder about the bandits that infested the countryside and consider whether they ought to send out search parties. Hindered by the fact that they didn't know where to send them, however, they decided to go on waiting and Fagan arrived unharmed in the middle of the next morning, with the Albatros hitched to the back of an ox-cart and riding himself in the straw, shouting and waving to them, quite untroubled by the delay.

'Tempus bloody fugits, doesn't it?' he yelled. 'Always game for a laugh is Mrs. Fagan's boy.'

For a moment Ira longed to be able to clap him in irons or something, but the matter was unexpectedly taken out of his hands by Ellie, who delivered such a dressing-down that Fagan disappeared, crestfallen, while Sammy ripped off the engine hood and found the fault was a simple matter of a broken petrol feed which Fagan ought, if he'd bothered, to have been able to repair.

They got away again in the afternoon and eventually they came to the curving river once more with its old forts and fir trees, and the camphor, bamboo, cinnamon and mulberry groves that surrounded the little homesteads. Hwai-Yang came up at last, recognizable at once by the huge stone Tien An-Men stairway that rose from the river to the centre of the city, like a great smooth scar across its face. The steps were teeming with people and, as he passed overhead, Ira could see coolies carrying loads and sedan chairs moving up and down among the crowds gazing up at him.

He circled the city for a while, looking for the field. There was no sign of any landing area but what were clearly hangars, barracks and sheds stood grouped together on the edge of a small open space to the north, next to a field of maize. There were a dozen oxen crossing it, however, followed by two coolies and a straggling group of stark-naked children and, seething with fury, Ira wondered what had happened to the markings he'd asked Geary and Lawn to set out.

For a while he circled the open space by the hangars, followed by the other two machines, looking for a marked area and smoke to give him the direction of the wind, then, pushing the stick forward, he slipped downwards in a long curving glide for a landing over the maize field and the deep ditch that separated it from the space in front of the hangars.

With difficulty, he avoided the oxen, the coolies and the gaping children in their cane disc hats, and the wheels had just touched when he realized the surface of the field was covered with potholes and deep tracks. A wheel bounced in one of the holes, leapt up, bounced again, with Ira hanging grimly on to the stick to avoid a ground-loop and Sammy thrown half-out of the passenger cockpit, then the tyre burst as it struck another rut and, as it rolled to a stop, the wheel buckled and the machine slewed round with a scraping of metal and the rending of fabric.

Almost before it came to a stop in a drifting cloud of dust and flecks of grass, Ira had leapt from the cockpit and was running across the field, waving frantically. The Albatros was coming in just above his head, but thankfully he heard the engine roar as the throttle was opened and it lifted away again, followed by the Fokker.

Sammy had joined him now, stumbling in his heavy flying clothes, and Ira waved him across the field.

'For God's sake, Sammy,' he snarled. 'Get those bloody cows out of the way and find a flat patch!'

While the other two machines circled, they ran across the field, sweating in their leather coats, looking for an area that was clear of pot-holes, but the field seemed to have been trampled by thousands of feet out of solid mud in which the ruts that had wrecked the Avro had been gouged by heavy vehicles when the ground was soft.

Ira stared about him in fury, all the disappointments and delays of the past few weeks coming to a head in a mounting swelling of rage. In spite of all that had been promised and not done, in spite of all the mistakes and the stupidity and ignorance and laziness of the Chinese compradores, they had managed to reach Hwai-Yang, and it was clear already that it was all going to start all over again, and to a worse degree. The field had obviously been used for everything *but* flying, and now, with the drier weather, the ruts in its surface had hardened into foot-deep gullies and shallow ditches with knee-high grass hiding the bone-hard sides.

Raging but relieved, Ira saw the wheels of the other two machines touch one after the other on the flat ground they had found at the far side of the field, and as they began to jolt and rattle towards the hangars, he started to jogtrot after them.

Stopping in front of the sheds, Fagan switched off and climbed out.

'Saw you hopping about like a dog with a weak bladder,' he said with a hoot of laughter as Ira panted up. 'Pity you crashed.'

He stared about him as the desolation of the field suddenly struck him, and his eyes widened.

'Great gold teeth of God,' he bleated, 'what the hell have we let ourselves in for?'

The field was even bleaker than the one they'd left at Linchu, and it was obvious even from a distance that the canvas Bessoneau hangars flapping in the breeze were old, rotten and badly torn. The sheds were tin-roofed, lurching and lopsided and the barracks were a sad cluster of single-storeyed buildings that looked as though they'd been stripped by a bomb.

'Looks like the Marines have landed,' Ellie commented laconically.

'Looks like they've taken off again, too,' Sammy added. 'Lor', Ira, this is worse than Linchu.'

As they stood in a group, staring about them, from behind the wood-and-tin sheds came a string of cars, most of them small and all of them ancient—a Morris, a Peugeot, a Hispano, a Lan-chester, a Pierce-Arrow, and one or two others Ira couldn't recognize. They stopped near the aircraft and what appeared to be dozens of Chinese officers climbed out and began to walk towards them, keeping a respectful distance from the leader, who appeared to be General Tsu.

The General had an aristocratic face, cultivated and hard as jade, and he wore wide trousers and tartan slippers and a woollen gown like a tent. Behind him he trailed a sword as long as himself. Following him, Ira recognized Lao, the Chinese who had got his name on the contract in Africa, dressed in uniform now with a neatly fastened collar and flat breast pockets, and a yellow cord over his shoulder to indicate he was an aide.

Tsu was bowing, holding his hands inside his wide sleeves, and someone began to intone titles from beyond the slapping silk umbrella that had been hastily erected. 'Tsu Li-Fo, Baptist General, Pride of the Missionaries, Warlord of the South-West, welcomes the illustrious fliers from across the sea!'

Fagan gave a shrill bark of derisive laughter. 'Holy God,' he said. 'The illustrious fliers from across the sea wish to Christ they were back where they came from, and that's a fact!'

Lao stepped in front of them, brisk and arrogant. 'Why have you broken the aeroplane?' he said. 'The General is very expert on aeroplanes.'

The General, waiting under his silk umbrella, his parchment-yellow face bland as a monkey's, nodded placidly.

Ira stared back at Lao, his brows down and furious with rage.

'The General knows as much about flying as a bloody turtle,' he snapped. 'And so do you! Why wasn't the ditch flagged and the field marked properly? And what made those damn great grooves?'

Lao stepped back, startled by the attack. 'Guns, of course,' he said quickly. 'And carts. The General used this land to drill his troops during the rainy season when there was no fighting.'

'Well, you can tell the General that the whole bloody lot'll have to be levelled again and all the ruts filled in. Every pothole, every ditch, every bump. And why aren't the mechanics here? Why didn't they mark the strip?'

Lao drew himself up, his lip curling. 'Your mechanics have not yet appeared,' he said. 'They weren't on the *Fan-Ling* when it arrived in Hwai-Yang.'

66

Ira turned, still angry, his rage all the greater from the sick disappointment inside him, and the feeling that in coming to China he'd stepped out of the frying pan into the fire. Conditions at Moshi had not been good but here they seemed to be appalling.

He swung round, ignoring Lao, looking for Tsu's legendary aircraft, but the General hurriedly jabbed at Lao with his stick and the two of them spoke together in Chinese. Lao turned to Ira again, smiling and subservient.

'The Warlord of the South-West,' he announced, 'says that the time is not now appropriate to see his aeroplanes. He is anxious to put on a parade for his new and illustrious friends, and he suggests you have dinner with him at his house this evening when the inspection will be made. In the meantime you will perhaps care to see your hotel.'

Hwai-Yang had grown up as a centre to exchange the coolies' rice, meat and silk for thread, cloth and kerosene, but as it was not a treaty port, there were no foreign officials and no Sikh policemen to maintain order. Tricolours, Stars and Stripes and Union Jacks were flying on the properties of Chinese merchants, however, in the hope that they would protect them from the disputing warlords, but the law seemed to be administered only by Tsu's soldiers, shabby little men in grey cotton uniforms with ancient rifles, some of them still even wearing the pigtail.

Their mild appearance was misleading, however, and as Tsu's cars transported them across the city, they passed a couple of mule carts containing Chinese with their heads shaved and their hands bound behind their backs.

'Criminals?' Ellie asked.

Lao shrugged. 'They are to be executed,' he said calmly, 'for refusing to pay taxes.'

'Executed?' Ellie's eyes widened. 'You mean hanged?'

'I mean executed. Beheaded.'

Ellie's face went pale then her eyes became furious. 'You can't behead people,' she snapped. 'Not in a civilized country.'

Lao gestured. 'This is *not* a civilized country,' he said mildly. 'Not these days.'

She turned, staring narrow-eyed at the condemned men, and Fagan slapped her knee with one of his great hands. 'This is

67

China, old girl,' he said with a loud laugh, 'not the good old U.S.A., the land of the free.'

She turned again and stared once more at the carts, her mouth tight. The soldiers were pushing the men out of the carts now on the roadside, and a coolie with a long sword joined them. As the men began to kneel down in a long line, she turned away abruptly.

Hwai-Yang was a rural city and its smells were those of a great feudal village. Outside the gates were a row of hovels of dried mud, so dilapidated they looked as though a good shove would lay the lot flat. The walls themselves, old, crenellated, twelve feet thick and covered at the top with weeds and nettles, over-hung the Yangtze, wide enough for carts and barrows to move along them, and beyond them the refuse of the coolies' huts was dumped along the river bank in a humming cloud of flies.

The streets inside the city, however, were full of elegant lattice work—red and gold and elaborately carved, and decrepit with disrepair. They were ear-splitting with the cries of street hawkers and coolies shouting a way for their loads, and jammed with people surging along the narrow uneven footwalks round the deep stagnant green pools that filled the holes where paving blocks had been stolen to make bases for clay household stoves.

The hotel where Lao had reserved rooms for them turned out to be a drab dusty building stinking of drains, with a fly-spotted picture of Calvin Coolidge over the desk to indicate its Westernization and chickens scratching outside the entrance, for scraps thrown out from the dining room. Though he'd felt at the air-field that he'd reached the very limit of disappointment, Ira, holding his bag in the hall and staring round at the dusty interior with its wilting palms and fading gilt and the fawning and not very clean Chinese kow-towing in front of him, felt his heart sink.

None of them fancied staying and they turned on Lao in a body and insisted on searching for a house to rent. With his none-too-willing help, two small furnished bungalows, full of Chinese perfectionism and exquisite nothings, were eventually discovered in a large garden full of flame trees and red jasmine by the city walls. Between them there was a low grey-roofed pavilion and an ornamental zigzag bridge over a lily pond that contained huge black and silver fish. It was only later that they discovered the owners and their families had been thrown out neck and crop to make room for them.

By the evening, they had established themselves inside, Ira and Sammy sharing one and Fagan and Ellie the other, Ellie enchanted with the Chinese bric-à-brac, her grave unsmiling face suffused with pleasure as she moved through the rooms touching things with her finger-tips, her eyes bright, her expression warm and soft.

As they stood on the verandah, the anger over the method of their arrival subsiding in thoughts of a settled existence, a cart appeared with an assortment of house-servants, all carrying their own pots and pans, their shaven heads polished like ancient stones, their smiles wide and friendly. They were still establishing themselves at the back of the houses when a palanquin with silk curtains also stopped outside. Ira and Sammy stared at it with interest. It seemed to indicate all kinds of Oriental mysteries.

'What do you reckon this is, Sammy?' Ira asked.

Sammy grinned. 'Tsu's missis come to make the beds,' he suggested.

As the curtains were pulled aside, a Chinese girl, small, dainty and attractive, stepped down, carrying a cage containing two bright birds. She paused, looked round, spoke to one of the servants and promptly headed for the bungalow.

'Well, she seems to belong to *us*, not to Fagan,' Ira pointed out.

They met the girl as she entered the house. She had sloe eyes with lashes like fans, and a peach colour whipped into her cheeks by the boisterous breeze. Her possessions seemed to consist of the caged birds and one small bundle tied up in a silk shawl.

She bobbed her head, smiled to show teeth that were startlingly white and made a delicate gesture with a long thin hand. 'Mei-Mei,' she said. 'Mei-Mei.'

The words sounded vaguely like an incantation, and Ira and Sammy stared at each other.

'Perhaps it's her name,' Sammy suggested. He jabbed himself enthusiastically. 'Me,' he said. 'Sammy.' He jabbed at Ira. 'Him. Ira.' He indicated the girl. 'You. Mei-Mei?'

She nodded and smiled, and Sammy grinned. 'Well, at least, we know her name,' he said.

She spoke in Chinese to one of the servants and he led her away through the house, trailing a scent of mint and musk, and they were still unpacking the few things they'd brought with them when a young Chinese officer, with the yellow cord of an aide on his shoulder, arrived with a portentous-looking document on red tissue paper the size of a newspaper, the formal invitation to General Tsu's house.

'I am Lieutenant Kee, you know,' he said, in good if somewhat stylized English. 'Colonel Lao has appointed me to your staff. Whatever you want, you are to ask me, and I will jolly well attend to it.'

It was a warm evening, with a rich amber sky shining above the decorated curving roofs, when three sedan chairs, ornately carved and painted and with curtains of dirty yellow silk, arrived outside. Sagging in the heat and feeling like mandarins behind the curtains, they set off at a quick shuffle past the shops, handed over the heads of the crowds who were cleared by an officious small boy going ahead shouting what appeared to be their honours and titles—and probably also a few choice insults —at the top of his voice. Surrounded by toothy Chinese grins, they went down a dirty alley where the thunk-thunk of wood-carving and the clink of hammers on metal sounded like Chinese music. The smell was one of sewers, charcoal, camphorwood and lacquer.

The streets grew narrower until they were mere tunnels roofed with bamboo matting, then they crossed an open place fronted with temples studded with Buddhas and fierce idols that glared from the doors. Occasional white businessmen in chairs and a few missionaries in their sombre clothes passed them, then as they left the centre of the town, they turned into another alley and finally disappeared through a circular moon-gate in a wall.

Inside was a forecourt full of white pigeons and littered with rubbish where a few soldiers, chewing sunflower seeds and incongruous and unmilitary in ill-fitting uniforms and bus conductors' hats, lounged about emptying their bronchial tubes into the dust. Kee screamed at them to pick up the rifles lying among the rubbish and got them into a sagging line that constantly ballooned out as they edged forward, chattering and bursting with curiosity, their antiquated weapons at all angles, to see who had arrived. A deafening blast from a bugle which appeared to be well out of tune set the pigeons clattering into the air and brought the chair-coolies to a standstill, hawking and spitting and wiping away the sweat. It was hard to believe that the noisy waving of rifles was an attempt to present arms.

While they were still wondering how to respond to the gesture, Lao appeared with a drawn sword and led them through another circular gate into a garden which was so different from the courtyard it could have been in another part of China. There was a bright lawn, a clump of feathery bamboo and a willow drooping over the lilies in a small pool. The room beyond was barely furnished, but with bronze, lacquer, tortoiseshell and ivory *objets d'art*. The wall decorations seemed to consist only of two scrolls, each with a line of Chinese lettering, exquisitely drawn. A small bamboo table and an old-fashioned pianola completed the furniture.

General Tsu came forward to meet them, carrying a gold-mounted cane and wearing a skull cap with the red button of authority. His grey silk gown was even more voluminous than the one he'd worn on their arrival but his feet were still thrust into his tartan carpet slippers.

Behind him was a group of other officers, all wearing ill-fitting cotton uniforms with stiff Prussian collars. Some of them wore riding breeches with puttees, and some of them flannel trousers with elastic-sided boots, but they all had strapped to their waists revolvers and swords which they clearly had no intention of removing merely for a meal.

'Colonel Tong So-Lin.' Lao began the introductions with a small stout Chinese whose wide mouth seemed to be packed to capacity with gold teeth. 'In command of General Tsu's artillery. Colonel Chok Wo. In command of the cavalry. Colonel Ching Kuey. Supplies. . . .'

Grubby-looking biscuits and sticky drinks in small glasses were handed round, then dinner was announced by a cracked gong and there was a great deal of fuss as they all tried to sit down simultaneously.

'It would be jolly impolite to be seated while someone else is still standing,' Kee explained in a whisper. 'We must all sit together, you know.'

When they were all finally seated Tsu rose and placed his hands together inside his sleeves.

'Ah Fah-Wui charred in heaven,' he intoned. 'Heh-Lo be thy name.'

Ira could have sworn that Lao winced, but Lieutenant Kee seemed delighted.

'Grace,' he explained in a whisper. 'A jolly good try. The Baptist General is a Christian.'

'By the Holies, is he that indeed?' Fagan said, startled.

'Converted by the American Mission in 1924, you know,' Kee went on. 'They are very proud of him. He is known as the Baptist General because he insists on all his troops being jolly well baptised. He does it himself. Very easy. In one go, on parade. Hosepipe.'

The meal started with them all wiping their faces with hot towels, but many of the dishes, served on an American-cloth-covered table in blue and white porcelain bowls, were either tasteless or so highly spiced as to be almost uneatable and, according to Kee, were only offered out of politeness because of their rarity or because they were aphrodisiacs, and most of the hundred-year-old eggs, dormice in treacle and larks' tongues were left untouched.

'The meal is jolly well worthless,' Kee pointed out gaily. 'But the insignificant cook hopes you are jolly well pleased, you know.'

There were at least fifteen courses, most of them consumed by holding the bowl beneath the nose and sucking loudly at what was on the chopsticks. Noise seemed to be an essential part of the appreciation, and it was obviously normal practice to pick out titbits of dough and suet as big as tennis balls and offer them to a neighbour. Hot rice wine, Japanese beer, rose-petal gin and curaçao, which the Warlord of the South-West seemed to feel was the drink of Europeans, were served; and at the end Kee played 'If You Were The Only Girl In The World' on the wheezy old pianola and a group of sing-song girls appeared, dressed in lace-fringed trousers, their faces enamelled and rouged, to chant amorous songs. Judging by the way the officers followed them out afterwards, the songs and the aphrodisiacs in the meal had been more than effective.

'Half-time,' Fagan said as everyone sat back, belching loudly to show their appreciation. 'Time for a sausage and a glass of wine before we start again.'

While they were recovering their breath, a great cast-iron urn in the garden filled with prayer paper was lit and fireworks tied in bunches to trees like blossom were set off. Surrounded by blue smoke, staccato crackling and sprays of golden sparks, General Tsu and several of the officers knelt and touched their foreheads to the floor, and the gay gossipy Kee explained that prayers were being offered up for the success of the summer campaigns.

'I thought he was a Christian,' Fagan said in bewilderment, and Kee gave a chirrup of delighted laughter.

'Oh, he is,' he said. 'But he also jolly well believes in being on the safe side as well, you know.'

As the fizzing and crackling died away, they were introduced to the General's wife, a French-born Chinese who had met her husband when she was a student in Shanghai. She was small, intelligent and attractive in a brocade dress, and Ira managed to converse with her in French, then the General's son, Philippe, was brought in by an amah, a boy about eleven in a grey silk gown and carrying a violin.

'The Warlord's son will now entertain us,' Lao announced.

They had been expecting the usual diabolic noises which small boys make on violins but Philippe Tsu was already an expert despite his youth. He played several short pieces by Brahms and a longer one by Debussy.

'Sure, the child's a prodigy,' Fagan said, already a little drunk and owlish and laying on his accent like a stage Irishman.

'I was a violinist, too,' Madame Tsu explained in English. 'My father was a concert pianist. The boy is a genius and should not really be here in Hwai-Yang. I have taught him all I know now and he ought to go to Paris or Rome to be taught properly.' She smiled her sad resigned smile. 'Perhaps, soon, my husband will retire and we shall go to Shanghai or Hong Kong, and from there I shall be able to take him to Europe.'

It was almost midnight and a damp breeze was blowing when General Tsu announced that they would go out to the airfield to see his air force.

Ira would far rather have gone to bed and he could see Ellie was pale and drawn with tiredness, but it was no good arguing, because the string of ageing cars with their patched tyres had already appeared outside the gate, their brass oil-lamps flickering as the engines throbbed and clattered, every one of them

73

bearing General Tsu's personal red flag with an orange circle in the centre. It was like being part of some musical comedy caval-cade and Ira kept catching Sammy's eye and having to resist the urge to laugh.

'General Tsu likes to move with the modern times, you know,' Kee explained earnestly. 'He has seen the magnificent legation flags on the cars in Shanghai.'

The road out to the airfield was a rutted track and the cars rattled and roared and banged in a tinny procession out of the city, honking madly to clear the road. Bounced in the rear of an ancient Peugeot, clutched by a shaken and disgusted Ellie, Ira wondered how much longer the performance was going to con-tinue.

'Sure as hell wish they'd let me go to bed,' Ellie shouted above the din.

'Sure as hell wish they would,' Ira yelled back with a grin. 'Perhaps *I* could then.'

One of Tsu's regiments was drawn up on the airfield waiting for them, every second man holding a torch, and at Lao's signal the officer in charge, a small man in a baggy uniform, waved his sword and began to put them through a short drill. It was about as edifying as the salute outside Tsu's house. Several of the soldiers didn't appear to know what to do and the officer des-cended on them in a fury, shrieking abuse and sending them staggering with cuffs at the side of the head. It was funny enough to be embarrassing, but General Tsu was beaming with pleasure.

Lao's stiff aristocratic face showed no indication of what he was thinking as he gestured. 'We will now see our air force,' he announced.

Outside a lopsided barracks hut that creaked and clanked as the wind sighed through it, General Tsu's would-be pilots were lined up, and Ira was startled to see how pathetically young and timid they seemed. They all appeared to be still in their teens and their clothes were a mixture of the ill-fitting unmatching uniforms and long silk gowns. One of them wore cotton trousers and spats and another leggings, and only one of them, a tall thin man slightly older than the rest, appeared to have any confi-dence in himself.

'This is Captain Yang,' Lao introduced. 'He is our command-

74

ing officer. He has had much experience. He was trained by the illustrious Americans.'

Yang, a brash young man who had only recently returned to China, said he'd learned to fly in a Pennsylvania air circus, but there was something about him that roused Ira's suspicions at once, something that indicated that his ardent professionalism was false. He appeared to suspect that Ira was dubious about him and seemed a little uneasy as he introduced the pupils in a whining nasal voice with a strong Mid-Western accent like Ellie's.

'Lieutenant Cheng Peter. Lieutenant Lan Hu-Siang. Lieutenant Yen Shuan. Lieutenant Tsai Kwan . . .'

The pupils shook hands and bobbed their heads, the flat bus conductors' hats they wore, ill-fitting and moth-eaten, shaking on their skulls as they nodded.

'They are honoured to meet their illustrious teachers,' Kee said with a gaiety that seemed a little mad under the circumstances. 'They hope they will jolly soon also be able to fly.'

Ira nodded back at the would-be pilots. 'Do they speak English?' he asked.

Kee shook his head. 'Only one, Lieutenant Cheng. Unfortunately, they have not all had the benefit of a Western education as I have.'

Ira grinned. 'Well, I don't speak Chinese,' he pointed out.

'The much-travelled Captain Yang does.'

'Fine. How do we get him or you into a two-seater machine with the pilot *and* the pupil.'

This was something that had clearly not occurred to anyone. For a second, Yang and Kee and Lao stared at each other, then Lao smiled his acid smile, as though he were laughing at them all.

'Doubtless we can work out something,' he said.

'Think so?' Ira asked. 'How would *you* translate: Please apply more rudder. The torque from the engine is pulling the machine to the left?'

In the distance, beyond the Bessoneau hangars, they could see the flare of more torches where another group of soldiers stood. As they had noticed earlier, the hangars were as bad as the field. There were great rents in the perished canvas and several of the

75

guy ropes were drooping or missing. An ancient Crossley tender sagged in front of one of them, its tyres missing, the bonnet red with rust, and nearby stood an old Albion lorry and several large petrol drums. Fagan tapped one as they passed and it gave a hollow sound.

'Empty,' he said. He was still drunk and there was a wild look in his eye. He was obviously looking for trouble, and Ira made time to pass a warning to Sammy to be on his guard.

Tsu was obviously trying to impress them with his armed might: Beyond the tender, several elderly guns, many of them without breeches, were drawn up—among them a six-incher that Ira had never seen outside a museum, a battered ·75, a Vickers-Maxim pom-pom, a tiny Hotchkiss, and a group of ancient Russian weapons that had found their way down from the north—probably after the Russo-Japanese War.

Someone had been busy while they had been in the city and, against the moonlight, they could see five ancient aircraft lined up beyond their own machines. For the most part, they were mere elementary contraptions of linen and spruce and Ira could already hear Fagan laughing in a thin derisive way that sounded crazier than ever.

'Sure, the one on the end's a pre-war Blériot,' he was saying. 'Twenty-five-horse Anzani engine. And by the Holy Whirligig, a Parasol!'

Others Ira recognized as a Maurice Farman and an Aviatik, and his voice was awed as he spoke. 'I wonder what crook sold them this lot,' he said.

Only one of the machines, a black Fokker D7 at the end of the line, appeared to be airworthy, but as they drew closer they realized that, in fact, it was only half a machine. Though it appeared to have guns, it had no wings.

'What happened to that?' Ira asked.

'It has not yet been assembled,' Yang said quickly, and Lao frowned.

'It was incomplete,' he informed them coldly, not attempting to hide anything. 'It was bought in Russia but it came without the wings and they have never turned up.'

At close quarters the machines were even more horrifying than at a distance. Tsu's legendary aircraft were nothing more than a collection of museum-pieces, sagging, tattered and rusted.

But, preceded by two men bearing torches, they moved solemnly along the line, first past the lopsided Avro, then the Albatros and their own D7, and in comparison with the rest of them, the three patched old machines they'd flown in were shining with newness. On the others—mostly cumbersome old French, British and German machines which had been discarded as obsolete in the first years of the war, the woodwork was unvarnished and warped, and the fabric, rotten and yellow with age, hung limply on the wings and fuselages where it was quite clear there were broken struts and strengtheners. Bracing wires were looped and twisted and the turnbuckles were stiff with lack of use, and the guns they carried and the ammunition that still lay in the breeches were patched with rust. The tyres had long since been replaced by pieces of thick rope secured to the rims of the wheels by wire and every machine was marked by mould where damp had attacked the undoped areas.

'Holy Mother of God,' Fagan said. 'Surely the old fart doesn't expect us to fly in these.'

With a shock Ira realized he did. General Tsu was standing in front of the gimcrack collection of wrecks now with a beaming smile on his face and even the stiff-faced Lao was gesturing them forward.

On closer inspection, the machines looked even worse. Control wires were broken and ailerons rusted solid. On the Parasol, the rudder hung askew and on the Blériot the padding round the cockpits and parts of the fabric looked as though they had been chewed by rats. Only the wingless Fokker and the Aviatik, which turned out to be Yang's personal machine, were in a reasonable condition but every single aeroplane had been painted with Tsu's insignia on rudder, wings and fuselage.

Their faces expressionless, they climbed into the machines, trying to hold back their laughter and avoid showing what they were thinking, while General Tsu stood with an uncertain Yang and watched them, his face beaming with pride.

'Well, the Aviatik ought to fly,' Sammy grinned, climbing down after a while. 'I suppose Yang's seen to that.'

'And the Maurice Farman *might*,' Ira pointed out. 'It just *might*.'

Lao had stepped forward, his smile stiff. 'Perhaps tomorrow,' he said, 'you will give us an exhibition of flying.'

Ira fought for solemn words to hide his mirth. The situation was so farcical it was hard to know what to say without being insulting.

'The General is expecting it,' Lao pointed out firmly. 'And Captain Yang assures us his aeroplanes are ready for immediate use.'

Fagan gave his half-witted yelp of laughter. 'He does, does he?' he said.

He jerked a hand at the Blériot, whose cylinders were red with rust and whose wooden propeller was splintered and bound with copper wire as though it had hit the ground in some far-distant forced landing and been crudely repaired. His eyes were wild and his face flushed with drink. His soul seemed to be stirred to cataclysmic proportions.

'As a specialist in the more subtle varieties of sin, me ould ardent boyo,' he shouted, his accent thick enough to cut with a knife, 'I see no reason to save Captain Yang's rat-faced bloody visage for posterity. You can tell Himself—the Pride of the Missionaries, the Warlord of the South-West, the Great High Pajandrum—that even if they could get off the ground—which they never will—Holy God, I'd no more think of flyin' one of them things than I would of tryin' to teach them bloody oxen out there on the field to dance the foxtrot.'

( 2 )

It seemed for days that the Warlord of the South-West was sulking. There was no sign either of him or of Lao and for a whole fortnight the group at Kailin were left entirely to their own devices.

The parade at the airfield had broken up in confusion after Fagan's comments and there had been a loud argument between Fagan and Lao which had then become one between Lao and General Tsu, with various aides of different rank joining in from time to time and Captain Yang yelling defensively between the various groups and Ira's party.

It had started to rain heavily in the middle of it all, the torches hissing and spitting in the downpour, and General Tsu had retreated to the Pierce-Arrow, his face like thunder. No one had thought to dismiss his troops, however, and they had continued throughout all the shouting and the high wang-yang of Chinese voices to stand in lines, hunched against the rain but interested in the indignity of their superiors quarrelling.

Eventually Tsu had driven away in high dudgeon with Lao, leaving the argument to be finished by Kee and Captain Yang, who, by this time, had been alternatively yelling about his honour and spitting with rage and likely, it seemed, to swing his sword out of its long curved scabbard at any moment to take a swipe at Fagan's head.

With a good Irishman's contempt for danger, Fagan had stood his ground. 'I expect it was a bloody flight mechanic you were in this goddam air circus of yours,' he snorted. 'Sure, and not a very good one at that. A grease monkey, maybe, employed to wipe the engines down and clean the vomit out of the cockpits.'

They had got him away at last in a borrowed car, with an affronted and furious Ellie alongside the driver and Ira and Sammy sitting on the indignant Fagan in the back. They heard the argument in the bungalow across the garden going on long after they had closed the door behind them.

Still laughing, they had crossed the lawn to find Mei-Mei waiting for them with her birdcage and her smiles. They had forgotten all about her in the excitement and were startled to see her still around. She seemed to be dressed in her best, in dark grey silk-fringed trousers and a red silk jacket, and she was wearing make-up with carmine lips and a single flower behind her ear. As they appeared, she bent her head in a kow-tow before them.

They stared uneasily at each other, wondering what to do about her.

'Seems to be a sort of housekeeper,' Sammy said.

Ira eyed the girl dubiously. She was physically fragile, with sloping shoulders and narrow hips, and her hair, polished like fine lacquer, was wound carefully round the top of her head.

'A nice decorative one, anyway,' he commented.

She spoke softly for a while, smiles like ripples moving over her lips, but neither of them could understand her.

'Think she's got something warming in the oven?' Sammy asked.

She looked startled and disappointed as they went to their

rooms, but made no attempt to follow them. Instead, she sat down with her birdcage by the goldfish pond in the garden as though she were going to wait out the night there.

'Hope she's good on bacon and eggs,' Sammy said as he closed the door.

She was still there next morning when the houseboy wakened them by the simple expedient of sticking a cigarette between their lips and lighting it. She had hung coils of red prayer paper near the door and was waiting by it, quiet and grave-faced, wearing a soft jacket ducktailed at the hips, her hair braided and held by a silver clasp. She was obviously not dressed for work and was on her knees in front of three smouldering joss-sticks which sent up spirals of aromatic smoke.

Sammy poked his head out uneasily. She seemed to be putting out prayers for their immortal souls but she didn't have the look of a priest or joss-man and they couldn't imagine that she'd been sent just to make the place smell sweet.

'She's still there,' he said uneasily.

'What doing?'

'Burning joss. For us, I reckon.'

It was a warm morning, the scent of blossom in the air, and Ira was on the verandah, staring at the morning scurry of small birds and the lifting flap of herons from the river. Sammy joined him after a while and in the distance they could see the decorated roofs of a pagoda through the trees and hear the high-pitched chatter of Chinese voices in the street as peasant women went past hauling heavy handcarts loaded with sacks of rice or seed or canisters of human manure to fertilize the paddies outside the town, straining forward against the shafts and trailing smells of ordure and dust.

'Lor', don't it bugle?' Sammy commented, wrinkling his nose. 'I'd rather have Mei-Mei's joss, I reckon.'

They peeped back in the house, but Mei-Mei was still doing obeisances on the floor and, feeling vaguely as though they were intruding on some private ceremony, they retreated once more to the verandah, eager for food but uncertain whether to join in her devotions or ignore her.

Just inside a room on the next verandah they could see Ellie washing herself, half-naked as usual, a macaw-coloured pareu she'd bought the day before knotted round her waist.

'Why's she always do it where we can see her?' Sammy asked wonderingly.

Fagan's voice came across to them. He was singing in a dubious baritone, which he kept interrupting to shout to Ellie. They seemed to have recovered their good temper, a strange bewildered lost couple who never seemed to know whether they were happy in each other's company or not.

After a while Fagan joined Ellie on the verandah and they saw him sponging her back, an operation which finally dissolved into a wrestling match that ended abruptly as he snatched away the pareu. For a while, they struggled, Ellie red-faced and shrieking and Fagan shouting with laughter, then he grabbed her in his arms and carried her screaming out of sight. For a while the shrieks continued across Fagan's half-witted laughter, then they died away to a heavy silence.

Sammy turned to Ira. 'Well, I suppose it's better than fighting,' he observed.

Mei-Mei was still waiting for them as they left their room, and they stopped in front of her, uncertain and baffled. Their ablutions had been conducted entirely by the houseboy who had been ready with tin bath, soap, water, sponge and toothbrushes without ever really being visible, and Ira wondered uneasily if Mei-Mei's duties involved something similar.

Since she couldn't speak English, she was unable to enlighten them, and Sammy opened the play by slapping her behind as he passed her.

''Mornin',' he said gaily.

'Mo-Nin?' She gestured with fluttering hands at him.

Sammy shook his head. 'No,' he said. 'I'm Sammy. Me—Sammy. Him—Ira. You—Mei-Mei. Yes?'

'Yes.' She beamed and followed them through to the dining area. She didn't appear to have anything to do with the breakfast of chicken and noodles, however, or even the ceremony with incense sticks, prayer paper and fireworks that preceded it, and merely sat watching as the houseboy brought in the food, waiting with her birdcage and a cup of green tea for them to finish.

'What do you reckon she's for?' Ira asked as they went outside to wait for the ancient Peugeot Lao had promised to send for them.

'Gawd knows. Just decoration perhaps, like a geisha.'

Sammy turned and waved to the girl waiting on the steps of the bungalow. 'So long, Mei-Mei.'

'So-Long?'

'So long. Goodbye.'

Her grave face broke into a smile and she waved. 'Gu-Bai. Me Mei-Mei. You Sah-Mee. Him Ai-Lah.'

Sammy nodded enthusiastically. 'You're catching on. Me Sammy. Him Ira.' He turned to Ira as she disappeared inside the bungalow. 'Conversation's a bit limited, isn't it?' he said.

Fagan's outburst the night before seemed to have done him good and he turned up at the field later in the day beaming with good nature but still unpredictable, stormy and likely to explode into a doom-laden mood at any moment.

'Whatever it was he got,' Sammy chuckled, 'he obviously enjoyed it.'

Ellie was warmer and more friendly, too, her face attractive under the short blonde curls. Fagan seemed to have got round her very effectively during the night and the frozen-faced anger at his behaviour the evening before had gone.

Since there was no one on the field to stop them, not even a night watchman, they moved among Tsu's old aeroplanes, climbing into cockpits and testing flabby controls, feeling compression and running their hands over rotten fabric and struts devoid of varnish. Only the Aviatik, Yang's machine, seemed to be airworthy.

'Even that's sagging like a busted balloon,' Sammy observed.

Eventually they dug out a few of the tools they'd brought with them for running repairs and took off the engine cowlings. Perished rubber, verdigris and rust met their eyes.

'All right for scrap,' Ellie commented shortly.

'Farman might make it,' Sammy pointed out shrewdly. 'We might make the Crossley go, too, and the Albion's got a dynamo we can use.'

Reaching across the cockpit of the wingless D7, Ira cocked the guns and pressed the trigger, listening to the thump as the breech blocks shot home.

'Guns work,' he commented with a grin. 'So would the interrupter, I think. If this wingless wonder only had wings it could do a lot of damage. Still, it's got a propeller and we can use it for spares.'

Later in the day, Kee appeared and borrowed a few more tools for them, but there was little they could do until Geary and Lawn and their crates of spares turned up.

'Why should *we* worry?' Sammy said. 'It's not *our* war.'

For three days no one came near them except Lieutenant Kee, but he was only concerned with their comfort.

'Everything is satisfactory?' he asked.

'Yes.'

'What ho! The bungalow is O.K.?'

'The bungalow's fine.'

'Jolly decent! I say, how is the girl?'

'Girl?' Ira stared at him.

'Good gracious my, the one the General sent to you.'

'Oh, she's fine' Ira nodded enthusiastically.

Kee seemed pleased and went away and, for lack of anything else to do, they began to work on the ancient Crossley. When they came to a full stop for lack of tools, they hired sedan chairs and explored the old city, a mass of Ming-type buildings with green roofs, up-curved so that demons sliding down them might do themselves a mischief as they dropped off the eaves. There was a half-hidden lake with stiff lotuses spread on a glistening grey surface that was fringed with willows and wisteria, and behind the town, rising out of the ash-coloured hills, a miniature square-topped mountain like a cottage loaf, red-brown at the base and fading to a pink-blue at its summit.

On closer acquaintance, the majestic city walls along the river turned out to be festooned with washing, and more was flapping along the steps and under the arches where the great iron-studded gates stood open. Everything in Hwai-Yang seemed to be done by hand. There was no water except for what the coolies carried, and no light at night apart from bobbing paper lanterns.

Dragon bridges and pagodas rubbed shoulders with fountains and marble tombs guarded by snarling monsters; and there were joss houses full of strange deities and redolent with perfumed smoke where women burned incense for easy childbirth; and outdoor theatres where crowds of people watched, happily eating highly coloured sweets and spitting sunflower seeds or having their ears cleaned by professional aurists moving among the seats. Camel trains and shaggy sorebacked mules shoved through the pedestrians picking their way round the heaps of dirt where babies and scavenging pigs wallowed together. A group of Tsu soldiers, sly, sullen and hangdog, moved past, slouching and slovenly and hung about with teapots, saucepans and umbrellas. They were pushing ahead of them a bunch of lunatics, lepers and criminals who were tied together by their pigtails, wailing and shrieking and gibbering. The crowd watched impassively—idlers carrying singing birds on the end of a stick or hovering over a cricket fight; letter-writers with horn spectacles on the ends of their noses and their crinkly red paper under their arms on the look-out for lovesick youths or enamelled-faced courtesans who might need their skill; nomad horsemen from the north sucking toffee apples as they stared at the shops; old ivoried men with fans and black-garbed peasants carrying aged relatives on their shoulders; and tiny doll-like children, their hair plaited into stiff tufts about their heads, chirruping like flocks of gaily coloured birds. It was all so incredible it took their breath away.

Because of the steep streets and that vast swathe of enormous stone steps that cut the town in half like a huge wound, there were no wheeled vehicles in the centre of the city—only sedan chairs carried by yelling baggy-trousered coolies, callouses on their shoulders as big as oranges, who ran up and down like ants to the river, the alleyways full of their noise. There seemed to be bells tinkling everywhere, and the whole city seemed to be filled with resonance and the clip-trotting of ponies.

There were only a few foreign export and import agencies along the bund, but a solid mat of junks affronted with masts heaved and rolled among the garbage between the sandbanks. Along the river, to right and left of the Tien An-Men steps, there were low warehouses and godowns roofed with chocolate-coloured tiles. Near them, on the stone steps of the wharf, girls waited for the sailors off the foreign gunboats that stopped occasionally to water, full-lipped, jet-eyed and bored, leaning against the bars with their daubed signs. ENGLIƧ BEER. GIN ƧLINGƧ. LADIEƧ FOR ƧAILORƧ.

The beer was warm and synthetic, however, and the stench in the narrow medieval streets appalling, and Sammy seemed awed by the place.

'There are such a lot of the bastards, Ira,' he said. 'What'd happen if they decided they didn't want us?'

As the days passed, they began to grow bored with having nothing to do and occasionally they begged shaggy ponies from the pupil pilots who kept them in Kailin for their personal transport, or borrowed dubious guns and got themselves rowed out into the Yung Ling Lakes, a string of bright pools just to the south that were separated by strips of marsh and reed. The lakes were the home of countless snipe, woodcock, duck and geese which rose in honking hordes into the blood-red sunsets as they pulled the triggers, great islands of what at first had seemed weeds lifting uncertainly along the edges with the beat of wings and the spattering of webbed feet on water, until the sky was black with circling birds.

Despite his boast, Fagan, always the sad imposter, wasn't any more gifted with a gun than he was with an aeroplane, and even his shooting seemed dogged by farce. When he almost blew Ellie's head off in his excitement she turned on him in savage disgust and swung at him with the soggy corpse of a duck she was just lifting from the water, and he disappeared overboard with a splash and a hoot of giggling laughter from the Chinese boatman. He returned to the bungalow, noisily indignant and sour-faced, and the following day when Ira wasn't looking he sneaked into the air with the Fokker and set off east to look for Kwei's legendary balloon. He'd been talking for some time about it, itching to do it some damage, and he returned in such a flurry of excitement to tell them he'd found it, he overshot the inadequate field and dropped his nose into the ditch at the end.

Ira's fury did nothing to damp his enthusiasm. 'As God's me judge, I saw it,' he explained loudly, wiping away the blood where he'd banged his nose on the dashboard. 'Like a bladder of lard it looked, and with so many patches, you'd only have to stick a pin in it to deflate it.'

For a fortnight, apart from throwing a rope over the Fokker's tail and dragging it off to the hangars to remove the stump of propeller, they did little at the airfield except organize strange games of polo with the pupil-pilots, which came to an abrupt end when Fagan, showing off his prowess as a rider, inevitably got himself kicked by one of the shaggy ponies. They had just helped him to the office in the barrack block when, to their surprise, one of the cars from Tsu's cavalcade arrived. In the rear seat was the Baptist General himself, wearing a woollen gown and a bowler hat and huddled against the cool wind in an expensive sable fur. Lao and Kee were with him, and Yang arrived soon afterwards in another car, still thunderous with rage.

Lao seemed to have accepted that most of the machines they had so laboriously assembled were never going to fly, but he still seemed concerned about the summer campaigning.

Carefully, Ira explained that a pupil-pilot would need around ten hours of flying instruction before he was even capable of taking up an aeroplane alone and that not even then would he be capable of giving battle, not even with General Kwei's unarmed balloon.

'If the General's so keen,' he said, 'what's wrong with Captain Yang?'

Lao suddenly didn't seem to think much of Captain Yang and offered them two hundred American dollars for the destruction of the balloon.

'Let's be havin' that down on paper,' Fagan suggested eagerly. 'I know where it is.'

Ira shook his head stubbornly, not retreating an inch. 'It's no good,' he explained to Lao. 'Before we can do a thing, you've got to find tools and spares.'

He was fighting for elementary safety, even here in this God-forsaken place where there were no airworthy planes and even less in the way of spare parts.

'We even need a windsock,' he said firmly. 'And there's no ground organization whatsoever, no transport, no engineering sheds, no coolies, no equipment, nothing. I'm not going to let *anyone* up into the air—neither your pupils nor any of the people who came with me—until we find a field bigger and flatter than this to fly from.'

It rained during the night, a heavy downpour that changed the beaten dust of the field into a bog, and the following morning with the earth steaming under the sun's rays and the early spring scents making themselves felt, Ira arrived to find an army of coolies had already been mustered from somewhere by Lao. He had been hunting through the go-downs along the bund in

86

the hope of unearthing a few of their possessions and appeared late, frustrated and furious, to find things transformed.

Already the maize in the next field had been trampled flat and trees were being dragged away, while earth was being packed into the ditch between from baskets that were passed down a long column of men and women snaking across the field herded by a line of shabby soldiers with ancient Martini rifles.

'What in God's name's going on?' he asked.

Sammy grinned. 'They're going to join the two fields,' he said. 'It was Lao's idea.'

Ira stared at the horde of blue-clad figures, some of them convicts with heavy wooden collars round their necks, pushing barrows and chopping at the earth, barelegged yellow ants with straw hats and strange medieval tools, hacking civilization yard by yard with their hands from the ground itself, under the direction of Lieutenant Kee, who appeared to be taking his orders from Sammy. Hundreds more men were working at the other side of the ditch, rank after rank of them, digging and shovelling to the sound of a prearranged rhythm.

'What about the owner of the maize?' he asked.

Sammy shrugged, unconcerned. 'It didn't look as though he was getting much compensation,' he said. 'They marched him off between two soldiers.'

Lao was waiting for them with Yang as they returned to the battered Bessoneaux. 'You are pleased?' he asked, smiling.

'Yes,' Ira said. 'Now,' he went on briskly, 'we shall need transport.'

Lao's face fell. 'You are difficult to satisfy, Major Penaluna,' he said bitterly.

Ira grinned. 'I'm asking for the barest essentials,' he pointed out cheerfully. 'Lorries are among them. I want at least one. We can probably make that other old wreck work if we can find some tyres. And I want a car. So far we're having to use rickshaws or ponies to get out to the field, and none of them are very fast.'

'There aren't any cars in Hwai-Yang,' Yang snapped. 'This isn't Shanghai.'

Ira smiled at him. 'Then you'd better let us have yours,' he suggested. 'I also want a couple of good carpenters, and one or two intelligent coolies to work with the aircraft.'

Lao pulled a face but he agreed, and that afternoon Sammy pushed and chivvied half a dozen wriggling young Chinese into the hut where Ira had set up the beginnings of a flight office and was scowling at the creased, dirty, rat-gnawed, dog-eared scraps of paper that Yang called inspection sheets and log books. Behind the three youths were two older Chinese and Sammy had made them all laugh somehow and they were giggling and good-humoured and not a bit like the inscrutable Chinese they'd been led to expect.

'Carpenters,' Sammy said gaily. 'Wang Li-Jen. Yen Hsu. The kids are coolies for the aircraft.'

Wang had a picture of King George torn from a magazine tacked to his shirt. 'Wang work for Blitish,' he explained, jabbing a dirty thumb at the portrait. 'This Blitish Number One Joss Man. Plenchee good for Wang.'

Fagan arrived late in a bad temper and with a monumental hangover. He and Ellie had been fighting during the night, and Ira wasn't surprised to find him stamping about like a cyclone in a barrel, chewing at a cigar.

'I'd shoot that bloody Yang if I was the Pride of the Missionaries,' he said. 'He's never done a thing round here except maybe fart "Annie Laurie" through a keyhole now and then like Paddy's pig. We should all pack up and bugger off home. The pubs'll just be openin' in O'Connell Street.'

Ira glanced quickly at Ellie, half-hoping she'd agree on the spot, but she frowned and made a slicing angry gesture with her hand. 'We can't afford to go home,' she said in a low voice, and Fagan gave his yelp of laughter and pointed at her.

'Sure, females are queer things with their wee womany worries,' he said brutally. 'She's been dreein' her weird about havin' a house for the first time in her life. She wants to hang up some curtains or something.'

Ellie said nothing, standing with her fists clenched, as though he set every nerve in her body on edge.

'*Somebody*'ll have to go and see Kowalski,' Ira pointed out. 'I've got a list as long as your arm of things we need. We can screw a note out of Lao authorizing it all.' He glanced hopefully at Fagan, hoping he'd jump at the chance. Once at the coast, he suspected, he'd board the first boat home.

The thought seemed to have occurred to Fagan, too, and he

threw away his cigar. 'I'll go,' he said, and Ellie turned on him immediately. In the extraordinary love-hate relationship that existed between them, she couldn't stand him near her half the time yet she also couldn't trust him out of her sight.

'Hell, don't look so egg-bound,' Fagan said. 'Somebody's got to go. Himself has said so, hasn't he, and there's too much bloody domestic bliss around here all of a sudden.'

She stared at him for a moment, while Ira, knowing her habit of blunt, vituperative response, held his breath. Then the spirit seemed to drain out of her. 'O.K.,' she said quietly. 'You go. I guess I'll stay here. I want to stay. I have a house. I've never had a house before.'

Ira turned to her. 'Don't you *want* to go?' he asked her.

'Not with *him*,' she said flatly. 'He'll only get drunk.'

Ira stared after Fagan, who was already striding towards the office, imagining him disappearing over the horizon with their money, their good name, and their last chance of making anything worth while of this ridiculous pantomime of a training school. 'Will he come back?' he asked uneasily.

She considered the question for a second and he saw her face become suddenly brighter, and realized she was looking forward to shedding some of her responsibility for a few days.

'I guess so,' she said simply. 'He needs me.'

Getting rid of Fagan was like pulling a thorn out of an aching heel.

He got drunk the night before he left, less with the alcohol than with the thought that he was about to be free for a while of his responsibilities and the brooding, dangerous Ellie, and he was noisy and laughing and already giving the glad eye to a young and not too plain missionary on the *Fan-Ling* who was on her way down the Yangtze on the first leg of her journey home to the States.

Nobody said anything, but there was a marked sense of relief as the *Fan-Ling* disappeared from sight, and on the way back into town, by mutual consent they found a small scrubbed restaurant with spidery benches like Tang woodcuts and tables that had been worn and polished for centuries. It was full of chattering girls, bright as butterflies in their silk jackets and fringed trousers, all presided over by a middle-aged woman wearing a pair of corsets that stretched from bust to thigh, outside her dress. She seemed surprised to see Ellie and it dawned on them at last that they were in a brothel.

But, although the waiter's hands were more notable for the length of the nails than for their cleanliness, the food was good and, with Chinese courtesy, no one seemed to mind. They nodded to the girls' customers moving in and out past their table and, as the mistake and the samshui set them laughing, someone produced an orchestra of horns, gongs and one-stringed fiddles, and Sammy, outdoing Fagan for lunacy, got them playing for dancing. They cleared the tables and pulled the girls forward, and started a noisy free-for-all in the middle of the floor, Sammy bringing the house down as he tried to teach the shrieking Madame how to dance the foxtrot. The evening became a celebration, with the room crowded and dozens of grinning heads jammed round the door to see what was going on.

'Elevator Ellie, they called me on the fields back home,' Ellie laughed. 'I used to think they were complimenting me on my flying, but I found out later they were just being dirty-minded about my figure.'

With no Fagan to worry over, she drank a little too much, but it seemed to knock the props away from beneath her fears and frustrations, and she was noisy and unaffected, and when she said goodnight at the door of her bungalow she insisted on kissing them both before she disappeared.

Sammy stared after her, grinning as she weaved through the door. 'She'll probably have a hell of a head tomorrow.' he said.

Ira nodded. They'd found it unexpectedly easy to make her laugh and, without Fagan on her mind, she was surprisingly attractive with bright eyes and colour in her cheeks, her grave expression changed for one of lunatic willingness to make a night of it.

'If she does, she'll probably feel better when it's gone,' he said. 'There's nothing like a good drunk for kicking a few boards loose.'

Mei-Mei was waiting just inside the door for them. She seemed to be dressed in her best again, her face carefully made up, the flower behind her ear. She was smiling and deferential as usual.

'Sammy, that girl worries me,' Ira said.

'*She* looks worried, too,' Sammy agreed.

Outside their room, they paused and glanced back. Mei-Mei had followed them and was now waiting by the doorway.

'She *still* looks worried,' Sammy said again, uncertainly. 'Lor', Ira, suppose—suppose'—he chuckled suddenly—'Ira, do you suppose that she's just here for our pleasure?'

Ira turned. '*Our pleasure?*'

'They do that sort of thing, don't they? Lay down their wives for their friends and so on.'

Ira grinned. 'She's not married,' he said. 'Or *is* she?'

Sammy shrugged. 'Tsu sent her. Perhaps she's something in his yamen.'

'We'd better ask her.'

Sammy hitched at his belt and put one hand confidently on Ira's chest. 'I'm better at the lingo than you are,' he said firmly. 'And if I'm right, I reckon three'll be a crowd.'

The sun was bright and the scent of blossom was filling the house when Ira went to breakfast next morning. Without being able to explain why, he felt on top of the world suddenly, and to his surprise he could hear Ellie across the garden actually singing as she washed. Fagan's departure seemed to have left them all lighter-hearted.

Preceded by a gale of giggles from Mei-Mei's room, Sammy appeared a few minutes later, wearing only a towel and a smug look on his face like a cat that had been at the cream.

'I was right, Ira,' he said immediately.

Ira grinned. 'Were you, by God? Did you spend the night with her?'

Sammy gestured airily. 'A feller has to work up to that sort of thing,' he pointed out. 'I told her so.'

'I didn't know you could speak the lingo *that well*.'

Sammy laughed. 'I'm picking it up fast.'

'You ought to pick it up a lot faster now. There's nothing like taking your dictionary to bed with you.'

Sammy blushed. 'I'm going to teach her English,' he said primly. 'She's only a kid really.'

'They grow up fast out here, I'm told. Is this a permanent arrangement?'

Sammy looked sheepish. 'She was sold to a dance-hall dame when she was thirteen,' he explained. 'She's never had a home. If we send her away, she'll lose face.'

Ira chuckled. 'If she stays,' he said, 'she'll probably lose something else.'

Fagan's disappearance seemed to start a run of unexpected luck. Where, until his departure, everything had seemed gloomy and unpropitious, now things suddenly started to go right, and the following afternoon, to their surprise, their missing crates turned up—complete and undamaged, unearthed by Sammy in one of the godowns near where the *Fan-Ling* had moored—first the generator, then the lathe, then the spares and their personal luggage—and they were able to set the pupil pilots to dismantling Tsu's ancient machines and removing the engine complete from his useless Fokker, by this time known to everyone as the Wingless Wonder.

Taking out engine parts and unbolting guns, Sammy laid them on tables with dishes of oil and petrol and paraffin, and laboriously began to soak every working part and scratch off every scrap of rust with fine emery paper, carborundum powder and oil, moving the dulled metal inch by inch until it was free again.

'Against all the tenets of engineering,' Ira grinned. 'Let's hope the Chinks don't think it's what we do all the time.'

With Ira working on the Maurice Farman's Renault engine, Ellie kept watch on the Chinese, threatening them all the time with Tsu's wrath if they lost so much as a washer, while Sammy instructed as they went along.

'This here's a turnbuckle,' he said, standing importantly by the tables, with Kee to translate, his big beaky nose in the air like a lecturer. 'If I turn it this way, it tightens the wire. If I turn it the other way, it slackens it, see. We use 'em to rig the wings for flying.'

Labour was cheap and plentiful and they hoped to reap not only a harvest of minor spares from the old machines but probably also even a working engine and one or two working guns. Wang Li-Jen, the carpenter, a young-old man with empty gums, a beard and a bag full of ancient tools that resembled nothing they'd ever seen before, was a tower of strength, though it worried him that Ira and Sammy should lose face by working on the engines and covering themselves with oil.

'Not good joss. Peng Ah-Lun dirty,' he observed gravely, sounding curiously like Fagan in his disapproval. 'Peng Ah-Lun, Sha Pi-Lo stay clean. Coolie use sclewdlivah, spannah.'

Ira gave him a cigarette and tried to explain the importance of expert knowledge of aeroplane engines, feeling surprisingly warm towards the Chinese with his already stooped back and aged face and the smell of charcoal and sweat that preceded him everywhere he went like an aura.

Spring came in a sudden heady riot of cherry and almond blossom and a rise in temperature that caused the coolies to shed their heavy winter clothing.

'Spring'll be the time when the lice start moving,' Sammy commented, watching them picking at each other's heads.

They were just beginning to make visible progress when Lawn turned up, shabby and stinking of booze, his eyes sunken and his suit looking as though it had been slept in. He was broke and trembling on the brink of D.T.s.

'That bastard Geary,' he said bitterly. 'He done a bunk with me wallet and the tickets.'

'But obviously not the money for booze,' Ira said.

'It wasn't the booze,' Lawn insisted. 'It was the bleedin' students in Kenli.'

Ira stared. 'What in God's name were you doing in Kenli?' he demanded. Kenli was a hundred miles to the south, down one of the tributaries of the Yangtze, a god-forsaken place without even a proper white community.

'We got off the steamer by mistake.'

'Drunk, I suppose.'

'Not really, Mr. Penaluna. We'd had one or two, that's all, but it went without us. Then Geary disappeared with all me kit. They said he'd gone back to Shanghai. I was on me own and everywhere I went the bloody students followed me, chuckin' muck at me and shouting at me to go 'ome. They was 'avin' a riot and they 'ad placards up and were caterwaulin' all night outside the 'otel where I stayed. One of the gunboats 'ad to turn out its crew with a Vickers and patrol the river bank for the local warlord. They got a problem down there with them students. I'd 'a' gone 'ome if I'd 'ad the money.'

Lawn was in a pathetic state with trembling hands, wet lips and eyeballs like yellow marbles, and was clearly in no condition to do much work. Ira extracted a promise from him to lay off the booze for a while and set him to supervising the gangs of coolies and the student pilots working over the engines, while Ellie lectured and the tireless Sammy was released for other things.

The old Maurice Farman pusher, although little more than an aerial joke belonging to the days when they'd measured the pull of propellers with a butcher's spring balance, proved to be in a better condition than they'd thought and while it would never be of much use to General Tsu in his campaigns, at least it was a slow safe aeroplane without vices on which to train pilots.

They studied the ancient machine, grinning at the incongruous birdcage of spruce struts and booms that housed the propeller. When Ira had still admired the long-vanished Deperdussins and Santos-Dumonts, the Taubes, the Demoiselles and Antoinettes and the kite-like monstrosities that took off on trollies and landed on skids, the Farman had seemed neat, square and modern. After ten years of fabric-covered fuselages, high-performance engines and tractor-propellered biplanes, however, she looked as though she rightly belonged on the end of a string, with a tail of paper and rags.

Nevertheless, she was still in working order and for days Wang and his assistant, with his eldest son as makee-learn boy, swarmed over her, replacing damaged and splintered struts and strengtheners, repairing the stabilizers fixed to the tail booms, and the elevator which stood out in front on outriggers of wood. Considering he'd probably never seen an aeroplane in his life before he showed a remarkable aptitude for fashioning the curved spars.

'He makes this here carved screen stuff,' Sammy pointed out proudly, busy at the rigging with level, plumb-bob, templates and protractors.

Wang nodded, grinning with a mouthful of empty gums, and began to replace whole sections of splintered wood, and when a tailor appeared with his son, complete with boards and tapes and offered to make cotton summer suits for them all, Ira was just in time to catch Sammy shooing them away.

'For God's sake, grab him, don't chuck him out,' he yelled as the tailor scurried for the road. 'We need a rigger.'

And to their surprise, the tailor and his son found themselves sewing not suits but fabric on the old machine.

By this time, the maize field had been added to the airfield and the ditch between levelled, and the tireless Sammy had got the coolies filling in all the potholes and smoothing out the ruts.

There was another small army of them—each with his unseen helper who had another unseen helper for makee-learn— cooking, washing, mending and ironing with a big charcoal iron, and persisting despite all threats and warnings in using the bracing wires of the machines to hang out the wet clothes.

They slept in the tattered hangars and in the sheds at the back of the barracks, celebrating their festivals with fireworks or joss sticks, invariably on the verge of starvation so that there were always a dozen of them looking for cast-off clothing or begging potato peelings, cabbage leaves or scraps of meat.

As the days passed, they slowly began to make headway. They got the Avro repaired and tested, and Ellie's German machines serviced properly for the first time in years, though even a simple matter like moving an aircraft was a problem that drove them to a fury of frustration and left them exhausted as they tried to drive into the minds of men who had never seen an aeroplane fly and knew nothing about its construction that they could be surprisingly fragile.

The uninitiated coolies always had a tendency to climb on to the fabric of the wings where there was no step, and it was difficult to explain the technicalities in pidgin English. Twice they wheeled the old Farman back into the hangar that was now beginning to stink encouragingly of petrol fumes and hot oil and dope, before they finished it and were ready for flight.

'Maskee,' Sammy was bawling as they swung the ancient machine out. 'Makee quick! Turnee fly-machine! Chop chop! Come on, you bastards, look slippy!'

A fire had been lit at the end of the field, the coolies wafting it with their straw hats and headcloths, and the smoke blew steadily towards them in the breeze that billowed the canvas hangars and slapped them against the poles. The coolies round the old Farman stood importantly in a group, chattering noisily, eyed by their less favoured friends who were relegated to digging and levelling and repairing sheds and hangars.

Ira's mind fled back as he realized how far they'd come since the Maurice Farman had been considered an aeroplane of war, and he grinned as he gazed affectionately at the enormous box tail trembling in the breeze above his head at the end of the trellis-like fuselage. 'Can't tell the bow from the stern,' he said.

Standing in his waistcoat and huge flat cap, his sleeves rolled up, his watch-chain across his stomach, his celluloid collar stained with oil, Sammy sniggered back at him. 'Perhaps it can travel either way,' he suggested.

Ellie joined them, hugging her elbows as usual, her expression admiring and strangely excited as she stared at the ancient machine with its forest of struts and spars and its sails of floppy white fabric. Behind her, old Wang stood with his box of tools, grinning and nodding with his son.

'Looks as though you ought to sail it,' Sammy giggled. 'And all them wires!'

'You check they're all there by letting a linnet loose inside,' Ira said gravely. 'If it escapes, it isn't rigged properly.'

When they started up the elderly engine, it made a noise like a small lawn mower clitter-clattering across a lawn rather faster than normal and it made him swallow awkwardly with the nostalgia of the occasion as he saw again the rows of the ungainly machines standing underneath the poplars of northern France, their wings dripping with moisture, gaunt and grey in the mist.

'How about it, Sammy?' he said. 'I flew one of these in 1915. I wonder if I can again.'

Wang and the tailors and the coolies looked on gleefully. They had known for some time that Ira would soon make an attempt to fly the ancient contraption and there had been a great deal of washing and head-shaving and much burning of joss paper in preparation for the occasion.

'Peng Ah-Lun fly?' Wang asked with breathless anticipation and, as Ira nodded, he turned and informed the other Chinese, and the younger ones began to caper and turn cartwheels in joyous expectation, while the older men solemnly burned joss-sticks and began to set off fireworks.

'Plenchee good joss,' Wang explained earnestly. 'Debil no catch Peng Ah-Lun.'

Ira stepped over the wooden outriggers and picked his way through the wires to climb into the bath-like nacelle. Sammy watched as he lowered his goggles then he turned his vast cap back to front and, jamming it down over his ears, climbed up beside him.

'Take a good look round, Sammy,' Ira advised. 'It might be your last.'

'I think you're both cuckoo,' Ellie said.

Ira grinned and waved a hand and, under Ellie's instructions, the coolies heaved away the chocks. Wang began to hammer on an empty petrol drum and more fireworks fizzed and sparkled to propitiate the demons, and the machine moved forward, lurching from side to side, wires twanging like banjos as they slackened and tightened, all the struts, wires and the huge box tail conspiring to waltz it round in the breeze so that Ira had to work his feet violently on the rudder pedals to keep the tail into wind.

Swinging the old machine round at last, he opened the throttle and, as the lawn mower behind them whirred faster, the mass of wire, fabric and wood began to jolt forward, the draught from the propeller rippling the grass and all the coolies streaming after it in a yelling excited mob. It seemed impossible that all the various parts could remain fixed together, but with his eye on the forward elevator that sat out in front of them like a detached tea tray, and judging the speed by the noise of the lawn mower behind him, Ira pulled back on the handlebar controls and the rumbling beneath them ceased and they floated into the cloudless golden sky at forty miles an hour, balancing gingerly in the open air in what was little more than a powered box kite.

His hand clutching a strut so tightly his knuckles were white, Sammy was staring downwards like a hypnotized rabbit, then he gave a sudden yell of delight. 'We're up,' he shrieked. 'Forty miles an hour, flat out! And here I was telling Wilbur and Orville it wouldn't fly!'

Ira laughed with him at the sheer joy of flight and the excitement of heaving the ancient machine into the air.

'Say your prayers, Sammy,' he yelled. 'We've got to come down again soon. And don't fidget so bloody much. You'll have us over.'

All the instructions he'd been given ten years before rushed back into his head. Beware of stalling. Beware of spinning. Don't push the nose down too fast or you'll pull the wings off.

There were only three instruments, a rev counter, a pitôt tube and a bubble to show they were flying level, but as none of them was working he flew by the sound of the wires and the feel of the wind and the engine note, and gently eased the ancient machine round until the field appeared beneath them again.

'Here we go,' he shouted. 'We're going down. Touch wood, Sammy. There's plenty around you.'

They began their slow float downwards, the throttle back, the machine making a soft rustling sound as it sailed through the air. With the utmost gentleness, expecting the Farman to drop to pieces at any moment, Ira pulled back the handlebars, treading uncertainly on the pedals to keep the nose into wind. The front elevator rose and the noise of the wind through the wires died. Sammy was staring ahead, still hypnotized, then from directly underneath came a reassuring rumbling sound and the machine lurched. Fragments of grass flew over the lower wing as the machine came to a stop, wires twanging, the wings seeming to sag with relief.

Wang was capering and dancing with glee and giving the thumbs-up sigh he'd picked up from Sammy. '*Ding hao*, Peng Ah-Lun! You fly!'

Ellie came running towards them, her fair hair blowing, her face vital with excitement. 'You did it, Ira,' she screamed, laughing with pleasure and flinging her arms round him as he jumped down. 'You flew the goddam thing!'

'Well'—Ira was grinning with the sheer joy of achievement— 'we've got one of their aeroplanes to teach 'em on at last. The Avro makes two and the Fokker three. If we can get a second seat in the Albatross and the Aviatik off Yang we're in business.'

As they walked back, chattering noisily, to where the pupil-pilots were chirruping and dancing with excitement by the tables, they saw Captain Yang's machine being pushed out. Yang himself followed, dressed in skin-tight breeches, leather coat and helmet decorated with ribbon streamers.

Sammy stopped dead. 'Oh, Gawd,' he said. 'Who's he think he is? Richthofen?'

Yang came towards them, his head up, studying the sky. 'Not much bite in the air today,' he said as he passed. 'This climate, I guess.'

Sammy gaped at him and then at Ira. Yang was heading towards the Aviatik in a strut-like walk.

'I think our intrepid birdman's actually going to take off,' he said.

Yang was studying the sky again, under the adoring gaze of the Chinese pupils, sniffing the air like a gundog, so that Ira almost expected him to snatch a handful and test it between finger and thumb.

The clouds towards the east were building up again and the sky was full of cumulus as the Aviatik's engine was started up with an uncertain popping and banging and clouds of blue smoke. Yang climbed into the cockpit and began to wave to the pupils to remove the chocks.

'In a hurry, isn't he, Ira?' Sammy asked. 'She's hardly warm. And she's rigged like a circus tent.'

Ira was watching with narrowed eyes. He'd seen men like Yang before, self-satisfied young men who knew remarkably little, showing off before eager young men who knew nothing. 'I think Captain Yang's going to show us a thing or two,' he said, indicating the gaping pupils. 'We've stolen his thunder a bit since we arrived.'

The Aviatik was lumbering into wind now, past the old Maurice Farman which almost disintegrated in the propeller blast as the Aviatik's tail swung. There was only a short pause, then Yang opened the throttle, taking off obliquely towards the sheds, and the machine rose immediately and began to climb.

Sammy was chewing a piece of grass. 'Too steep,' he said critically. 'And his engine sounds like a bag of bloody nails, man.'

The Aviatik circled and Yang waved importantly to the pupils as he buzzed over their heads fifty feet up, heading towards the cloud banks. Against the sun, the machine was difficult to see, and even as they shaded their eyes, they heard the engine splutter, and the roar of the exhaust fade into a broken clattering. The nose of the machine dropped sickeningly.

'Don't turn back, you fool!' Ira roared instinctively.

Ahead of Yang there was a loop of the river and a few broken

99

fields, but Yang had been eager to show off his prowess and the thought of a crash-landing after such a striking take-off obviously never entered his head.

The sun glowed through the translucent wings as the old machine turned down-wind, held course for an instant, then made another short flat turn. As it came towards the sheds, however, the engine was missing badly and Yang was already losing flying speed and stalling even as he banked for his final run-in.

The nose went down with a lurch in the first turn of a spin and the machine's wing caught the edge of the shed. They saw fragments fly off in erratic arcs, then the engine caught again, and for a second it gave a scream of terror as the Aviatik disappeared, then it died in a series of diminishing pops followed by a rending crash.

There was a stunned silence and even the birds seemed to stop singing, then Ira was running as hard as he could, with Sammy, Ellie and all the Chinese following in a long string and Lawn lumbering along in the rear. As they rounded the shed, they saw the Aviatik spread on the ground, steam coming from the engine that had fallen clear of its housing, a mass of splintered spruce and shreds of yellow fabric. Yang was still in the cockpit and two or three coolies working nearby had reached him and were leaning over him when a sly flicker of flame and smoke started beneath the fuselage. With a roar a great flower of red burst from the split petrol tank and the coolies flopped back on the ground, screaming and beating at their blazing clothes.

As the flames reached Yang, he seemed to try to free himself but he didn't move from the cockpit. There were no extinguishers, no axes, nothing to pull away the wreckage, not even an ambulance. The breeze was blowing the flames into the cockpit and, still moving from time to time, he was roasted to death before their eyes.

'My God!' Ellie's face was ashen and Ira put an arm round her shoulders to turn her away.

'Poor bastard,' she whispered, her face buried in his jacket.

Sammy's epitaph was longer but more to the point. 'You shouldn't never turn back,' he said in a flat voice. 'Not if your engine cuts on take-off. It says so in the book.'

They were still shovelling up Yang's remains when Ira and Lieutenant Kee, performing the doleful task of packing up his possessions, came across his log book. It showed only fourteen hours' flying time, including instruction.

Without waiting to allow anyone to get an attack of nerves, they started work at once, but the perplexities of horizon, side-slip and engine torque were beyond the powers of Kee to interpret and even with a blackboard it was virtually impossible to explain thrust, lift and angles of attack. It seemed wiser simply to push the youngsters into the air as quickly as possible in the Avro or the Farman and hope that some of them had the same instinct for flying as Sammy, who had learned to manœuvre an aeroplane long before he'd ever opened a flying manual.

The first flights, to show them how to keep straight and hold the nose steady, did not achieve much, however, and one pupil, clearly deciding he wasn't fitted by temperament for the new element after all, left immediately on landing and was never seen again. Even on bright days the Chinese seemed to find it hard to keep their heads and on grey days the absence of a clear horizon threw them into a panic. The idea of putting on rudder to fly straight because of the twist of the rotary engine was beyond their grasp and they continued to clutch to them in flight the instruction to hold the stick back while taxi-ing as if it were set down in the writings of Confucius, so that whenever Ira took his hand off the dual control column it went back in the grip of the pupil until the machine was in danger of standing on its tail.

It was quite impossible to get his instructions across without an interpreter and explaining bank and stall was utterly beyond him. With the same Chinese word meaning half a dozen things from a pig to a prayer, according to tone, it was difficult to put over the complicated instructions needed for flying. While the few words he had picked up and the pidgin they all used were enough to get the coolies to do menial tasks on the ground, they were useless for teaching aeroplane handling and he could only throttle back and shout out the few instructions the Chinese had learned by heart.

With most of the pupils even this seemed to go in at one ear and out at the other and he had to keep landing, explaining the difficulties to Lieutenant Kee, who passed them laboriously on to the pupil, and then take off once more and do it all over again. On the second trip, the pupil usually did the opposite of what he'd done before and an inbred Oriental stubbornness seemed to prevent them from progressing. More than once, with the machine on the point of stall, Ira found the controls clutched in a state of panic in the other cockpit and had to hammer on the fuselage and shout as he kicked at the rudder bar and heaved at the joystick to stop them from killing themselves.

Although two very battered Peugeots that looked on their last legs and a thirty-hundredweight Peerless lorry that had a tendency to cast its drive-chain above a speed of ten miles an hour arrived, as Lao had promised, they were still desperately short of equipment. Nevertheless, riding to the field in the morning in a car was a great improvement on the shaggy ponies they'd obtained for themselves, which were bad-tempered and short in stride and, with the long-gowned attendant who looked after them, somehow never quite seemed the correct form of transport for twentieth-century aviators, though they had often been useful for wild races through the streets from the bars at night with cheering coolies looking on from the sidewalks. Twice the excitable Sammy had ended, shedding bottles and suddenly sobered, in the deep dry moat near the city walls, once on his own and once with his pony.

The weather remained poor and, in addition, petrol was in such short supply, flights had to be cut to a minimum; and, plagued by language difficulties, mechanical and structural failures and a still heartbreaking shortage of spare parts, the training programme limped along in sporadic fits and starts, the field at one moment a hive of activity, the next a waste land with the ageing machines all grounded with dead engines and the pupils trying to take an interest in lectures they didn't understand. Only Ellie's pupil, the English-speaking Peter Cheng, looked promising.

It was a pathetic achievement after all their efforts, but only to be expected with the difficulties they had faced. Sitting with a mug of weak Chinese tea in one of the huts, waiting for the showers and a rash of defective valve springs to die out, Ira reviewed the past weeks, trying to find a faint spark of hope. Therewasn't much to be proud of, though none of them had had much rest and there had been times when he and Sammy in particular had not left the field for days.

'We've got to get these kids off on their own soon,' he said. 'Otherwise we'll never have 'em able to shoot down Kwei's balloon.'

'Let's you and me take the Avro up, Ira,' Sammy suggested cheerfully. 'And do the job for 'em. I've got a couple of them old guns working now. I can strengthen the cockpit with a piece of plywood and make a cradle and sockets for one of 'em with iron piping.'

Ira grinned at his enthusiasm. 'You don't know the first damn thing about air-firing.'

'Soon learn.'

Ellie looked at Sammy with an expression of affection and warmth. When she didn't realize they were watching, they had often caught her staring at them with an interested, concerned gaze that was still a little puzzled.

'Maybe she's never seen anybody work hard,' Sammy had suggested. 'Fagan never does, that's a fact.'

Without Fagan near her to fret her with his thoughtlessness and irresponsibility, the tautness had gone from Ellie's face. The wide curling mouth had begun to smile more and the little crease of strain had disappeared from between her brows.

But although Fagan's absence had reduced the tension and the quarrelling, their problems hadn't diminished because it was suddenly impossible to get fresh supplies of petrol in Hwai-Yang and the stocks that Kowalski had laid in ahead of them were falling lower all the time. The Chinese compradores along the bund were all smiles and gestures, but they made no promises of producing more.

'No petlol, mastah,' they insisted. 'Velly difficult. All come in dlums. Student tlouble in south. Junks not sail.'

It was true there had been one or two sporadic outbreaks of shouting along the bund, even in Hwai-Yang, and the mat-shed roofing of the market had been set on fire, so that they had been treated to the spectacle of a company of Tsu's troops clad in brass firemen's helmets marching towards the blaze in style, swinging their arms and singing to a military band that was trying to play 'Colonel Bogey' in a braying cacophony of sound. The bucket chain they had set up, however, had become disorganized so that the full buckets had returned to the river and the empty ones to the fire, but they had seemed satisfied with their efforts and had marched away, grinning and boasting, and the demonstrations had proved to be nothing much—certainly nothing to cause river traffic to stop—and the bland inability to produce petrol only made Lao's insistent demands for progress more irksome.

He seemed to be at the airfield every day, bumping and rattling in his car towards the hangars and demanding reports and insisting that time was growing short, his handsome Manchu face tired and worried.

'Tsu's getting nervous,' Sammy said knowledgeably. 'Kwei's on the warpath.'

They turned on him at once. He always seemed to be a fountain of information that was denied to everybody else, full of news and snippets of interest that he could have obtained from no one but the coolies.

'Who says he's on the warpath?' Ellie demanded.

Sammy shrugged. 'People,' he said. 'Picked it up. Peter Cheng, Mei-Mei, Chippy Wang, the coolies.'

While everyone else in China seemed to be suffering from uncertainty and frustration, Sammy appeared to be flourishing. He had found four steel-studded solid tyres in a godown by the river and had got the old Crossley working at last—though it was still so unreliable they couldn't send it far beyond the field —and with the help of Peter Cheng had actually begun to get movement into more than one of the aged engines. It seemed possible, in fact, that eventually the Parasol might be flying alongside the Farman Longhorn.

In addition, the two old guns he'd got working were absorbing his attention in his spare time and, whenever he could obtain ammunition, he took them like new toys to the range they'd built with coolie labour and, with Lawn to instruct him and a gallery of gaping Chinese to cheer and turn somersaults at the noise, test-fired them into the sandbank, cursing like an old soldier at split cases and double-feeds.

There was an expression of bewilderment and warmth in Ellie's eyes as she watched him. She seemed to have put on a little weight in the last three weeks and the hollows in her cheeks had filled out.

'Don't you ever rest, Sammy?' she asked.

Sammy stared back at her, his face expressionless. He had always regarded Fagan as a harbinger of chaos and had never quite managed to get on with Ellie, although she had given him every encouragement.

'Earning money,' he said briskly. 'First time in me life. Good money, too. Stuffing it away like a squirrel in me cheeks, thanks to Ira.'

Even away from the airfield, he seemed delighted with everything. His association with Mei-Mei seemed to have grown warmer and he was picking up the language at a tremendous rate and could even write Chinese characters with a brush now. Often in the evening, Ira found the two of them with their heads together, Sammy rapt with attention, the girl, fragile without make-up or any affectations of dress, in plain grey cotton trousers and smock, chattering away to him in a high sing-song voice that Sammy seemed able to answer. Sammy's opinion, delivered so casually, was clearly not far from the mark. Tsu *was* growing nervous.

Yet, in spite of the occasional groups of Tsu soldiers wandering along the bund and across the Tien-An Men steps, shabby, ill-clothed and bullying, and the sampans that were stolen to ferry them across the river, there appeared to be very little military movement in the province. General Tsu seemed to be firmly established with his yamen to the north of the city, surrounded by officers, cars, women and eunuchs, counting his money and fumbling half-heartedly towards the lakes, and of Kwei there was suddenly no sign beyond cavalry patrols to the south. Only General Chiang in Canton seemed to be on the move in the whole of China, pushing his agents inexorably northwards to increase the influence of the Nationalist party and issuing threats that at any moment he was going to overthrow everyone who opposed them.

But Canton was a long way to the south and life in Hwai-Yang seemed to be established in a pattern of everlasting repairs and very little flying. Overnight almost, petrol seemed to have disappeared entirely from the province. It had always had to come up-river in forty-gallon drums, laboriously loaded on to a junk in Shanghai and as laboriously off-loaded at its destination, and in an area where transport was almost entirely ox-, horse- or man-hauled, it had always had to be carefully conserved. Getting it, even with Lao's help, had always involved a day of threats and cajoling and a great deal of squeeze, but the absence now was so marked, so complete and so final; it had finally begun to dawn on Ira that the shortage was due to a more sinister reason than the store-owners merely hanging on to it to get more squeeze.

There were one or two outbreaks of trouble along the bund and one of Tsu's soldiers was murdered by an infuriated coolie sick of his bullying. The coolie was promptly shot by a sergeant, but this time the incident provoked an angry crowd into rampaging round the city centre for two hours smashing windows. As a riot, it never quite came off and was soon put down by the Tsu soldiers, but then they heard a group of merchants had been executed for objecting to the worthless Tsu banknotes he printed in exchange for coin. They had been marched along the river bank, dressed in mourning white, followed by soldiers and a coolie with a two-handed sword, and ten minutes later the soldiers were marching away and the wailing women were pawing among the scattered rubbish for the severed heads so they could be placed in the correct coffins and the bodies sent to their ancestors without losing face.

'Trouble, Majah Ira,' Peter Cheng said shrewdly. 'Always riots and executions when warlord in danger.'

Ira looked quickly at him. Apart from the absence of petrol and the far-from-unusual riot, nothing appeared to have changed much, but there was an undoubted atmosphere of uncertainty and ill-omen about the city that evening and, feeling in his bones he ought to make preparations for whatever was coming and giving credit to the Chinese for having an instinctive nose for danger after generations of living with it, he gave instructions that no one was to go far from the field. The situation had an ominous feel about it.

It was the first indication, the first subtle suggestion, that the ridiculous pantomime in which they were involved was not merely play-acting, and that all the manoeuvring that Kwei and Tsu had been doing over the past few weeks round the Yung Ling Lakes was war. The warlords were shrewd brutal men, and foul-play had been the code of Chinese politics for a long time, but in the cottages of the peasants the revolutionary tenets from the south were beginning to take hold, and the ancient trinity of landlord, loan shark and merchant that was supported by the generals was beginning to feel the pinch of hatred even as far up-river as Hwai-Yang.

They had often heard of other warlord confrontations but they had always seemed to be resolved with an exchange of courtesies and a large number of dollars, but now there was a feeling in the air that the days when bribery could be offered were finished and that a warlord could no longer govern an entire province with his army, and its counties, cities and towns with his captains. It was the first realization that the jockeying for control that Kwei and Tsu had been conducting for half a generation could only be resolved by bloodshed and death.

In spite of the clear unease that hung over Hwai-Yang, there was no sign of trouble at the airfield, and Ellie had even started joining them every morning with Mei-Mei for breakfast. The singing they heard from her bungalow had begun to come more often and more light-heartedly when a telegram arrived to say that Fagan was on his way back.

'Oh, Gawd,' Sammy said softly, glancing at Ellie's flattened expression. 'Here comes trouble again!'

Ira handed the telegram back to Ellie and she crumpled it up without a word and, rising from the table, went silently to her own bungalow.

They were on the bund as the *Fan-Ling* was warped alongside the jetty, pushing through the hordes of Chinese waiting to greet its arrival or take passage farther up-river, the few white businessmen and the inevitable missionary. The din was deafening and the stench appalling.

Fagan was yellow and shaking as he pushed off the gangplank, and his eyes were dull, sickly and veined with red, and he walked stiffly upright as though he were terrified of leaning too far forward. There was little sign of pleasure at his return in Ellie's angry face, and her expression had lost all its relaxed vitality.

'Malaria,' he explained with a pale imitation of his crazy laugh.

'Rye,' Ellie corrected him shortly. 'You've been on a drunk. You're still hung over.'

Fagan gestured irritably. 'Hold your whist, woman,' he said. 'I'm always getting it.'

'Not that goddam often.'

Fagan was wearing a new linen suit and carrying a suitcase full of knick-knacks for them all. He hadn't forgotten even the hostile Sammy, for whom he'd brought back a new leather flying jacket to replace the old one Ira had given him two years before. For Ira he produced a watch, Swiss-made and elaborately faced.

'It's got as many dials on it as the dashboard of a Handley Page,' Ira observed with a grin.

Fagan gestured with a magnanimous expansiveness that was a little marred by the fact that it clearly set all sorts of bells and whistles going inside his head. 'It's a peace offerin', no less, me old ardent boyo,' he said. 'To show there's no ill feelin'.'

With a trembling hand he offered cigarettes all round, studied closely by the tense unimpressed Ellie, who was watching him warily and with no sign of affection.

'What's it all for?' she asked unexpectedly across the conversation. 'The only time you ever bought me candy was when you'd spent your wages on a night with a dame. Go ahead, what have you forgotten to do?'

At Ellie's words, apprehension and doubt had hit Ira like a blow in the stomach, and he forgot about the watch at once. A man like Fagan, whose promises were always worthless currency, would be just the sort to offer gifts to hide his failure.

'What about the spares?' he asked. 'Did you get 'em?'

To his surprise, Fagan nodded. 'Sure I did,' he said at once. 'All we want.'

'Where are they all?' Sammy asked shortly.

Fagan gestured airily. 'Petrol's coming up from Hong Kong by rail to Tsosiehn and down-river from there. Spares coming behind. Chap called De Sa at Tsosiehn's handling it all. Eddie Kowalski's still organizing most of 'em.'

Ira's brows came down in a grim line. 'Didn't *you* organize 'em?'

'I gave the list to Kowalski. That's what he's there for.'

Ira's brows came down in a grim line. 'In fact, then,' he said bluntly, 'you *haven't* got 'em, after all.'

Fagan's temper exploded in a shout. 'Have I not done my bloody best?' he yelled. He fished a list from his pocket and began to read from it. 'Here y'are: Dope. Paint. Turnbuckles. Gaskets. Pumps . . .'

'Never mind the goddam list, you bog Irishman,' Ellie interrupted in a harsh voice that was almost a scream. 'We know what's on it. Did you *get* 'em?'

Fagan paused and frowned, twisting before her steady contemptuous gaze like a fish on a hook. Already he seemed to have shrunk like a punctured balloon, diminished in sound, size and importance.

'Well, hell . . .' he began. Then he stopped and ground out his cigarette, not meeting their eyes. 'The parts for the Avro have got to come from Europe,' he said.

'They could have got them from Singapore or the Middle East,' Ira snapped. 'What about the other machines?'

'There was nothing at all for the German machines.' Fagan frowned again and tossed away the crushed cigarette. 'There are no bloody spares for German machines anywhere these days,' he burst out in despair.

The argument that followed seemed to go on for the rest of the morning, sickening, repetitive and depressing. By the end of it, Ellie had a bitter expression in her eyes again and she and Fagan were barely on speaking terms.

'Ach, God,' Fagan burst out, goaded into defiance by her unrelenting anger. 'Let's throw up the contracts then, woman, and go home!'

She swung round on him in a rage. 'We're not going any place, you dumb cluck,' she stormed. 'I've told you we can't afford to. What have you ever gotten together that we can live on? Where can we go? The States? We can't even afford the goddam fare!'

Fagan's resistance collapsed at last. It was obvious the trip to Shanghai had been a disaster. He had no money and was heavily in debt again, and more than ever dependent on Ellie.

'Where then, Ellie?' he said, his eyes hurt and bewildered. 'I've only got nine dollars between me and all harm.'

There was a frightened appeal in his voice that stopped her anger like a brick wall. Her fury had seemed to thrive on his evasions and defiance, but now, as he collapsed into a scared uncomprehending child of a man, she seemed to control herself with an effort and they saw her fists clench. She turned, her voice calmer.

'We'll find somewhere,' she said quietly. 'Soon as we've gathered some money together. Somewhere we can have a home and roots. It doesn't matter much, so long as we can stay still and quit moving.'

Fagan nodded and sighed. As he rose to his feet and buttoned his coat, Ellie watched him with eyes that contained a hint of compassion despite the despair. He lit a cigarette with shaking fingers.

'Jesus, Mary and Joseph intercede for me,' he said heavily. 'Me brain's slopping about in me head as if it was liquid. Why does God have it in for me so?'


When he got back to the bungalow that night Ira found Sammy and Mei-Mei sitting in wicker chairs in the garden, drinking tea from ornamental mugs like Victorian tobacco jars complete with lids. Mei-Mei had woven garlands of peonies and chrysanthemums and put them round their necks. They seemed to be having an English lesson.

'Right,' Sammy was saying briskly. 'You say "Good morning".'

She looked up at him, her face close to his. 'Me say . . .'

'No, no, no.' Sammy stopped her abruptly. 'You got to get it right: *I* say.'

'*You* say?'

'No, no. *You* say.'

Mei-Mei's brow wrinkled in perplexity. '*Me* say?'

Sammy looked up at Ira. 'Lor',' he said heavily. 'You'd be surprised how difficult it is.'

Ira was dusty and tired enough to want to go to bed early. He had spent the afternoon and evening conducting his everlasting search through the godowns along the bund for petrol and the crowds in the city had seemed restless and hostile. Swarming up the great Tien-An Men steps in a way that was not merely hurried, the coolies had been angry and agitated, and he'd seen groups of students haranguing them in the narrow alleys.

For a long time he found it difficult to go to sleep because the house servants were having a concert and were creating mayhem at the back of the bungalow with cymbals, gongs, bones and a one-stringed fiddle, and when he slipped off at last, it was only to wake with a start to the sound of voices outside the door.

Sammy put his head in. 'I think Pat Fagan and Ellie are killing each other, Ira,' he said. 'Can't you hear 'em?'

The shouting from the next bungalow brought Ira up in bed with a jerk. He listened for a moment, then he shrugged.

'I don't suppose we'll miss 'em much if they do,' he said.

They went on to the verandah, where Mei-Mei was standing, holding a kimono about her small frame, and listened to the sound of crashing household equipment from across the lawn. The noise was backgrounded by the banging of fireworks from the city instead of the usual night-time silence and somehow it seemed ominous.

'Sounds like trouble down there,' Ira said, glancing towards the river.

'If you want trouble,' Sammy grinned, 'just listen to them two across the lawn.' He indicated Fagan's houseboys huddled in a chattering group near the pond. 'They say she found out he went with a woman in Shanghai. She'll probably shoot him, Ira.'

Ira laughed. 'Let's go and help her,' he suggested.

They found Fagan in the bedroom, with his back against the wall, still wearing on his chest the remains of a plate of food Ellie had thrown at him. His cheek was marked by two long scratches as though a set of nails had been dragged across his face, and Ellie was walking up and down in front of him, wearing nothing but the briefest of slips that did nothing to hide her figure. She was swinging Fagan's Colt and was obviously not unwilling to pull the trigger. Fagan was watching her with hypnotized fear as she waved the weapon under his nose, and she showed no surprise as she saw Ira and Sammy and made no move to cover herself.

'I ought to shoot him,' she said harshly. 'Nobody would miss him.'

Ira stepped between them. 'Give it to me, Ellie,' he said, indicating the gun.

Ellie swung round on him, her eyes big and angry. 'Quit

telling me what to do,' she snapped. 'Or I might shoot *you* first.'

Ira held out his hand. 'Come on, Ellie,' he urged.

She stared at him for a long time, then he saw sudden tears spring to her eyes and she meekly handed over the gun and flung herself into a chair, crouching against the wall, her long legs doubled up under her chin, the despairing look in her eyes again.

'I ought to have shot him first and asked questions afterwards,' she said.

Ira nodded to Sammy, who gave Fagan a shove. The Irishman seemed to come to life with a start and, as he scuttled for safety, Ira pushed the door to behind them.

For a moment he stared at Ellie, then he picked up Fagan's whisky flask which stood near the bed. 'Here, Ellie,' he said, pouring out a stiff drink. 'Have a go at this.'

She took it from him and swallowed it at a gulp. She shuddered, gazing at him with tragic eyes, then, impulsively, she snatched his hand in both of hers and hung on to it as though drawing strength from his calm.

'Thanks, Ira,' she said. 'You're O.K.'

'Go to sleep, Ellie,' he urged. 'I'll keep him out of your hair till it's over.'

For a long time she held on to his hand, then, impulsively, she pulled it to her mouth and kissed it. She seemed to be making a tremendous effort to gain control of herself.

'O.K., Ira,' she said at last. 'I'm all right now. Tomorrow you won't know anything ever happened.'

He put his hand on her shoulder and felt her shiver beneath his touch. Her eyes followed him all the way to the door.

Outside, Sammy was standing on the verandah.

'Poor bloody Ellie,' Ira said, haunted by the hopeless look that was in her eyes again.

'Poor bloody Ellie be damned,' Sammy said mercilessly. 'She picked him.'

Sammy's implacable enmity irritated Ira suddenly. 'Lay off her, Sammy,' he said. 'Just for a bit, lay off her.'

Sammy glanced at him quickly, his face curious, then he nodded. 'O.K., Ira,' he said easily. 'But I'll bet that bloody Fagan didn't do a thing in Shanghai except booze. I'll believe that story about the spares when they turn up.'

Ira nodded. 'We'll keep him over in our place till it's blown over,' he suggested. 'He can sleep on the floor.'

'You'll be lucky,' Sammy said. 'He's 'opped it. Into the city.'

Ira stared over the trees. The fireworks were still exploding at intervals and he could hear faint shouts coming over the shabby roofs.

'He'll find it a bit rough down there,' he observed.

They had a drink together before they returned to their rooms, but the night was half gone and Ira hardly seemed to have fallen off again when it was daylight and he was awake, feeling he'd never been to sleep at all, his mouth gummy and his eyes gritty with sleeplessness.

The noise from the city seemed to be growing louder with daylight and he lit a cigarette and walked down to the scrap of waste ground in front of the bungalow where they parked the ancient Peugeot every night, to make sure nothing had been stolen from it. It was not unknown for mirrors, tyres and even wheels to disappear and find their way into the market, to be sold back to the original owner the following week.

Sammy appeared on the verandah dressed in a kimono and jerked his head towards the city. 'Sounds like the Rovers are playing at home,' he said.

There was no sound from the next bungalow, however, and Ira was just looking forward to a peaceful day, with Ellie sleeping off her tears and Fagan drunk somewhere in the town, when he saw one of General Tsu's Model-T Fords heading from the city towards him, bouncing and banging on the rough unmade road. The very way it was being driven alerted him at once to disaster. A door burst open as the car swayed and was snatched shut again, then it turned in front of the bungalow, the front wheels wobbling in the ruts and throwing up the dust as it stopped. Lao almost fell out into Ira's arms. For once, he looked hot and flurried.

'General Tsu wishes his air force to move at once,' he announced.

Ira tossed away his cigarette and beckoned to Sammy, who was already hurrying towards him. He knew exactly what to do and he'd been thinking over it for days, anticipating Lao's warning.

'General Tsu wishes you to go to Tsosiehn fifty miles along

113

the river,' Lao was saying. 'Nothing must be allowed to fall into the hands of General Kwei.'

'Nothing worth having will,' Ira said, his mind already working fast. 'What's happened?'

Lao was already climbing back into the car and the driver was starting the engine. He asked no questions of Ira and between them for a moment there was a mutual respect. Lao was an intelligent, able man, and Ira suspected that, despite his ignorance of aircraft, he was honest, too. He made no attempt to make the bad news more palatable.

'There has been a battle,' he said calmly. 'General Kwei had arms supplied by the Kuomintang Nationalists and General Tsu's troops have been defeated. He has already moved his yamen further west along the river.'

Ira gave him a grim look. 'What about petrol?' he asked.

Lao looked at him frankly. 'There will be no petrol in Hwai-Yang now,' he said. 'The students have made sure there will be none.'

Ira frowned, puzzled, and Lao gave him a stiff smile. 'General Chiang and his warlords have begun to fight a different kind of war,' he explained. 'They have discovered you can fight with words as well as swords. They have persuaded the students that the Kuomintang is the party to support and that they must do all they can to hamper its enemies. I'm afraid all our petrol vanished long since into the gutters or south to Kwei.'

Ira nodded. 'It's as well to know,' he commented. 'We won't waste time over it.'

Lao managed another smile, a warmer one this time. 'You have about twenty-four hours,' he said. 'General Kwei's cavalry is already heading round the lakes towards Hwai-Yang.'

( 4 )

'Well, that was short and bloody sweet,' Sammy commented as they began to throw their spares into boxes and burn what they didn't need. He was far from disturbed by the emergency. The crisis, he felt, was Tsu's, not his.

The one thing that was firmly in Ira's mind was that nothing must be abandoned that might conceivably be useful. They were so short of everything—even the simplest articles like three-quarter wood screws—he couldn't afford to leave behind a single thing he could carry away with him.

In spite of a hurried search of the bars in the city, Fagan was not to be found, so they had left Ellie at the bungalow to pack up their possessions and, as soon as they reached the airfield, had bullied the unwilling Lawn into taking the Crossley to search for him and pick up Ellie on the return journey. Then, with the aid of the Chinese pupils, they had set the coolies to crating up every single spare, every nut and bolt they possessed, every screwdriver, every scrap of fabric, dope and paint, every can, every funnel, every yard of hose. Hwai-Yang was bad enough; their next stop might be even bleaker.

Sammy seemed to be the only person on the field Ira needed to consult. He was adult and responsible despite his youth and could be relied on to do everything he was asked.

'I'm going to fly out everything that'll fly,' Ira said. 'And fly 'em as far as we can. Let's just hope the weather doesn't shut down.'

The spring storms had by no means finished and, if it rained, all their efforts would come to nothing. A downpour that wouldn't stop Kwei's troops could certainly stop aeroplanes flying. Even a high wind would be sufficient to ground the fragile Farman.

'I reckon we can get to Tsosiehn on the petrol we've got,' he went on, spreading a map on the grass. 'And I want you to take the Avro, and go ahead of us and find a field.' He drew a rough circle to the south of Tsosiehn. 'This area's off the road from Canton and Peter Cheng says it's flat enough to fly from. There's a village here near Tsosiehn—Yaochow—and you shouldn't have any difficulty identifying it. Tsosiehn's the usual Chinese river town—walls and a bloody great pagoda, the Chang-an-Chieh, right alongside the water. You ought to pick it up as soon as you get west of here. Cheng says it's so beautiful all the other pagodas in China fly through the air to fall on their knees before it. O.K.?'

'O.K.' Sammy was laconic and grave-faced. 'I'll look out for 'em at five hundred feet.'

Ira smiled. 'Take Cheng with you. There are some Tsu troops down there, so get 'em to help. As a precaution, grab some carts and have 'em waiting in case there's no petrol and we have to strip the machines when we arrive and tow 'em to safety. If you can find lorries, so much the better, and petrol better still. And get a message to this chap, De Sa, who's supposed to have Fagan's spares. Find out what he's got.'

Sammy nodded again. 'What about the machines that won't fly?'

'We salvage what we can—even off the Wingless Wonder—and burn 'em.'

'His Nibs is going to like that.'

Ira laughed. He could just imagine the Baptist General's horror when he found out they were planning to abandon the ramshackle machines he had bought at such expense. But Kwei, according to Sammy's rumours, had Russian advisers now and even if Kwei wouldn't know what to do with the old machines his advisers would. They might have engineers with them and access to enough spare parts to get them flying again, and Ira had no intention of allowing the opposition to get control of the air between Hwai-Yang and Tsosiehn. In spite of the dubious nature of Tsu's air force, it was stronger than Kwei's, which, so far as they could tell, still consisted only of a single balloon.

'He's got to like it,' he said. 'There's no alternative.'

The Crossley arrived back in the afternoon. Fagan was only half-sobered and in a bad temper and Lawn was shaking with nerves. They'd had to run from an unexpected mob of students rampaging along the bund, smashing windows and attacking any Tsu soldiers they could find.

'Ach, the pride of 'em,' Fagan jeered. 'The bounce and, Holy Mother of God, the self-importance. They're threatening to sweep away all the warlords and all the foreign gunboats. They say Tsu won't fight and the time's come to get rid of him.'

The only gleam of hope was that Lawn had learned that the petrol Fagan had ordered in Shanghai actually existed and was near Tsosiehn, on a junk whose captain had no intention of venturing any further until he knew whether Tsu or Kwei controlled the river.

'Did I not tell you?' Fagan jeered. 'Did I not offer you a look at the invoice?' He gestured towards Hwai-Yang, impatient to be off. 'We're best out of here,' he said excitedly, more than willing to shuffle off any responsibility he owed. 'Tsu's finished in this province. They're shouting down there for Kwei.'

Ira ignored his excitement and Fagan lit a cigarette quickly, his hands nervous. 'They've chopped a few more heads off,' he said, with a shrill laugh. 'But it doesn't seem to have stopped much. The chi-chi in the shipping office says the kids have all joined the Kuomintang, and a Yank gunboat's arrived to take everybody down-river who wants to go.'

Ellie stood nearby, watching Ira as though Fagan didn't exist. She was holding a suitcase and a few cushions she'd collected. They seemed an odd burden, but they seemed to represent the comfort she'd never had time to enjoy.

'Ready, Ellie?' Ira asked her.

She nodded calmly, her face expressionless, as though he'd never seen her half-naked and suicidal the night before. Only her eyes betrayed the fact that she'd been crying. 'Sure,' she said. 'Nothing to it.'

She seemed to have a gift for taking things as they came. The only thing in her life she seemed unable to handle was Fagan who, even now, couldn't resist trying to be funny.

'Been having a good blub on the way out,' he said gaily. 'She'll get over it.'

They spent the morning hoisting the generator and the lathe and the engine from the Wingless Wonder on to the thirty-hundredweight, and stacking the vices and boxes of tools and spares, the tents and the ladders and the trestles and fitter's benches, the barometers and wind-speed indicators Kowalski had sent them from Shanghai, stuffing the gaps with mattresses, sleeping bags, canvas sheets, tarpaulins, suitcases, trunks, crates and baskets.

The field was a confusion of hurrying figures and loud with the sound of hammering as crates were nailed up. Ira was just superintending the last few spares when Sammy appeared alongside him.

'Ira!' His face was tragic. 'We forgot Mei-Mei! We can't leave her behind to go on the *Fan-Ling*. If the students catch her you know what they'll do to her.'

It seemed to be standard practice in the pointless and savage little civil war that had been tearing China apart for two generations that women were mere chattels who could be dragged off, raped on the spot or simply butchered and left in the gutter. The South China daily papers that came up on the steamers were always full of harrowing details of villages that had been taken over.

'Take one of the Peugeots, Sammy,' Ira said. 'And shove her into it. She can travel on the lorry with Lawn.'

Sammy was back within an hour, with the smiling girl alongside him, clutching her birdcage and her bundle. She looked small and drab in grey cotton and, without make-up, like any girl from any provincial town anywhere in the world. To Ira she didn't seem to have understood the possibility of danger and had come merely because Sammy had asked her.

'You've explained, Sammy?'

Sammy shrugged. 'She'll go on the lorry,' he said shortly, as though he'd not found explaining easy.

The Avro took off in the early afternoon with Cheng in the passenger cockpit. It was stuffed with tools and personal belongings and there were canvas-covered shapes roped into the wing-roots. It bumped along the uneven field, the long wings swaying, the engine crackling and throwing out clouds of blue castor oil smoke, then it rose into the air over the willow-fringed river and began to head south-west.

Ira watched it growing smaller, knowing that nothing in the world would make Sammy let him down. Sammy would do exactly what he'd been told and do it properly, and he knew he could trust him as he could trust the sun and the moon to rise. But aeroplanes were pernickety things and there was no guarantee that something would not go wrong with the Mono-soupape that would throw all their plans awry.

As he turned away, he almost bumped into Wang, the carpenter. At the last moment he had decided that servicing aeroplanes had suddenly become more important to him than carving wooden screens, but he wasn't prepared to accompany them further inland without his family.

Ira threw him into one of the Peugeots before he could argue. Wang had become an asset to the little squadron and, despite the tardiness of his decision, it was well worth the risk of getting his family out of Hwai-Yang to have him with them.

They found the city in a turmoil. Stragglers from Tsu's army were busy in the streets, but there was no one in authority and they controlled only the areas where they looted. The dusty cobbles were littered with paper and fluttering pamphlets and half the shop windows were broken. In the main street the crowd was so thick they had to stop, the shaven Chinese skulls in front of them like a sea of pebbles on a beach.

There was a big placard, 'Go Home, Japanese,' wavering above the yelling crowd and they could see a little Citroën with a Japanese merchant in it, being heaved to and fro.

The Citroën went over at last and they saw the Japanese running for his life, then the mob surged round the car like water in a whirlpool, the students in the lead, ardent for anything but study, willing to have anyone hurt or maimed for an ideology, and there was a puff of smoke, a flower of crimson flame and a howl of glee. Carrying poles began to whack the remaining shop windows into showers of shining splinters, then, as the mob paused, looking for more to destroy, its eyes fell on the Peugeot, and the noise rose to a screech. 'Sha! Sha! Kill! Kill!'

Ira gave Wang a quick grin. 'Time we left,' he said.

Behind them the American gunboat was anchored in midstream and they could see hoses being operated from the decks to keep a way clear through the sampans which circled it, filled with coolies and students yelling abuse. The river bank was packed tight with Chinese rent-collectors, and landlords, all pensioners of Tsu and the objects of the crowd's dislike, all being ferried off with the missionaries in ship's boats. The sampans that waited off shore, none of them quite daring enough to come to close quarters, carried flags Ira had never seen before—red with what looked like a serrated sun on a blue field in the corner.

The American sailors on the bund, most of them young and looking like schoolboys in their white shorts and caps, were setting up a machine gun on a tripod now and the officer waved to Ira.

'This way,' he yelled over the din.

As they reversed, the back of the Peugeot hit a fruit stall that collapsed in a welter of baskets and rolling fruit, and the proprietor began to screech abuse and slammed his stick with a clang against the tonneau. A coolie joined him, bringing down his steel-tipped carrying pole on the bonnet, then another, but just as the mob surged forward to hammer the car to wreckage, it swung away and fled with howling engine and honking klaxon to safety.

'Kinda tough,' one of the sailors grinned as they took up a position behind the machine gun. 'New kinda riot.'

It was an hour before the mob moved on, hitching up its cotton pants, to wreck warehouses along the bund, an hour that Ira spent dancing with anxiety with Wang alongside the car, staring at his watch and glancing at the smoke-filled sky, knowing that in the time he was away Fagan could be doing something stupid enough to wreck his plans, or that the mob could have changed direction and headed for the airfield.

Eventually they were given the all-clear and they made their way to the back streets where Wang lived near the railway in a little hovel that was filled with smoky paraffin lamps. They brought out his family—ten of them, including a grandmother and eight children, all with their hair in elaborate tufts—and a whole pile of pots and pans, and packed them hastily into the back of the car. It was a desperate squeeze, with the excited children chirruping like a lot of young birds and Wang dealing out cuffs with both hands, but although several of them had to ride on the mudguards, Ira had no intention of leaving them behind. Wang had fallen in love with aeroplanes and if it meant taking his family to keep him, then the family would go, too.

Back at the field, they found Ellie growing uneasy and Fagan almost gibbering with impatience. The airfield coolies, scenting disaster, had departed while they'd been away, and the high-pitched chattering and laughter had gone with the creak of barrows and the clatter of picks and shovels. With one or two exceptions they hadn't ever been much use for anything but labouring and had always had a habit of doing ridiculous things like looking into petrol tanks with a cadged cigarette in their mouths, but the absence of their noise and cheerfulness made the place ominously empty.

General Tsu's motor-car entourage passed the field as they threw the last of their equipment aboard the lorry, and stopped to find out what was happening to the aeroplanes.

Ira indicated the pupils dragging the ancient Blériot and the Parasol and the wingless, engineless, gunless Fokker from the hangars and pushing them together, nose to nose. They were a shorn and dreary lot now. Propellers and rudders had been taken off, wheels had gone and the wings drooped because bracing wires and turnbuckles and even struts had been removed.

'You can tell the General,' Ira said to Lao, 'that he won't be losing anything worth while. We're going to set them on fire.'

Lao looked shaken and, when he told Tsu, the Baptist General was visibly shocked. He stood by the car, with his French wife and the little dark-eyed, grey-gowned boy clutching a violin case, and the amah who went everywhere with them, gesturing and yelling at Lao, and it required a good quarter of an hour of arguing before they could convince him that the old machines weren't worth saving. Even then he gave his consent reluctantly.

As the motorcade rattled off, trailing dust, the first of Tsu's soldiers began to straggle past the airfield on the way west. They were only a horde of undisciplined men now, holding umbrellas and parasols and even wearing boaters to protect them against the sun, slouching along with their rifles slung and most of their equipment missing. Their officers jogged by on shaggy ponies and at the end, among the rag-tag and bobtail of the army, the wives and the children and the camp followers, came the artillery—the ancient Maxim and the .75, and the battered Russian guns—and finally the ox-carts with the luggage and equipment.

'I don't give much for their chances,' Fagan grated. He had sobered up abruptly but he was nervous and irritable and he and Ellie were sparking off each other's ill-temper again.

Several of the pupil-pilots were rushing through the Bessoneaux and the wooden barracks now, yelping and whooping as they set fire to straw mattresses with torches, then they heard the 'whoof' as they put a torch to the two old aeroplanes. The two Peugeots were started and began to tick and rattle as they were lined up alongside Lawn's chain-driven Peerless and the Crossley tender, the pupils excited and yelling to each other from the tops of the crates and canvas and valises.

One or two of the less ardent had already begun to drift away on their ponies or on bicycles they'd commandeered from Kailin. They had instructions to join up again at Tsosiehn but Ira had a feeling he'd never see half of them again, and he was not unwilling to be rid of them. One of them, in fact, wearing a

Manchu gown instead of uniform, didn't even trouble to turn west but headed on his bicycle straight towards Hwai-Yang, clearly intent on joining General Kwei.

There was no point in hanging on any longer and Ira gave the signal to start engines. His eyes alert for any sign of drinking in Lawn, he helped the remaining pupils to push Mei-Mei and the Wangs on top of all the equipment. There was an immediate crisis as one of the smaller Wangs slipped out of sight between the generator and the lathe and set up a frantic screeching as if he were being boiled in oil, and they had to off-load half the equipment to get at him before they could free him.

They were ready at last and Lawn started the engine.

'Keep an eye on the cars and keep the thirty-hundredweight behind,' Ira advised. 'If the Crossley conks and you can't start it, the most important things are spares. Not tents or food or personal belongings—*or people*.'

With Wang and the pupils draped across the tails, they got the two German machines started and facing into wind, and Ira climbed into the high wicker seat of the Farman and set the throttle.

'Ding hao, Peng Ah-Lun!' Wang gave him a quick smile and heaved on the propeller. The engine fired, spluttered and stopped, and Ira's heart missed a beat. Twice it failed to start, with Fagan like a cat on hot bricks and yelling from the cockpit of the Fokker.

'For Sweet St. Paddy's sake . . . !' Though they couldn't hear a word he said over the buzzing of the engine, it was clear that he was in a froth of nervous impatience.

Ignoring him, Ira calmly instructed Wang to turn the propeller back to get compression. The second time, as he heaved, the familiar noise of the ticking lawn mower started and the pupils began to grin and chatter as the machine quivered and shook and splinters of sunlight sparkled through the propeller. With Fagan still shouting at him above the roar of his revving engine, Ira strapped himself in, working slowly and methodically, then he looked round at the field in a last check to make sure they'd forgotten nothing.

Fagan was waving his arm now and Ira could see smoke hanging over Hwai-Yang, and a stream of Chinese moving along the road towards the airfield.

He raised his hand and at once Fagan opened the throttle with a roar. The two scouts taxied to the perimeter of the field and he saw the crowd on the road come to a stop, gaping. Fagan was gesturing to him to start, and he opened the throttle cautiously. With a twanging of wires and a creaking of struts, the old machine staggered into the air and at once the two German machines, first the Fokker and then the Albatros, began to roll across the grass.

The lorry, the Crossley and the two old cars were already heading for the western perimeter of the field and immediately the crowd on the eastern fringe began to spread out like a lot of ants. The pupil who had set off on his bicycle for Hwai-Yang had thrown away his Tsu bus conductor's hat now and had turned round in front of them, waving, gesturing and pointing at the sky until his gown caught in the spokes of his bicycle and he went head-first into the ditch.

The Fokker began to climb swiftly towards the Farman and in no time had passed it and climbed above as the old machine groped its way upwards towards the west. Ahead of him, Ira could see the broad expanse of China with its tiny squares of lukewarm water intersected by dykes where women in blue cotton splashed to transplant the tender rice shoots.

The Bessoneaux were collapsing now into red ruin that sent up flying scraps of charred canvas, and the flames were roaring through the barrack huts. Outside the burning hangars, he could see the pall of smoke where they had pushed the three cannibalized machines together, and even as he watched, one of them blew up and he saw scraps of burning wood and fabric whirl upwards.

To the east, beyond Hwai-Yang, smoke was rising in long drifting spires against the flat blue of the sky, above a column of marching men. Kwei's troops would be in Hwai-Yang in an hour and at the airfield an hour later.

Sitting in his little wickerwork seat, exposed to the wind, with the wires singing and the fabric ballooning on the wide spars, Ira could see the Albatros rising and falling just beside the wing-tip and, beyond it, the Fokker with Fagan clearly irritated at having to provide an escort. The crowd had surged across the field now and was milling in a large crescent-shaped mass in front of the burning huts. Every now and then he saw a figure dart towards the flames and run back again, as though they were trying to salvage what they could.

The lorry and the Crossley and the two overburdened cars were moving steadily to safety beyond the field, and beyond them there was a little cluster of pupils on their shaggy ponies, one or two of them already turning into the fields as though they had long since given up hope of ever reaching Tsosiehn.

There was a bewildered feeling in Ira's mind as he stared down. It had been a short campaign, so swift they'd not seen a single sign of it at Kailin, and so far they'd achieved nothing. They'd got only one of General Tsu's decrepit machines into the air and not one of his pupil-pilots.

As he turned west, with the wind in his face, the old Farman rising and falling in the eddies that rose over the river, Ira wondered ruefully what would happen next.

# PART THREE

## ( 1 )

SAMMY SHAPIRO had not failed them and when, after half an hour's flying that was an exasperating chore in the frail under-powered Farman, the field at Yaochow came into view, there was a landing strip already marked off and a wood-fire smoking at one end to indicate the direction of the wind. Beneath a little clump of trees on the fringe several carts were parked near the Avro, and Ira could see a group of people standing alongside a small farm building with a curved roof from which patches of tiling were missing.

Fagan dropped like a stone as soon as the field came into view, but Ellie carefully maintained her position, giving Ira a thumbs-up sign occasionally and smiling under her goggles, then she too banked away and sank below him towards the ground, and he saw her machine moving over the huts amid the bamboo clumps of the swampy delta where thousands of white birds circled, the star-shaped shadow racing across the ground until she turned over the north end of the field to land.

Close by, where the water of the paddies reflected the sky and the threading irrigation canals stood out like veins, Tsosiehn hugged a curving loop of the river, surrounded by a brown mat of junks. It contained the usual group of dominant buildings round the centre of the town, the usual feathery willows, and alongside the water, near the huddle of coolie huts that crouched lopsidedly against the walls of the city, the Chang-an-Chieh Pagoda, a huge building with a multitude of curving roofs, rising like a tower to throw its shadow across the water.

The engine throttled back, the guy wires humming, Ira banked over a village where old men and ducks pottered by a pond fringed with drooping willows. Nearby on the road, by a grove of mulberry trees, small yellow children were driving water buffaloes to the stream, and chasing ducks and chickens with scraps of rag, and they stopped as he swooped over them and gaped upwards, crouching beside the buffaloes, their eyes wide, their mouths open at the great white buzzing box kite coming in to land.

As the machine settled and began to roll to a stop with sagging wings, Ira saw Sammy running towards him across the stubbly grass, and he knew at once that something was wrong. His features were sharp-edged with anger and his eyes were glittering with suppressed bitterness.

'Ira,' he yelled over the chittering engine, his face furious. 'Them bloody spares aren't here at all! Only the petrol! This here store-owner, De Sa, says there's only a few things like paint and dope and we can't keep aeroplanes flying on that! We need valves and spark plugs and con rods and bearings.'

For a moment Ira sat motionless, consumed by fury against Fagan, feeling the blood pulse in his temples, then he began to calm down. Fury would get them nowhere and would only lead to another monumental quarrel that would stop everything dead in its tracks.

He climbed to the ground slowly. 'At least we've got petrol,' he said. 'Can we keep going a bit longer without the spares?'

Sammy seemed to subside a little. 'A bit,' he said. 'Not long. Ira, you've got to go down to Shanghai yourself. We can't rely on anybody else.'

As they talked, Fagan appeared with Ellie. She was still wearing her helmet and leather coat in spite of the sun, and she looked furious.

'It's all taken care of,' Fagan said quickly before she could burst out in accusation. 'I'll go down to Tsosiehn for the petrol as soon as the lorry arrives.'

Ira's patience snapped. 'Never mind the bloody lorry,' he said. 'It might *not* arrive if the chain breaks. Take one of the ox-carts and go down now.'

'On an ox-cart?' Fagan looked indignant at once. 'I can't ride on a bloody ox-cart!'

'Goddam it, then,' Ellie snapped, peeling off her helmet and shaking out her hair, 'walk if it suits you better, but stop whining and go get the goddam gas.'

By the following morning, though they had neither sheds nor hangars, they were ready to start flying again.

The cars with the pupil-pilots arrived soon after daylight with the news that the lorry and the tender were on the way, then Lawn and Cheng came clattering up in the thirty-hundredweight and there was a delighted and noisy reunion between Sammy and Mei-Mei.

'The Crossley's twelve miles back,' Lawn said, his boozy red face puffed with pride. 'We made it as far as that, then she seized up. We can unload the thirty-hundredweight, though, and go back for the load and tow her in. We left the Wangs guarding her till tomorrow.'

They were full of information. They had run into Tsu's retreating troops *en route* and one of the pupils, Lieutenant Tsai, had discovered from the gay gossipy Kee that Tsu was arranging a hurried alliance with the warlord across the river and had established his line along the hills twenty miles to the east at Wukang, where he intended to make a stand. It was important that he should not lose contact with the river along which all his supplies were smuggled and he was prepared to fight to keep his grip on it. The Warlord of the South-West was worried, however, Tsai added gloomily in an aside, because it seemed that Kwei had sent an aircraft along the ridge firing at his men.

'*An aircraft?*' Ira, who had been listening with only half his attention as other things of greater urgency than Tsu's strategy occupied his mind, swung round at once, immediately concerned, and angry that this important item of news should, typically enough in this half-baked war, be left to the last. If Kwei had got hold of an aeroplane that made his own ageing contraptions out of date, he might just as well pack up and go home at once. One new fighter in the hands of a competent pilot could destroy everything on the field in ten minutes.

Tsai was nodding excitedly, his eyes full of alarm now as he saw Ira's anger. Kwei's aeroplane, he said, had appeared so unexpectedly it had sent Tsu's men pouring back out of their positions and they had had to be flogged back into line by their officers' riding whips and the flat of their swords.

'Never mind *that*!' Ira snorted. 'What *sort* of aircraft? How big? How fast? Did you see it? Did you find out?'

Tsai gestured, startled by his interest in something that seemed quite unimportant, and searched desperately for words.

'No, Mastah Ai-Lah,' he said. 'But much old. Plopeller—here.'
He pointed to his seat and made shoving gestures. 'Push.'

Ira grinned with relief. An aged birdcage of the same obsolete pusher design as the Farman, with its propeller set inside a trellis of wooden struts. Even if it were recent enough to have a great Beardmore engine to drive it along, it was still out of date and even the old Albatros had the edge on it.

As Lawn disappeared again for the Crossley, they heard an odd clanking noise along the road and swung round to see an ancient steam-driven traction engine dragging a trailer full of petrol drums. Fagan waved from the driving seat in the cabin behind the huge flywheel and pulled a cord that sent up a shrill whistle of steam.

'Good God Almighty!'

Fagan rattled across the field towards them, his disastrous trip to Shanghai forgotten, and hugely delighted with himself. 'Petrol,' he said as he puffed to a stop. 'Name of Heloïse,' he introduced. 'Pulls ten tons. Skittish as a harlot and faster than an ox-cart. Belongs to the chi-chi who runs the store. He said we could keep it.'

Ira stared at the huge hissing machine with its enormous smoke stack, firebox and steel-straked wheels, and the brass plate on the boiler—BURREL'S, THETFORD, ENGLAND.

'What the hell do we want with that?' he asked.

Fagan laughed and gestured at the pupil-pilots capering with excitement. He seemed to consider this joke he had pulled off more than made up for all his past mistakes.

'We can always use her to brew up tea,' he said. 'Or for heatin' the bath water.'

They refuelled the machines with a big tin funnel and a chamois leather Fagan had brought with him, then while Sammy changed the plugs and the oil and checked the tappets, Peter Cheng and the pupils rounded up a gang of coolies from Yaochow and set them hacking at the willows by the river to make wicker frames to support tarpaulins. Two or three tents had already been erected and, with the canned food they'd brought with them, they were ready to begin work.

In the afternoon, three more pupils straggled in, one on a pony and two on bicycles, but of the rest there was no sign.

'Well, that seems to be that,' Ira said, not without relief. If nothing else, Tsu's training programme had dwindled to manageable proportions.

In the evening, he went into Tsosiehn with Sammy and Peter Cheng to see what could be done about supplies and houses for them to live in, because Yaochow was only a straggling village of huts made of mud that could keep out neither the rains nor the rats and was no place to set up home.

Nearly a hundred miles further along the river's winding length from Shanghai and the coast, however, Tsosiehn was that hundred miles nearer to the Middle Ages, twice as feudal and a dozen times more primitive. A thousand alleyways, cut with dark slantwise shadows, darted off down the slopes from the main streets, twisting and tumbling over slime-encrusted steps polished smooth by centuries of straw-sandalled feet. Sewage and garbage were emptied into the stream from which the coolies drew their water and only oil lamps and candles burned in the homes at night. The curving old byways were full of the ancient noises of livestock, babies, gossiping women and yelling coolies, and the inevitable melody of the street vendors with their clacking blocks of wood, gongs, bells and twanging strings. The same drifting odours as Hwai-Yang, both nauseous and fragrant, assailed their nostrils, and the same overpowering stench of human filth mixed with the intoxicating aroma of spiced Chinese food.

Although it was higher up the Yangtze, the curve of the river had brought them further south, where the distant Hwo-Shan range towered snow-capped in view, and they were not surprised to find there were already a few of the new red, blue and white flags about that seemed to have preceded them from Hwai-Yang. There was also a new Chinese symbol daubed on the walls with paint and tar and whitewash that Cheng said meant Kuomintang, the new party.

The Chang-an-Chieh Pagoda dominated the city, its roofs rising tier on curving tier from the plum trees and peonies. It had been built as a tribute to Chienchiang Wang Te, the god of the river, to which it was anchored by vast rusty chains attached to buoys in midstream in case the demons should try to take it away, and it had fallen into vast and mouldering decay. Tiles were missing and the gilt was dimmed with dust, and it was cracked and overgrown, with its Buddhas toppled from their plinths. Creepers were twining over the roofs and Tsu troops were camped outside the shabby entrance, their ponies tethered to the trees, their rusty rifles stacked among the marble dragons, their fires in the gaps where the stone paving blocks had been removed.

In the streets around, the air was electric after Tsu's retreat, like the sultry atmosphere before a thunderstorm. The crowd seemed to have the Kuomintang's anti-European feeling well into their system here and the rickshaw coolies were already demanding twice as much for their rickshaws as they'd asked in Hwai-Yang. Along the bund, the students were holding a parade—and not for General Tsu—with a forest of flags and new placards that demanded the end of foreign concessions and foreign intervention in Chinese politics, and though they made no attempt to stop the car, there were shaken fists and shouts and thrown mud.

'You'd hardly say Tsu was in control, would you?' Sammy said dryly.

The storekeeper, De Sa, a Goanese, was more than willing to help but things were already difficult and likely to remain so until Tsu had properly established himself in the area. He was a swarthy little man with a precise manner and a beaming apologetic smile.

'You like my Heloïse?' he asked gaily. 'My fine Burrel's of Thetford? I buy her ten years ago. From an English engineer who builds the railway. I buy her to haul goods for my store. But the coolies begin to say she takes away their work. She breaks their rice bowls, and they form unions to stop it. They say now that we must all do as we are told, you understand. You may keep her until I need her. She works well.'

He gave them all the news, in neat precise sentences that came out almost as though they were parcelled up, wrapped and tied with pink string.

'The river is still firmly held by General Tsu,' he said. 'He will keep it that way, you understand. He needs it.'

There had been a few executions and several heads were attached to poles along the bund, guarded by soldiers with ancient yellow Japanese rifles. Several of the shops were also already being 'protected', and De Sa said that Tsu's alliance with General Choy across the river had given him sufficient confidence to apply squeeze and, following his usual procedure, to distract attention from his own failures by encouraging anti-Japanese demonstrations. Unfortunately the plan didn't appear to be working as well as usual and the students seemed to prefer to include *all* foreign devils in their dislike.

He gave them a drink and showed them round the store. It seemed to be packed with small items they could use and he said he had another store further down-river they could draw on if they wished. Then he led them to a corner beyond his desk and indicated a few boxes of assorted screws and tins of dope.

'It comes up on the railway with the petrol,' he said with a shrug. 'The name on the invoice is Fagan.'

Sammy and Ira exchanged disgusted glances, but De Sa had no time for their troubles. He was already preparing for departure to Nanking himself, and his office was full of luggage and personal belongings and burnt papers, and there was a camp bed beside the door and a razor on a suitcase.

'Keep a way clear to the river,' he advised them. 'The students all belong to the Kuomintang and Kwei's people have cut the railroad south.'

He promised to find a house for them, and offered to keep them supplied so long as the river trade was secure, but he freely admitted that he intended to bolt if the trouble grew too big.

'I have a wife and three children in Shanghai, you understand,' he said. 'I cannot afford to stay *too* long.'

They were still plagued by the problem of transport, as one of the ancient Peugeots Tsu had provided in Hwai-Yang had finally given up the ghost, and he agreed to rent them a Citroën with its tonneau rebuilt into an open truck. It was as old—probably even older—as the defunct Peugeot but the engine still worked and the wheels still went round, and De Sa said that if he had to leave they were welcome to keep it and anything else they could find in his store.

'If you don't have it, the students will,' he pointed out.

They arranged for the rest of the petrol and oil to be delivered and took with them a few maps of the area, two or three old army-issue tents dating from the Boxer Rising and several heavy wire-spoked wheels which Sammy thought might be of use in an emergency.

Outside they found a group of students with the Peugeot's bonnet open, trying to start it, and they had to throw them out before they could drive away. As they rattled on to the field at Yaochow, they saw that Lawn had returned once more and that the engine of the Crossley was already emitting clouds of blue smoke to the delight of the watching coolies and Wang's shrieking children.

'Lawn's made it,' Sammy crowed as they stopped.

Lawn waved and Ira's heart went out to him. He'd been a nuisance from the day they'd first met him and had never been very reliable, but for once he'd done all they'd asked of him and more.

He grinned at Sammy. Neither of them had ever regarded Tsu's war with Kwei as any of *their* concern, but since they were being paid to do a job, they were both trying to do it conscientiously, and he was delighted to realize that, despite the suddenness of the move from Hwai-Yang, they had hardly lost a thing worth keeping.

'Apart from spares, Sammy,' he said. 'We've got more than when we left.'

( 2 )

Within a week the airfield at Yaochow was in complete working order, with even the dilapidated farm building clear of rubbish and Wang on the roof replacing the scattered tiles. One half had been arranged as an office and the other contained a camp bed and a coloured Peking rug, for whoever stayed on duty overnight.

They got one brief glimpse of Tsu as he arrived to take over his new territory, his cavalcade of ancient cars rattling past towards the city. No one even stopped work to look at them. In the first car the Pride of the Missionaries sat with Lao, both of them stern and military in their uniforms, and in the next Madame Tsu and the amah, and Philippe Tsu, still clutching his violin case.

Ira wasn't sorry to see them continue on their way without stopping. He had more than enough to do to get the field organized. To his surprise and Fagan's noisy delight, De Sa's old traction engine proved to be a tremendous asset and, with the aid of a sheerlegs, a block and tackle and a wire strop, they found they could hoist things in and out of the lorry simply by attaching the rope to her and driving her away. She could lift huge weights with ease and for the first time Ira blessed Fagan's lunatic sense of humour.

More petrol appeared and the shelters were built, and across the field they found a huge wood-and-stone barn where they could store their supplies.

A big bungalow, all red lacquer, screens and glazed paper windows, close to the Chang-an-Chieh Pagoda, was found, Fagan and Ellie taking over one half while Ira and Sammy took over the other with Mei-Mei and a houseboy to look after them. Lawn had found himself a Chinese woman and chose to live with her at Yaochow, as far away from Ira as he could get; and Wang was established in the barn as watchman. Tents arrived for the pupil pilots and by the end of the week the flying programme had started again.

The following week, making arrangements to cover all possible events. Ira flew down to Shanghai in the Albatros. He had briefed everyone carefully, and had given Sammy an extra, more private, briefing, in which he had covered every possible emergency that might arise from the hostile movements of General Kwei, the stubborn persistence of Tsu, or the unexpected peccadilloes of Fagan. Sammy had nodded carefully, his young face grave and responsible, and Ira had felt well able to leave things in his expert hands.

He would have preferred to fly the newer Fokker but the B.M.W. was giving trouble and he had to be satisfied with the Albatros. At some point in her career, however, she'd been crash-landed and they'd never been able to true up the rigging, and the ageing Mercedes had a nasty habit of spewing oil into the slipstream so that it fogged his goggles and coated the fuselage with tiny quivering black streams. She was a roomy machine, however, and Sammy had strapped spare cans of petrol in every available space.

It was a big journey he was making alone, but they had given it considerable thought and he had decided to follow the safe route of the river where there would be plenty of Europeans and help if necessary, and he had arranged by telegraph for petrol to be available at Fanchang. At Tangtu he refuelled the machine himself with what he carried and at Nanking, not far from the crenellated walls of the city, he checked the engine, refuelled once more and refilled the empty cans, eventually touching down at Shanghai, numb with tiredness, his ears drumming from the sound of the engine and the noise of the wind, but warm with a sense of achievement. All the work he and Sammy had put in on the battered old Mercedes had paid dividends and it hadn't given him a moment's worry.

He made arrangements with an Australian engineer to look after the aeroplane and organize petrol for the return trip, and borrowed his telephone to contact Kowalski.

'Hi, Ira!' The American seemed delighted to hear his voice. 'What's it like up there?'

'Not very easy. I'm down to buy spares.'

'We'll get 'em for you. Everybody'll help. Policy down here's to help the Peking government just now and Tsu's all right. Chiang's suddenly getting too big for his boots. He's talking now of a big advance from Canton and everybody's pretending to be scared it'll be us next. It's business, of course. How're you getting on with the instructing?'

Ira laughed. 'Not so good.'

'The slopeheads don't seem to catch on, do they? Makes all this talk of China for the Chinese seem goddam silly. Nobody down here's losing any sleep over Chiang.'

Ira frowned. No one in Tsosiehn or Hwai-Yang spoke with such certainty.

He was thoughtful as he replaced the receiver and vaguely irritated as he headed for the city, but the old sensation of excitement returned as he saw the busy streets and heavy wheeled traffic of a modern metropolis again. A gunboat was swinging at anchor at Woosung, while the junks moved past like stately brown castles on the ebb tide that rolled, vast and tawny, down to the sea.

His first call was to Kowalski's office, and the American returned at once to their telephone conversation. 'Chiang'll never do it, Ira,' he said earnestly. 'Not yet. He'll be back here soon, taking refuge in the International Settlement like Sun Yat-Sen did before him. The northern warlords are forming an alliance against him and I've heard Tsu's already come to an agreement with General Choy to hold his flank until he can rebuild his armies and push south again against Kwei.'

Ira grinned at the look on Kowalski's face. Not yet. Not yet. All the treaty port white men who regularly piled their families, servants and luggage on to the steamers and sailed for the coast at the first sign of warlord trouble, all held the same view. Not yet. But Hwai-Yang was still too fresh in Ira's mind for him to be so sure and he had lived a little closer to the Chinese than most Europeans for the last few weeks and learned a great deal about Chinese politics remarkably quickly. Chiang had discovered a new way to conduct campaigns and could prove more difficult than the people on the coast dreamed.

'I don't have much faith in Tsu's alliance, Eddie,' he said slowly. 'I think the people down here are backing the wrong horse.'

Kowalski looked uncomfortable. 'Hell, Ira, the slopeheads can't do without *us*! Not yet! They're not ready for it.'

For a long time he chewed at his nails, his eyes suddenly worried, then Ira demanded information about Fagan's spares.

Kowalski laughed. 'Spares?' he said. 'He fixed no spares! He spent most of his goddam time in the Long Bar. I think half the time he was trying to make up his mind to take a boat home, only he hadn't the guts.'

It was much as Ira had expected and came as no surprise. Freed from Ellie's restrictive straightforwardness, Fagan had swept over the edge of common sense into a crazy binge that had broken things, hurt people's feelings and left him ill, sick of himself and plagued by guilt.

'Well, look,' Ira said earnestly. '*I* want help, Eddie. And I want it now.'

Kowalski wasted no more words but pushed his chair back and reached for his hat. 'Let's go,' he said shortly.

They took a taxi along the Bubbling Well Road to A. V. Roe's China agent, an energetic Scot who immediately showed his dislike of Chiang by promising everything Ira asked for and what spares he could raise for the German machines.

'They'll send 'em up from Singapore,' he promised. 'They've got a few 504s down there. I'll put 'em on one of the new motor 'unks for you.'

Ira nodded his approval and got down to signing the necessary papers, then the agent personally took them by car to a godown along the bund, a host of small stores and sheds about the city and the office of a friend of his in the Royal Navy. By the time they had finished, they had a car load of tools, paint, varnish, vacuum flasks, fire extinguishers, steel cable, files, hacksaw blades, bulbs, batteries, and even an oxy-acetylene welding outfit that Ira knew Sammy was going to crow over.

'That ought to give Chiang something to think about,' Kowalski said happily.

That evening, Kowalski produced a couple of American girls he knew and it was almost daylight when Ira, still dazed from the half-dozen frenzied parties they'd managed to attend, got back to his hotel. Almost immediately, Kowalski telephoned him. He sounded on edge.

'I've had a telegraph message,' he said. 'I'm not sure you're going to like it. Better come on over to the apartment.'

After breakfast and a shave Ira made his way to the American's apartment. Kowalski was looking a little worried, staring at a silk stocking tied to the light shade, and a balloon and various items of female attire strewn about the floor.

He jerked his head at the bedroom door. 'These dames,' he said. 'Shanghai's no place for a God-fearing Pennsylvania boy like me.'

He picked up a buff form and looked at Ira. 'You're to pick up "ironmongery" for Lao,' he said. 'It's guns, I guess. Something's happening at Tsosiehn.'

With Kowalski frowning heavily against the bright light, they boarded a ferry to Pootung and took a cab through the teeming streets. In the Chernikieff Road, where story-tellers squatted on the crowded pavements with their gongs and their bowls, and fortunes were offered with packs of cards and singing birds, Kowalski stopped the cab and climbed out.

'I guess this'll do,' he said, lighting a cigar.

They pushed through the crowds beneath the long waving tradesmen's banners of scarlet, white and gold that made every day a festival, and turned down a narrow street pulsating with the din of hundreds of voices. Outside the warehouse where Kowalski stopped was a pile of junk, with bedsteads, bathtubs, firegrates and bonnets of old cars predominating, and at the end of it a stair to what appeared to be a small dwelling tacked on, seemingly as an afterthought. Even this was encumbered with scrap iron.

There was one big room on the landing and a whole family sat inside drinking tea from cups of blue and white porcelain delicate as eggshells. There appeared to be more scrap even here, and several wooden crates.

A Chinese of extreme emaciation, with a straggly grey beard, came forward and kow-towed to Kowalski, who gestured with his cigar.

'Mr. Yip,' he said briefly. 'Ira Penulana.'

The Chinese kow-towed again and made them sit down. A girl brought them tea from a pot which had been resting in a silk-lined box. No one took any notice of them and they drank the bitter green liquid slowly. There was an advert for Three Castles cigarettes on the wall and a European calendar with a Chinese girl smiling from it.

One of the older women rose and began to iron with a heavy charcoal iron, hobbling about on crippled bound feet, and after a while, the emaciated Chinese reappeared and gestured towards a door at the end of the room.

They followed him into what appeared to be a store-room, full of cardboard boxes and wooden crates. There were a few coolies about in blue cotton, chattering as they worked.

The Chinese led them among the crates, which were marked with the names of British and American manufacturers. Most of them seemed to be half filled with shavings.

The Chinese indicated a couple of crates marked *B.S.A. Cycles, Ltd.*, and one of the coolies moved the shavings and peeled back a layer of oiled paper. There were machine guns beneath the straw, wrapped in paper and rags.

Kowalski gestured and the Chinese lifted one of the guns for Ira to see. It looked new and in good condition.

'Lewis,' the Chinese said. 'Also Spandaus.'

Ira glanced at Kowalski, puzzled. 'Tsu's asking for these a bit early, isn't he?' he said 'His pupils can't even fly yet.'

The Chinese was indicating another crate now and, inside, half hidden in the shavings, were small round objects with fins.

'Cooper bombs!' Ira's eyes flew again to the American's. 'Eddie, for God's sake, you use these for ground-strafing! Those

137

damn pupils won't be capable of that  or months—if ever. What the hell's going on?' Forebodings assailed him. Either Kwei was on the move and Tsu and Lao were screaming for help, or Fagan had gone mad.

Kowalski was nodding to the Chinese, then he turned away and, as they left the warehouse, Ira saw the coolies carrying armfuls of bicycle parts and laying them in the crates on top of the guns.

'How do you get 'em past the Customs inspectors?' he asked.

'*Fan-Ling*,' Kowalski said laconically. 'Captain'll accept bribes. Our name won't be on 'em.'

'Do all the businessmen do this?'

Kowalski ground out his cigar. '*I* do, because I'm Tsu's agent and that makes it my job. I guess there are plenty of others, though. Englishmen, too.'

Ira stared at him. 'To Chiang as well?'

'I guess so. Business is business, Ira.'


Ira was in a thoughtful mood when he took off for Nanking the following morning, his mind straying back constantly to the machine guns and the Cooper bombs and what they might mean. The Australian in charge of the field was thinking of pulling out of China with everything he possessed and he was a little cynical about Ira flying into the interior.

'What's the point? he said. 'It's no life, sport, living day to day, bar to bar, bottle to bottle. It's a cow, I reckon. A fair cow.'

Inevitably, it was Sammy who was first to greet him as he landed at Yaochow. He came slowly from where he was working over the Fokker, followed by Peter Cheng and Wang, the carpenter. After a while, Ellie appeared out of the farmhouse, followed at a distance by Fagan.

The very way Sammy walked told Ira something disastrous had happened and he knew it was connected with the machine guns and bombs he'd seen in Shanghai. Sammy never walked when he could run, and he knew that Fagan's habit, when he was not caught in some farcical misdemeanour, was to be there first, jovial, noisy and exuberant in his welcome. The very fact that he came at a distance behind the others and didn't hurry indicated he was unwilling to face Ira.

'Hello, Sammy,' Ira said as casually as he could. 'Keep 'em flying?'

Sammy nodded. He looked tired. 'Sure,' he said. 'We kept 'em flying. The Fokker got a broken ball in one of the main races and was trying to run on a square one. We can fix it, though. And Peter Cheng's nearly off and Tsai's not far behind.'

His thin bony face looked strained and somehow he seemed older suddenly. 'But if we don't get some spares soon, Ira, we're sunk,' he blurted out. 'You can't run an aeroplane on bits of string, binding tape and bent nails.'

Ira jumped to the ground and slapped his shoulder. 'They'll be up in three weeks to a month,' he said. 'Some of 'em sooner. I've got the Avro agent behind us. They're a bit scared of Chiang down there, I think.'

'Well, that's something.' Sammy's face brightened, then he frowned. 'Now we can start.'

Something turned over and dropped into the pit of Ira's stomach.

'Start what?' he asked.

Sammy turned and gestured at Fagan. 'Ask *him*,' he said flatly. 'The bastard's done it again.'

'Done what?'

'He hypnotizes himself with his own bloody visions.'

'Sammy!' Ira roared. 'For Christ's sake, what's happened?'

For once, Sammy stared at him mutinously and said nothing. Ira glanced at Ellie. Her expression was nervous, and he swung round as Fagan stopped in front of them, smiling, beyond redemption. Immediately, a wary expression appeared on the Irishman's face as he saw Ira's anger, and his eyes became shifty.

'Let's have it,' Ira said. 'What's happened?'

Fagan stopped and licked his lips before he spoke. Then he glanced at Ellie and drew a deep breath.

'Didn't you get the message?' he asked. 'The one I sent to Kowalski.'

'I got it. I guessed it was from you. What's it all about?'

Fagan gestured, grinning his unconvincing clown's grin. 'Mafeking's been relieved,' he said. 'I made a deal with the Pride of the Missionaries. I told him there was a curse on us and we'd never get his pilots trained. I suggested we stopped arsing about and did the job ourselves.'

Sammy stared at Fagan for a moment, then he turned away and walked back to the Fokker, his shoulders drooping with disgust. Fagan glanced at him and went on hurriedly, his manner nervous.

'Sure,' he said. 'It'll be easy. Tsu's going to increase all our salaries by fifty a month, with two hundred bonus for the balloon and four hundred for Kwei's plane.'

He looked uneasy as Ira remained silent, then he laughed nervously. 'An' me with me pockets flappin',' he said in a high-pitched voice, 'an' Ellie hangin' on to the purse strings.'

For a long time Ira said nothing, and there was an awkward silence while Fagan watched him uncertainly. Ellie stood just behind him, her eyes on Ira's face.

Ira drew a deep slow breath, trembling with rage. 'Did you sign anything?' he asked.

'Sure!' Fagan grinned and Ira knew he was thinking he'd got away with it. 'You'll remember it was arranged that I could, when you weren't around. The contracts are sound. Lao knew you and he got 'em drawn up properly.'

'You bloody fool!' Ira said in a low voice. 'This was never *our* affair. We could always stand on the sidelines and look on. *This* makes us part of Tsu's army, part of his goddamned war!'

Fagan stared at him for a moment then he suddenly became angry. 'Well, Sweet Sufferin' J.', he exploded, '*I*'m sick to God's green death of ferryin' Chinks round the sky.'

Ira turned away, his brows down, his mind stiff with rage. 'I think you're off your bloody rocker,' he said.

Fagan's face grew dark, and he grabbed Ira's arm. 'I'm sick of circuits and bumps,' he shouted, his temper flaring. 'This'll be like the old days.'

Ira shook off his hand angrily. 'Old days, my foot!' he snorted. 'In the old days, we had machines that would fly and guns that would shoot, and a whole blasted organization behind us to back us up.'

Fagan hesitated, unnerved by Ira's unrelenting fury, then he gestured and began to talk, fast, as though he knew he could never manage to convince. 'God, man,' he said. 'There's money to be made, and we did this sort of thing every day in France.'

Ira was walking away now and Fagan was having to shout

after him. 'He only wants us to do what Kwei's plane's doing,' he said. 'He'll pay well!'

Ira showed no sign of having heard and Fagan stumbled to silence. He glanced at Ellie standing beside him, her mouth twisted with contempt.

'Well, hell, what's wrong with that?' he asked lamely.

## ( 3 )

The warm summer rains had finished and the weather seemed set fair with high brassy suns over the flat jade greenery of the paddy fields and the darker green of camphor and mulberry. The countryside seemed to be bursting into rich new colour with the hillsides pink and white with flowers.

Colonel Lao almost lived at Yaochow because General Tsu, scared by the unexpected appearance of Kwei's aged plane over his villages at Wukang, had no intention of allowing his air force to back down on the agreement Fagan had made. Smarting under Ira's fury, Fagan became apologetic to the point of tears, then defiant and finally drunk.

'You could always quit,' Ellie pointed out flatly to Ira. 'And go home.'

Ira eyed her coldly. Whatever else his father had been, he'd been a rigid disciplinarian when it had come to lies and kept vows. Ira's head had often ached with the thumps he'd received for not telling the truth, the whole truth and nothing but the truth, or for making promises he'd only half intended to keep.

'He signed an agreement, didn't he?' he said.

Ellie shrugged. 'What's an agreement? What's a contract?'

'Precisely what it says—an agreement, a contract.'

Ellie stared at him, her grey eyes appraising. She had been on the point of pushing the argument a little further. 'The slopeheads don't expect you to keep to them,' she'd been going to say, but seeing the look in his eyes, she changed her mind.

'Yeah,' she said instead. 'Yeah, I guess you're right.'

The Lewis and the two German Spandaus turned up shortly afterwards, but they were damaged and rusty and didn't look at all like the weapons Ira had seen in the warehouse in Shanghai.

He shrugged, suddenly depressed by the whole business. 'We'd better get 'em working, Sammy,' he said. 'The bloody fool seems eager to get himself killed.'

By this time, Fagan's drunkenness and noisy defiance had changed to a desperate eagerness to do the job he'd agreed on, but he was still full of explanations and apologies, promising not to involve Ira, and swearing to the point of being a bore to take care of himself.

Ira sighed. 'If we're going to do the job,' he said to Sammy as they began to strip the weapons, 'we might as well have guns that function. Otherwise he'll only get himself knocked off and then we'll have Ellie to look after, too.'

They set to work with oil and fine emery paper and, finding a metal lathe on one of the river steamers, Sammy obtained permission through De Sa from the Chinese captain to use it for a day. The captain was distinctly uneasy about it, as he felt it would mean he had thrown in his lot with General Tsu and, with things as they were along the river, he had no wish to commit himself that far. A handful of Shanghai dollars convinced him it was worth while, however, and not long afterwards, the Fokker was in service again and equipped with an uncertain gun and a rough sight of wire, ring and bead.

With the dew still wet on the tiles of the curving roofs and the early sun burnishing the carved wood of the Chang-an-Chieh, it took off, moisture from the wet grass spraying out behind in the prop wash, and headed east to look for General Kwei's balloon.

They had struggled for days repairing and installing the damaged interrupter gear from the Wingless Wonder and bolting the single Spandau into place and checking the crude sight. Fagan had smoked cigarette after cigarette as they had worked, first full of despair and then full of an almost hysterical hope, but because of his inability with machinery unable to do much to help them.

'It's only one,' Ira said as he had finally climbed into the cockpit, his face taut from lack of sleep, 'Remember that. And there wasn't enough decent ammunition to fill the belts—only the Japanese stuff and some defective Buckingham Lao dug up. But you shouldn't have any trouble. There'll be no opposition.'

Fagan managed a shaky smile, nervous with strain. 'And no

anti-aircraft fire, either,' he said. 'No reports to make out and no explanations if it doesn't come off.'

They all stopped work and turned to watch as the little machine bumped and bucketed along the uneven ground, rising slowly over the river to circle and return over the field. The Chinese pupils stared with open-mouthed admiration as it snarled across the field, its wheels just above the grass, the sun making the wings translucent, and seeing the look on their young faces, Ira found himself remembering his own early innocence and joy in flight.

Fagan waved to them as he lifted the Fokker above the trees, then he roared up in a steep climb towards the east. Ira stared after it with Sammy, then he became aware of Ellie alongside him, her expression enigmatic.

'He'll be all right, Ellie,' he said.

He wasn't being honest with her, he knew, because Fagan was crazy enough to get himself into trouble, even in a clear sky devoid of enemies, and she was aware he wasn't telling the truth. She gave a shrug of indifference that was still touched with unhappiness, as though she couldn't ever make up her mind whether to regard Fagan as a lover or a rather stupid child.

Ira glanced again at the dwindling shape of the Fokker, suddenly conscious of the old empty sick feeling of wondering if it would come back.

'He's determined to burn this goddamned balloon,' Ellie said slowly. 'I guess he wants to prove something—that he can or that he's a man'—she shrugged—'maybe just that he can earn money.' Unpredictably, she suddenly sounded concerned for Fagan and anxious that he should succeed.

Ira gestured. 'There's not much to be afraid of, Ellie,' he pointed out. 'All he's got to do is get to it before they wind it down.'

Ellie looked at him and her mouth twisted in a wry smile. 'Sounds easy,' she said. 'Except he's not so hot.'

Fagan returned after an hour, his engine spluttering, and as he slammed the Fokker to the ground, clumsily and hurriedly, he almost hit the Farman that was circling cautiously with Ellie and Peter Cheng aboard. Taxi-ing fast and dangerously towards the farmhouse, he switched off, and as the propeller jerked to a stop, he climbed out and stood by the cockpit, fishing in his pockets for a cigarette and lighting it with the swift, jerky movements of a marionette that told them at once that something had gone wrong and that he'd not done what he'd set out to do.

'The gun,' he choked, barely able to speak for fury. 'The bloody gun jammed! I couldn't clear it.'

Sammy was clambering on to the machine already to examine the Spandau. 'Split case,' he said at once. 'This rotten ammunition Tsu gets.'

Fagan flung away his cigarette unsmoked. 'I've got to have *two* guns,' he said. 'We can't rely on one bloody weapon when it's as old as this one is.'

Ira caught Ellie's eye on Fagan, almost willing him to succeed, and he made his mind up quickly. 'We'll mount you another one,' he said quietly. 'Did you see the balloon?'

'I saw it.' Fagan was lighting another cigarette now with shaking hands. 'Ach, the self-importance of it! And divil a machine gun for miles and no sign of opposition. Then the gun jammed and I had to clear it with the cocking handle. By the time I came round for another try, it was almost on the ground, looking like a bloody hippopotamus's appendix. Then the gun stopped altogether and a cartridge case got stuck under the bottom of the control column somewhere. There I was, licked entirely and all despairin', and when I worked it free, sure, the bloody engine started sounding like someone kickin' trash-cans around.'

Sammy had unscrewed the panel from the side of the engine by this time and was peering inside. 'P'r'aps it wouldn't have,' he said bitterly, no forgiveness in his voice, 'if them spares of yours had turned up when they should.'

Fagan glared and flung his cigarette away. 'Some rat-faced bloody skunk of a comprador,' he shouted. 'I expect they got pinched on the way. I fixed 'em.'

'I believe you,' Sammy said calmly. 'Thousands wouldn't, though.'

Fagan stepped forward, his fists clenched. Sammy, in the cap, waistcoat and stiff collar that seemed to be his uniform, put up his own fists, glaring, and Ira stepped between them, giving them both a shove.

'Cut it out,' he said.

Sammy turned without a word and Ira pulled Fagan to one side. Behind them, the B.M.W. cooled, contracting with little unexpected ticks and clonks.

'Any anti-aircraft fire?' he asked.

Fagan allowed himself to be drawn away. 'No, divil a bit of it,' he muttered. 'Divil a plane. Not even a whistle of rifle-fire. If the gun had worked, I couldn't have failed.'

Ira looked at him wearily. He was making a lot of fuss, he knew, to hide the fact that he was inefficient, inexperienced and uncertain.

'You won't fail next time,' he encouraged.

Sammy lifted his head from where he was sprawled over the engine compartment and spoke over his shoulder, his face still unrelenting.

'Watch it, man,' he said. 'They say old Kwei's got a couple of Russian fliers with him now and they know what they're up to.'

Fagan turned on him at once in a rage. '*Who* says?'

Sammy eyed him coolly. 'Peter Cheng.'

'How the hell does a Slant-Eye know?'

'Because his family's still at Hwai-Yang,' Sammy pointed out, unruffled. 'He says Kwei's got new planes and that Chiang's saying that soon *all* the warlords'll belong to the Kuomintang. He's going to start moving soon and he's got the kids in Hwai-Yang telling 'em he's against the rich and that all their troubles are due to the foreigners.' He grinned maliciously. 'That's *you*, mate. They're forming unions down there and beating up anybody who won't join, and when they're organized they'll be telling *you* what to do, not the other way round. Even Kwei does as he's told because Chiang's backing him now.'

'Ach, who cares what Chiang and Tsu do? It's not *our* war.'

Sammy snorted. 'You've *made* it our bloody war,' he snapped.

Fagan glared, on the point of fighting again, and, realizing they were all in need of some sort of success, Ira made a quick decision.

'Sammy,' he said. 'You once suggested mounting a gun on the Avro. On a cradle, with a socket in the rear cockpit.'

Sammy looked round and nodded, puzzled. Ira was standing alongside him, frowning, deep in thought.

'O.K.,' he said. 'Let's do it and let's get the other Spandau on to the Fokker and a Lewis on a quadrant on the Albatros. We'll go up as a squadron and stand guard.

Sammy sat up and beamed, but Fagan threw down his cigarette again and ground it out with his heel.

'I don't need a top guard to shoot down an unarmed balloon,' he said, starting to light a third cigarette.

He looked like a bull, heavy, clumsy and past his prime, still trying to cling to some sort of pride, and Sammy's eyes were full of contempt as he gazed at him.

'Lor',' he said with a calmness that was insulting. 'You aren't half heavy on fags.'

While Fagan fussed uselessly about the Fokker and its guns, Ira took the Avro up and checked it. There was nothing very wrong with it but he needed to get away from the bickering on the ground. The fun had suddenly gone out of flying and he was growing desperately tired of Fagan. He and Ellie, both physically attractive people, only fed on each other's miseries and would have been far better separated. Away from each other, they might have survived instead of sinking slowly together, locked by their emotions and weighed down by each other's troubles.

They worked all night on the B.M.W., the full summer heat that was on them now hanging like a pall so that when the breeze dropped they sweltered, dripping sweat and slapping at the mosquitoes which headed in buzzing, pinging clouds for the lights they'd strung up in the shelters. By the second night, they had rigged a duplicate Spandau on the Fokker and a Lewis on a crude quadrant on the top wing of the Albatros. It looked odd and awkward but it worked, and they attached a cradle to the second Lewis and screwed ironpipe sockets to the side of the Avro's strengthened rear cockpit.

'It won't shoot much,' Sammy said. 'There's no room. It'll be too easy to blow the wings off.' He looked exhausted and was full of hatred for Fagan who, unable to help, had nagged incessantly about the delay. There was a lump raised by a mosquito bite on his eye and he was a little desperate-looking with fatigue.

'When are them spares coming, Ira?' he asked in a harsh

voice. 'Because if they don't come soon, we might as well shut up shop.'

His face was defiant and there was the first hesitant hint of doubt in his manner, as if he were beginning to believe that the spares Ira had promised were as dubious as Fagan's.

As he turned away, his shoulders drooping, his eyes dark-rimmed with fatigue and disappointment, Ira knew that Fagan wasn't the only one who was living on his nerves. They were all in need of a run of good luck to put backbone into them. In all the weeks they'd been in China, they'd produced nothing but failure.

The following morning at first light, the engines roared to life. Lao and General Tsu came to see them leave and waited by their car with Ellie, while Ira fussed round the others like a hen with its chickens. Sammy looked excited and eager but desperately afraid he'd do his part wrong, while Cheng was quite obviously nervous. They both looked mere children, quivering with willingness but pathetically lacking in experience.

'Listen, Sammy,' Ira was urging. 'No heroics. You don't know much and Cheng knows less and we don't take chances. If anybody comes down on us, remember all we can do is fly rings round them and pretend we're dangerous. If there's trouble, bolt for home.'

Sammy nodded, his face grave with concentration. 'O.K., Ira. I'll remember.'

Fagan was already roaring, tail-up, across the field, and as Ira swung into position, making his final cockpit check, he was climbing above the Chang-an-Chieh and swinging towards the east. The labouring Avro was heaving itself up after him and, a few moments later, Ira opened the throttle of the Albatros and sped down the field after it.

Climbing to a position behind the others, Ira looked below him at a drab landscape that seemed devoid of population. Only one small corner, where Tsosiehn occupied a bend of the Yangtze, seemed to be inhabited. The rest of the land from the river to the mountains in the north seemed empty.

The Albatros was short on revolutions and answered the controls sluggishly but Ira took up a position to the left and rear of the Fokker, which was still drawing steadily away, approving as Sammy swung into place alongside him, the Avro wavering up and down in the eddies of the air like a horse on a roundabout. Cheng, his cheeks distorted by the wind, gave him the thumbs-up sign that all was well, and an old instinct that he'd not called on for years set him glancing up into the sun.

He was flying at five thousand feet now, falling quickly behind the faster Fokker, the ageing Mercedes throwing out oil alarmingly and blurring his goggles so that he had to push them up on to his forehead to see. Although a thin mist lay in the valleys, he picked out a long string of straggling figures below, moving westwards, and for a while he stared at them, imagining them to be troops before he realized they were refugees from the fighting round Wukang.

After a while, he saw smoke from burning houses rising in a steep slanting column to the east and then, here and there below him, small scattered groups of men that he recognized as fragments of General Tsu's army in retreat.

His eyes were scanning the sky all round them now, staring into the iron glare of the sun, then he saw the Fokker banking and Fagan waving his arm and pointing, and in the distance below them, hardly discernible against the drab earth, the ugly patched shape of Kwei's balloon.

He signed to Sammy and put the Albatros into a climb, and after a moment's hesitation, he saw the Avro struggling after him. Over the rocker arms of the Mercedes, he saw the sun flash across the doped wings of the Fokker, catching the orange circle of Tsu's insignia as Fagan began a long dive, and he grinned as it occurred to him what a crazy air force it was. Here he was, an Englishman, flying a German scout armed only with a British Lewis attached to the top wing, while opposite him was a young Jew and a Chinese flying a British machine, similarly ill-armed, their weapons like his charged with indifferent Japanese ammunition, their engines firing on American petrol.

Fagan was not far from the balloon now, and tracers were springing from the ground in a cone towards him. Kwei's Russian advisers had not been long in setting up a machine gun cover for it after his first misdirected attack. Then Ira heard

Cheng's Lewis fire and, turning, saw the glitter of empty brass cartridge cases falling away through the air. Cheng was pointing and immediately beyond the Avro he spotted another machine, lower down and difficult to see against a ridge of hills. It was moving towards them with that peculiar crabwise motion of an aeroplane on a converging course and he recognized it with surprise as a Caudron, a machine which the French had stopped using ten years before.

He almost laughed out loud. China seemed full of every kind of aeronautical junk that could waddle into the sky. All things considered, General Tsu seemed to be in a good position to gain command of the air.

He pointed downwards and, pushing the stick forward, descended in a long dive, with the Avro swinging wildly in his slipstream. Fagan was above the balloon now and Ira saw the Caudron's wings flash as it swung into a dive after him. There was a glimpse of the blue circle with the serrated white centre like a sun that he'd seen on the flags in Hwai-Yang, then, as he changed direction to intercept it, he heard Fagan's guns rattle and the balloon seemed to shrivel indecently to nothing and began to drop out of sight, slowly at first then faster and faster, the flare of flame dwindling as it fell to the ground, trailing a column of smoke marked with scraps of burning fabric.

What the Caudron pilot hoped to do against the faster Fokker wasn't clear but Fagan was in a bad position, low down over the column of smoke, enjoying his triumph, and as the Albatros shot between them the Caudron jerked up in a climb and swung away, and Ira saw the startled face of the pilot.

There were a couple of sharp taps near him on the Albatros and, glancing upwards, he saw torn fabric fluttering above the centre section, but Sammy was close behind him and, across the circle of the bank, he saw the Caudron's observer swinging his gun for a shot at the Avro. Instinctively, he lifted the Albatros in a clumsy half-roll that set the wires twanging and sprayed his face with oil, and came back below the Caudron, with the Lewis pulled down on the quadrant and ready for firing.

For a second, it hung above him like a box kite in a perfect position for the kill, then the pilot, clearly deciding he needed time to work out tactics to deal with this new threat, banked steeply and dived to safety, pulling out just above the ground and heading east.

Fagan had already landed as the Albatros rolled to a stop. He had climbed from the Fokker and was standing by the farmhouse, gesticulating to Lawn and a circle of pupils and capering coolies. Ira sat for a moment after switching off, huddled in the big cockpit of the Albatros, staring at the Johannisthal works plate set on the dashboard and experiencing the old let-down feeling he'd had so often after a patrol in France, a sensation of relief and a relaxation of tension.

As he looked up, he was surprised to see Ellie alongside. She was smiling and, as he climbed from the machine, Sammy came running across and, grabbing him by the arms, began to dance round him, all his frustration and despair gone in the moment of triumph.

'I thought you had him by the tripes that time when you were underneath him, Ira,' he crowed. 'Next time we'll make no mistake.'

Fagan was strutting towards them now, his face grimed beneath his goggles from the cordite smoke where his guns had fired, a noisy mockery of a warrior home from the wars.

'Champagne tonight,' he yelled excitedly long before he'd reached them. 'There must be *somewhere* we can get the bloody stuff!'

Lao arrived soon afterwards, bringing his congratulations and a bottle of whisky which didn't hide the fact that he'd also brought a demand from Tsu that he wanted the illustrious foreign fliers to press home the victory with aid for his hard-pressed artillery. To Ira's surprise, he claimed that the alliance of the northern warlords against Chiang K'ai-Shek's growing power had finally been completed and that Tsu's agreement with General Choy across the river was at last working well.

'Old Dog-Leg Chiang is finished,' he said gaily. 'He cannot fight everyone at once.'

Fagan gestured wildly and, noisy and excited, grabbed an almost full bottle of rum Lawn had produced.

'We've won the war!' he shouted and took a gulp that was more demonstrative than wise. As usual, his triumph turned to farce at once as he collapsed in front of the pupils he'd been trying to impress, in an explosion of coughing that brought the blood to his face and tears to his eyes, and left him weak and gasping and leaning against the side of the Albatros in a daze.

'Sweet Sufferin' J.,' he said loudly as he recovered a little. 'It's a mortal sin to doctor the bloody stuff like that. What's in it?'

Lawn eyed the half-empty bottle bewildered. 'Best Jamaica rum,' he said. 'Or it *was* when *I* 'ad a swig at it.'

Fagan gestured airily, his eyes on the sniggering pupils. 'Hell,' he shouted, 'they diddled you. It's raw alcohol, to be sure.'

Watched by a frozen-faced Ellie who, now that he was safe and triumphant, no longer appeared to be concerned, he seemed unable to divest himself of his leather coat and flying helmet, the trappings of his victory, and stood near the old patched Albatros, boastful and gesticulating, going again and again over his fight.

'Lor,' into the Valley of Death,' Sammy muttered. 'You'd think that bloody balloon had been armed with whole batteries of cannon.'

It had been Fagan's intention, while he could still savour the heady taste of his victory over the balloon, to work the following day with General Tsu's artillery, but in an anti-climax that came as no surprise to anyone, he went down instead with a galloping hangover, which was not improved when his house-coolie helpfully offered him a cure from a herb doctor in the form of a brew of crystals of musk and child's urine. Even if there had been any chance of a quick recovery, the very thought of this concoction was enough to put him on his back at once and it was two days before he got off the ground again.

Even his return to the air—in the Avro, with Sammy un-willingly in the rear cockpit because of an unaccountable drop in revs in the Monosoupape that called for a mechanic aboard—was conducted with his usual flair for the melodramatic. He set off in a steep climbing turn round the Chang-an-Chieh that set Ira's teeth on edge, and threw the whole airfield into a state of nail-biting anxiety by failing to return.

Greasy from working on the oil system of the Mercedes, Ira watched the sky with Ellie and Lawn, none of them suffering from much apprehension about Kwei's air force—if the Caudron was an example of what he could put into the air even the unpredictable Fagan hadn't much to fear—but all well aware that, with his ability to make the simplest thing difficult by showing off, he could easily still do a great deal of damage to himself and to Sammy.

Six hours overdue, the Avro came back in the late afternoon just when the sun was beginning to disappear behind the pagoda. As the low hum of the Mono became audible towards Tsosiehn the hard knot of apprehension in Ira's chest melted, and eventually he saw the wide double-strutted wings coming past the Chang-an-Chieh. The Avro bumped down in a clumsy landing that put Ira's heart in his mouth, and was taxied with Fagan's usual dangerous aplomb up to the other machines to swing wildly into line, its wing-tips narrowly missing the Fokker's rudder.

Immediately, Sammy climbed out and began to take off the engine cowling.

'Bit of busted plumbing,' he said cheerfully over his shoulder. 'Fixed it with some tape and a piece of copper tube we got from one of Colonel Tong's gunners.'

Ira pushed a Gold Flake packet at them and, as Sammy lit the cigarette with greasy fingers, Fagan gestured melodramatically with the match. 'We conked,' he said loudly. 'Miles from nowhere. Thanks be to God we dodged Kwei's troops.'

Sammy put the story in perspective. 'Nothing much,' he said. 'Petrol feed. Kee came in a motor bike and sidecar with one of his men, so we left the bloke to guard the bus and went to collect the copper tube from Colonel Tong. We tried to tell him where Kwei's artillery was.'

The way Fagan lit his cigarette indicated how unsuccessful they'd been and as he grabbed Ellie's arm and began to stalk away, Sammy began to laugh.

'There was His Nibs,' he said. 'Yelling and screeching and banging away at the map where the guns were, with Kee translating and old Tong with a face like a piece of cold rice pudding, smiling his gold smile and trying to pretend he understood. But he didn't know a map from a menu and wouldn't admit he couldn't read one for fear of losing face. I thought Fagan was going to bust with rage.'

'Any ground fire?' Ira asked.

Sammy grinned. 'Only from Tsu troops. Honest, Ira, this

war's enough to make you weep blood in bucketfuls. The Boy Scouts back home could do better. Fagan says he's going to have a go with grenades tomorrow and do the job himself.'

The following morning brought a high wind that raised great clouds of yellow dust and set the birds whirling like scraps of blown paper; and, unable to fly, Fagan fashioned a home-made rack which, with Wang's assistance, he fastened clumsily underneath the Avro's fuselage. To it Lawn attached a dozen grenades with looped wires. A further wire was attached to the grenades to remove the firing pins.

'Suppose we don't pull the right string?' Sammy asked with a grin.

As the wind dropped, the Avro took off past Peter Cheng circling solemnly in the Farman; and Ira, sitting in the square coffin fuselage of the Fokker, watched uneasily as it bumped across the ground after him, half-expecting one of Fagan's home-made bombs to break free and explode under its tail.

A milky scum of cirrus had drained all the colour from the land and the ground had a drab neglected ashen look about it, but they found a battery of Kwei's artillery without difficulty near a group of wood-and-wattle buildings on the edge of a clump of trees, and Fagan immediately slammed the Avro into a steep dive that almost threw Sammy out. A fusilade of shots came up at them at once as they roared along the line of guns, the comma-tail of the Avro wagging, and following close behind, Ira saw Sammy push up his goggles and busy himself with Fagan's wires and tapes.

Unfortunately, something seemed to go wrong with the gadget and half the grenades dropped away together, to explode harmlessly in a series of flashes on a hut fifty yards from the target, and as the pieces of wood and wattle whirred away, the argument that had started in the Avro grew furious. Ira smiled as Sammy began to shout and gesticulate in disgust, then as they came round for a second try, he saw him start to beat the side of the machine in frustrated fury as the rest of the grenades dropped away in a second batch long before he was ready.

As the Avro's nose lifted, Fagan began to gesture wildly at Sammy, using both hands so that the aeroplane seemed to be flying itself, then pointing to the Lewis gun, he swept round once more, clearly determined to do as much damage as possible. The Lewis rattled briefly but they didn't appear to hit anything, then, as they banked, Sammy laboriously lifting the gun and its cradle to the opposite side of the cockpit, Fagan saw a team of ponies hauling the end gun away, and the blunt heads lifted in fright as the Avro buzzed over them. Sammy's Lewis rattled again but neither horses nor men fell, though one of the ponies seemed to have been nicked by a ricochet and started to kick its shafts to pieces.

As the Avro came round once more, Kwei's gunners were too busy quietening the frantic animal to take much notice of him and Ira found himself shaking with laughter at Sammy's desperate attempts to bring the Lewis to bear against Fagan's clumsy failure to place the Avro on the correct side of the guns. Once again, no damage was done and they flew backwards and forwards for a while humiliatingly unlethal, until the dusty fields emptied and Ira saw Sammy gesturing and pointing furiously at his empty weapon.

The argument that had started in the Avro and continued all the way home was still going on when Ira landed, but it was cut short by the arrival of Lao, his solemn face smiling with delight. Fagan, still wearing his leather coat and helmet, gave him a highly colourful and exaggerated account of what had happened and saw him off, swearing to do even better the following day.

'Bombs, me old boisterous boy,' he insisted earnestly as he closed the door of the car behind Lao. 'You've got to get us those bloody bombs I ordered.' He was showing off wildly, watched by a po-faced Sammy, and Ira laughed.

'I wouldn't have thought that one pony shot up the backside was worth the risk,' he said as Lao left. 'There aren't enough aeroplanes *or* bombs in the whole of China to do the job properly.'

Fagan's face was a mixture of anger and frustration, and Sammy grinned, unable any longer to look solemn.

'Aw, come off it, Pat, do,' he said. 'Face up to it. On today's showing, you were probably no good even dropping bags of flour in that air display of yours.'

Fagan's simmering fury exploded into an elaborate display of histrionics.

'Ach, the gay one!' he shouted at the top of his voice as he stalked away. 'The knowing one! The bloody rotten aim of him! Sure, I can do it on me own, then, with the proper tools, and divil a bit of help I'll ask, either!'

As the day progressed, however, his failure to inflict any harm began to sit heavily on his shoulders and, as he pulled his flask more frequently from his pocket, his rage changed to frustration and finally to a belief that he had signed up to fly for the wrong army.

His mood lasted only until the Cooper bombs arrived the following evening, badly packed and looking none too safe, and quivering with excitement, he gingerly picked out the best and with Lawn's help, fixed them to a rack under the wing of the Fokker. He was obviously itching to get into the air again, an indifferent flier and a worse shot, but with something in his make-up that seemed to need to create mayhem.

Sammy was standing by the Albatros as he pulled his helmet on the next morning. He was stripping down the cylinders, and dismantling the valve mechanism on the table by the machine, and had flatly insisted that flying with Fagan was a waste of time.

'He gets too bleddy excited,' he observed.

He watched Fagan climb into his seat, his expression its usual mixture of indifference, humour and contempt. Ellie stood nearby, hugging her elbows in that odd angular stance she affected, her face expressionless so that it was impossible to tell what she was thinking.

Sammy lit a paraffin-smeared cigarette and glanced at the bits and pieces of engine laid out on the table, still dripping from the wash he'd given them, then he looked at Ira, his eyes calm as though he'd considered some of the problems of life and come up with a few of the answers.

'I'm glad I'm not Pat Fagan,' he said sombrely. 'It's all right being an intrepid birdman, but *he* has to be more intrepid than anybody else. The bangs *he* makes are always a bit louder than anybody else's and the blood he spills is always a bit redder.'

His voice was full of scorn as Fagan worked the throttle of the Fokker and the machine swung round spectacularly against the weight of Lawn and the terrified coolies hanging over the tail.

He replaced his grimy cigarette in his mouth and shrugged. 'I've decided I like engines better than guns,' he said gravely. 'When someone moves the prop round and I'm standing up there, listening to the bits move—all the click-click-clicks as them bright little parts slide up against each other—*that*'s what *I* think's exciting.'

Fagan returned, with his bombs gone and elated enough to fluff his landing so that the machine stood on its nose and wrote off the propeller.

'For Christ's sake,' Sammy yelled furiously, dancing with rage. 'We haven't got all *that* many spares. You ought to know your job's to get the machine down in one piece, not show off for the bleddy pupils!'

Fagan gave his mad laugh as he dusted himself down. 'Ach, up your kilt, you mundane little man,' he said. 'You've got a soul like a pile of sand. I'm making money. I caught a regiment on the march and if I'd had a full belt of ammo, sure, I could have blown 'em all to Kingdom Come and back.'

Ellie's eyes flickered unhappily, but he grinned, delighted with himself.

'It was like knocking over toy soldiers with a shillelagh,' he boasted. 'I shot the colonel off his horse just like a rag doll.'

Ellie swung away, angular, lean and hostile. 'I don't like this goddam killing,' she said sharply. 'It isn't what we came for.'

As Fagan swung round to argue, Ira bent by the tail of the Fokker and traced with his forefinger a line of torn holes in the fabric of the fuselage.

'See that?' he asked quietly.

Fagan stopped abruptly, his shouting cut short, and turned, his face falling. He obviously hadn't realized he'd been hit.

'What did that?' he asked.

'Mice,' Sammy said.

Fagan stared at the holes for a moment then he gave a hoot of excited laughter and began to shrug them off with a blustery nonchalance that seemed forced.

'Ach,' he shouted. 'It's nothin' but a few chance shots from a Chink with a Lewis. Divil a bit to worry about.'

His excitement seemed to be building up, moving him faster and faster like a fly-wheel under its own weight and, sensing that it was getting a little out of control, Ira was half-tempted to ground him for a few days.

But he was boasting now how much money he was making, taking a pathetic pride in totting it up in front of the unimpressed Ellie, so that he decided in the end to allow him to continue a little longer, feeling partly that somehow they owed Ellie something and partly that, when Fagan was finally satisfied, he'd probably take his fortune and disappear.

They patched the holes with fabric, dope and glue, and Fagan took off again with more bombs, climbing steeply past the tower of the pagoda.

'Here we go, boys, into the Valley of Death,' Sammy said in a flat voice from his trestle alongside the Albatros. 'One day he's goin' to hit that thing.'

Fagan came back as elated as ever but it was possible now to sense a tenseness in him that hadn't been there before. There were more bullet-holes in the tailplane and the need to protect the few old machines they possessed seized Ira's mind.

'For God's sake, take it easy, Pat,' he urged. 'Kwei's supposed to have new machines from the north, and you're a bloody sight easier to replace than the Fokker.'

'Leave it to me,' Fagan said, lighting a cigarette with awkward fingers. 'I can look after meself.'

Ira wasn't so certain. 'Tsu won't mind if *you* stop one,' he pointed out. 'But he'll mind like hell if he loses a machine. And so will I.'

Fagan gestured. 'Hell, what's Kwei got?' he demanded. 'Another Caudron? I can run rings round a Caudron with a Fokker.'

Sammy looked up from the engine compartment of the Albatros. 'Cheng told me that old Caudron crashed,' he warned. 'He says Kwei's got some scouts in its place. Chiang got 'em for him.'

Fagan's smiles vanished as they always did when anyone suggested caution, and as he disappeared towards Tsosiehn with Ellie, driving the Crossley fast and dangerously as usual, Sammy stared after him, his eyes puzzled.

'Blowed if I know why he does it, Ira,' he said. '*I* know he's scared stiff, and so do you, and so does Ellie. What's he trying to prove?'

The following morning, with the last of the bombs on board, Fagan flew off into a thin band of lemon sky that hung in the east like a sword blade. He'd seemed unable to relax and his chatter to Lawn as he'd climbed into the cockpit had been brittle and shallow, as though he were simply trying to avoid thinking.

'He isn't tough, Ira,' Sammy said with a surprising show of compassion. 'You can see the nerves sticking out and vibrating like piano wires. But he likes *killing*. It does something to him. I'm glad I only blew up a cookhouse and a latrine. It stops you getting it into your system.'

While Fagan was away, Ellie's pupil, Cheng, a gentle-faced youth who looked no more than fifteen, flew his first solo. Ira stood by the farmhouse with Ellie, his hands in his pockets, smoking a cigarette, watching him, suffering every one of the tense moments the boy was living. Put your nose down before shutting off . . . the words he'd repeated again and again came automatically into his mind. . . . Keep the speed up. . . . Ease her back. . . . Back again.

Nervously, Cheng made his shaky circuit and floated the old Farman down to the ground again and, as Ira ran across to him, he found him sitting in the wicker seat, breathless, his soft girl's face dazed, his large dark eyes as joyous as Sammy's had been.

'Eyeh, Mister Ira,' he grinned, beside himself with pride. 'I fly!'

They crowded round him, pumping his hand, delighted with him, their first successful pupil. Lawn sent a coolie into Yao-chow for Hong Kong beer to celebrate, and they were all in a group with the bottles in their hands when the Fokker returned. It was behind schedule and, though no one had said anything, they had all begun to look at their watches.

Ira and Sammy were sitting on the trestle by the Albatros and after a while Ellie climbed on to the wing root, her arm round a bracing wire, the beer bottle in her hand, trying to look unconcerned. Beyond the field, the sun was still low on the horizon, shining past the Chang-an-Chieh with its frilly roofs and curving eaves.

After a minute or two, Sammy climbed down from the trestle, wiping his hands on a piece of rag and reaching for his beer. He was followed by Ira and Ellie. Lawn joined them, then Cheng and Wang, and the six of them waited, none of them saying anything, smoking and pretending not to have noticed that Fagan was late. From behind the tents came the clang of a hammer on the morning air as one of the coolies tried to beat out a dented panel, and the whining sound of a two-stringed fiddle like a courting tomcat, and the shouts of the pupil pilots in some sort of game.

After a while, with the increasing sun shining into their eyes, they heard the low-pitched hum of the B.M.W. and the tension disappeared at once.

'There 'e is,' Lawn said, pointing. 'Over the trees. Right of the Chang-an-Chieh. Low down.'

The look of unconcern had vanished from Ellie's face and Wang was crowing with pleasure, but Ira, with his longer experience, was still staring at the sky. The Fokker was flying one wing low on an uneven course past the pagoda and, with instincts honed sharp in France and not yet dimmed, he sensed that something was wrong.

His tenseness seemed to transmit itself to Sammy. 'Think he's all right, Ira?' he asked quietly.

Ira said nothing, and he noticed that Lawn and Ellie and the others were alongside him now, staring at the sky again.

The Fokker came in low over the field, and they saw at once that wires were trailing and fabric was flapping. The engine throttled back, one wing still low. Fagan making no attempt to turn the nose into wind, it came over their heads, settling fast, the engine emitting a peculiar whistle as the throttle was opened and shut.

Ira tossed aside his empty beer bottle and began to walk after it, while Sammy ran for the old Peugeot which stood near the Albatros.

The Fokker's wheels banged heavily and they fully expected Fagan to open the throttle and take off again, but there was no response from the engine and the machine bounced. A wing touched but it recovered, the puff of dust it had raised disappearing astern. Again it bounced, then it began to settle once more, veering from side to side as though Fagan was having difficulty working the rudder bar.

It came to a stop at the opposite end of the field, the propeller wash flattening the grass, and they knew at once that something was wrong because Fagan's trademark was his spectacular turns and dangerous taxi-ing. The engine died and the blur of the propeller vanished as the blades came to a stop, and Ira began to run. The Peugeot passed him, going fast, then Sammy clapped on the brakes and Ira fell inside as the engine roared again.

Fagan was still sitting in the machine as they stopped alongside. He looked pale and sick underneath the grime from the guns.

'All right?' Ira asked.

'Sure.' The crazy laugh was cracked and feeble. 'Help me out.'

There seemed to be no blood on him and for a while Ira wondered if it was a recurrence of the malaria. Then, as they helped him to the ground, just as the others panted up, he swayed slightly, his face grey.

Ira's eyes had travelled over the machine. The fabric was torn in several places round the tail plane, along the wings and round the cockpit, and wires trailed on the grass from among the fluttering fabric.

'For God's sake . . .' he began.

'They were waiting for me, I bet,' Fagan whispered in apology to Ellie.

'Did they hit you?'

Fagan managed a twisted grin at Ira that changed into a spasm of agony. 'God have mercy on me wicked soul,' he panted. 'Right up the bottom.'

( 4 )

Fagan died three days later with a bullet in the stomach, clutching his rosary and never able to say what had shot him.

The hospital to which they took him was a big brick building with curved green roofs and a peeling, painted sign over the door, FOUNDED 1896, BY THE BRITISH MISSIONARY SOCIETY. There seemed to be remarkably little equipment, however, and the Chinese doctor didn't seem very capable. All he was able to do was prescribe laudanum and sprinkle powder on cotton wool and pack it over the wound, and the swift shallow breathing stopped in the middle of the third night in a shabby room that was full of bible texts and allegorical pictures of Faith, Hope and Charity.

Whatever she felt, Ellie showed no outward sign of grief when they told her, and remained dry-eyed and frozen-faced, so that Ira found himself wondering just how much she'd loved Fagan, even if she'd ever loved him at all. He hadn't been a particularly lovable man, but perhaps there'd been something between them that Ira had never been able to see.

The Chinese merchant who owned the bungalow they'd rented refused to allow them to bring the body home because of the demons a dead foreign devil might attract and even tied a live rooster to the door to crow them away, and De Sa had to come to their assistance with a cellar at the back of his store. Fagan's dying created as many problems as his living, and his death, like his life, was ridiculous and mismanaged.

Even moving the body proved farcical. Kwei's advance at Wukang had temporarily cut off the river route south and the students were blaming the resultant shortages on Tsu. The streets were full of them, marching in a long snake along the bund, carrying pigs'-bladder balloons and torches and chanting slogans, and every time Ira and Sammy tried to get the Crossley with the coffin in it near to De Sa's store they found their way barred by screeching youngsters waving banners.

For an hour and a half they manoeuvred the tender over the few hundred yards between the hospital and the store, even going round the city and retracing their route, until their nerves were on edge with the yelling and the presence of the body behind them.

Ira stared sombrely at the coffin as they laid it on a couple of boxes in the corner of De Sa's cellar, his mind full of the ridiculous incidents in Fagan's misconducted life. It had been built by Wang in Chinese style and, painted white with the Chinese colour of mourning, it seemed gross and ugly in the corner of the basement, looking indecently new and smelling of fresh-sawn wood. It was hard to believe that the noisy, unpredictable Fagan was inside it, still and mutilated, never able again to create havoc and misery for the people who'd tried to understand him.

The weather was hot and they had to bury him the following day, in a strip of ground near the Chinese cemetery at the back of a mission church run by a red-haired, wild-eyed Welsh Baptist minister. He wasn't very willing to conduct the service because Fagan had been a Catholic, but in the end he agreed on a modified form that seemed to please Ellie.

They left Cheng in charge of the field and drove into the city in the Peugeot. It wasn't easy. Tsu seemed to be losing control of Tsosiehn as he had of Hwai-Yang, and the students were doing as they pleased. There were Chiang flags about everywhere and a few thick columns of smoke where they had set fire to buildings belonging to Tsu's supporters.

The Rev. Alwyn Rees was waiting for them at the entrance to his little stone church, which was a mixture of Welsh Baptist and Chinese stylized. The graves behind it carried Welsh and Chinese names, from that of the Rev. Daffydd Gruffydd, who had died as minister in 1894, to that of Lee Si-Chen, the child of one of the latest converts who had been drowned in the river when a sampan had been run down by a junk the week before.

De Sa turned up in his clattering little Model-T, olive-complexioned and bitter about the students. There was mud on his clothes and the back of his car was daubed with 'Go Home, Foreign Devil!' He made no reference to it, however, commenting only, 'I am a Catholic, too, you understand. Perhaps I can keep him company.'

The body arrived on the back of a mule cart surrounded by flowers, but the mules took fright at the fireworks down the street and were difficult to control, and as they turned into the cemetery one of them began to buck and the wheel of the cart slid over the edge of a drainage ditch so that the coffin almost slipped off. In the Chinese cemetery, they could see burial mounds with their paper streamers fluttering in the wind to keep away the evil spirits, and two or three blank-faced peasants in blue cotton, watching with a Taoist priest in a mitre hat and carrying a horse-hair fly-swat and prayer scroll, their heads constantly turning towards the noise of the students along the street.

'Forasmuch as it hath pleased Almighty God of His great mercy . . .' the Rev. Alwyn Rees had a harsh Welsh voice that grated on the nerves, especially as he had to raise it to make himself heard above the din in the city, and Ellie suddenly and unexpectedly began to cry. She had been so in command of herself ever since Fagan had landed, it came as a shock, and Ira moved forward and put his arm round her thin shoulders as they moved in weak sobs that were heartbreaking after her control.

As the high-pitched voice droned on, curiously lacking in feeling or emotion, it struck him as odd that Fagan whose Catholicism was probably one of the few firm things about him should be laid to rest by a Goanese Catholic; a Welsh Baptist; an American protestant; a Jew; Lawn, a Wesleyan Methodist; himself, a non-practising member of the Church of England; Mei-Mei, whose background, origin and religion was still defeating all Sammy's halting attempts to find out; and by a group of Chinese converts, pagans, and Taoist pupil-pilots wearing white scarves for mourning.

The burial seemed hurried, as though Rees was anxious to be rid of them and get to safety from the mob, and Ira remembered something that Fagan had once said. There were no reports to fill in, in this ridiculous little war in China. There was no valedictory volley over the grave either, only a hurried chanting from Rees and muttered sympathy from the mourners.

When it was over, De Sa and Mei-Mei escorted a curiously diminished Ellie to his car and drove her home. Ira and Sammy stood watching them silently. Though neither of them had ever particularly liked Fagan, the first loss in their little group had touched them deeply.

'I think she must have loved the old nailer, Ira,' Sammy said wonderingly. 'I'd never have believed it, would you?'

Ira shook his head, caught by guilt and wondering if he'd let Fagan go on trying too long. 'Perhaps I ought to have stopped him,' he said. 'I thought of doing so.'

Sammy shrugged. 'You'd never have managed it,' he said. 'He'd have felt you didn't trust him. He'd probably have shot himself or something in shame. He was potty enough.'

Ira sighed. 'Somehow,' he said slowly, 'I had a feeling Ellie wanted to see him pull it off. Perhaps she wanted him to make enough money for them to go home.' He shrugged. 'Or perhaps she just wanted the poor bastard to prove he was good at something. I don't know.'

Sammy nodded and glanced at the grave, then he bent and tossed a handful of soil on to the coffin. 'Think we ought to put up a cross or something?' he asked. 'We could get Wang to fix something.'

Ira nodded. 'We'll get that propeller he smashed and put that up. He'd like that.'

'What shall we put on it?'

'His name for a start.'

Sammy looked blank. 'What was it?'

'Something long and Irish. Padraic O'Faolain Fenoughty Fagan. I think. Something good and traditional. Ellie'll tell us.'

'Anything else?'

'Call him "captain". He was one in Tsu's army. Better put a medal or two on, as well.'

'Did he have any?'

'I don't think so, but it'd please him.'

The yelling down the road rose in volume and a few coolies ran past to join the crowd, their voices high-pitched and angry. Sammy stared at them for a moment, then his eyes fell on the open grave again.

'It'll look bloody funny,' he said. 'Just imagine some bloke coming along fifty years from now and finding a grave here right in the middle of China, with a busted propeller and Captain Padraic O'Faolain Fenoughty Fagan, D.S.O., M.C., Croix de Guerre, et cetera written all over it.'

Ira shrugged, listening to the crowd among the shabby houses of matshed and corrugated iron. 'Perhaps fifty years from now no one'll come here but Chinese,' he said.

By the time they left, the mob was breaking windows and a few Tsu soldiers had begun to appear, as though Tsu had stirred himself at last to try to regain control. They saw the Kuomintang symbols being scrubbed off the walls and, as they turned on to the bund, a group of shabby infantrymen ran up with an ancient and rusty machine gun and set it on a tripod in front of the mob surging out of the side streets like rivulets of water flowing together to make a flood.

'That'll teach 'em not to swear in church,' Sammy grinned.

The mob had come to a stop, still yelling but with its flags and placards drooping as they saw the soldiers squatting down, and the humour suddenly went from Sammy's face as he saw a sergeant work the cocking handle.

'Lor', Ira,' he said, unbelieving, 'I think the bastards are going to shoot.'

Even as he spoke, the machine gun clacked, jumping on the tripod, and as the banners and the placards began to waver and fall the screeching stopped. Almost immediately, the ancient gun jammed and the soldiers bent over it, cursing, but the crowd had disappeared abruptly, except for half a dozen flattened bundles in the road, which writhed and twitched in agony. It was all over so quickly it was hard to believe it had happened.

An officer walked forward with a revolver and as the shots roared and the writhing stopped, Sammy stared at the scene with shocked, bitter eyes.

'Christ,' he said, 'that'll help Tsu when the day of reckoning comes.'

The city was brooding and silent by the time they made their way home. There were a few aimless groups of students still about, but the soldiers moved them on every time they bunched together, whacking them in the kidneys with their gun butts and jabbing with their bayonet points. The smell of rebellion was in the air, with the acrid stink of smoke, just as it had been at Hwai-Yang.

Mei-Mei greeted them with a grave face as they arrived. Sammy glanced at Ira and, touching her hand, gave her a little push so that she moved ahead of him towards her room.

Ira found Ellie lying on her bed. She'd stopped crying and was smoking, her hand hanging loosely on the covers. She looked up as he appeared, her eyes puffed and red, then she swung her feet to the floor and crushed her cigarette into an ashtray Sammy had made her from a piston.

She managed a twisted smile that seemed to indicate suffering, bewilderment and uncertainty all at the same time. Whatever Fagan had meant to her, their lives had been involved enough together for her to be shocked by his death.

'What now?' she asked. 'Where do we go from here?'

He offered her another cigarette and lit one himself. The

defeated look in her eyes suddenly reminded him of what Sammy had said when he had first met them. 'They've got the look of doom on 'em, those two,' he had insisted. 'They'll finish us between 'em.'

He thrust the thought aside and, fishing in his pocket, produced the letter the Chinese doctor had written on his instructions.

'Death certificate, Ellie,' he said, placing it beside her hand. 'The best thing you can do is take the next steamer down to Shanghai and get the insurance paid over. I don't suppose, with Eddie looking after it, there'll be any trouble.'

'No, I guess not.'

He studied her for a second. With Fagan dead, he couldn't see any reason for her to stay in Tsosiehn. The city had little to recommend it, especially now, and he knew she'd never liked it.

'You'll be all right,' he said.

'I guess so.'

She seemed frozen inside and it wasn't easy talking to her.

'Mei-Mei'll help you get your stuff together,' he went on. 'And one of us will drive you to the steamer. Get Eddie to buy you a ticket home.'

She lifted her eyes. 'Home? Ira, my brother was killed in the war. My dad broke his neck and my mother married again. I don't even know where she is. Where *is* home, for God's sake, apart from here?'

Ira shifted uncomfortably. 'Well, just get the hell out of it, Ellie,' he said.

She looked up at him. 'Suppose I don't want to,' she said.

'Why in God's name not?'

She shrugged. 'I've gotten used to this,' she said. 'It started with Ches in 1919. Even before. It's always been hotels, other people's houses, and tents in some lousy little joint miles from nowhere. What would I do?'

'Get a job.'

'What doing?'

Her voice broke as she spoke and the way she looked at him, curiously waif-like for a moment, tore at his heart. He was at a loss what to reply.

'Flying's the only thing I can do,' she pointed out. 'The only

166

thing I've ever done. And who'd offer *me* a job flying—a woman?'

'*I* would.' Ira was being honest. Whatever her faults, she could fly an aeroplane.

She shrugged. 'Sure,' she said. '*You*. I'll go to Shanghai and I'll draw the dough. I'll make it over to us.'

Ira had just been lighting another cigarette from the old one and he lifted his eyes, staring.

'Us?'

'Yeah. Why not? You. Me. Sammy. With Eddie to look after the business end. This outfit. One day when Tsu's paid us off, maybe we'll be able to buy back the ships and start that air carrying company you've always fancied.'

'If Tsu's defeated,' Ira said bluntly, 'they'll be ours for the taking. And it may not be too long. I wouldn't give you a bent Chinese dollar for his alliance with General Choy.'

She shrugged. 'O.K., then. The dough'll be ours as capital. Does the idea appeal to you?'

Ira puffed at his cigarette for a moment, then he nodded. 'Yes,' he said. 'It appeals. It'd appeal to Sammy, too, I know.'

She gave a shaky smile and he realized he'd never seen her smile much since he'd known her.

'When Ches was killed,' she said gently, 'Pat was good to me. He cheered me up, because that came easy to him. We drank a lot together and made love. Everybody needs love, even widows.'

She paused. 'I guess he was as lousy at that, though, as he was at everything else,' she went on slowly. 'Most of the time he just made me want to weep.' She glanced up at Ira. 'There wasn't much to him, Ira, but you never find these things out till too late, I guess, and by then he needed me and I was stuck with him. You know what he used to say. "I don't know whether I inherited the airplanes with Ellie, or Ellie with the airplanes."'

Ira tossed his cigarette away, waiting. She seemed in the mood for exposing her soul.

'I'll go to Shanghai,' she said. 'But I'll come right back. I'll be part of the outfit. I'll draw a wage and do as I'm told.' She managed a twisted smile that was heartbreaking in its loneliness. 'I guess, like Pat, *you've* inherited me with the airplanes now.'

Until the *Fan-Ling* arrived on its voyage downstream, Ellie insisted on carrying on the training, and while Sammy and Ira worked on the damaged Fokker, she got Lieutenant Tsai off on his first solo. It was not as successful as that of Cheng, who was now flying circuits that were growing steadily more confident, but at least it meant that the thing for which they'd come to China was beginning at last to pay dividends. Ira's spares had finally turned up and Cheng and Tsai were growing daily more expert, while two other pupils, Lieutenants Sung and Yen, were now also approaching the point of flying alone.

Wang and Sammy patched up the Fokker while Cheng and Tsai continued their slow circuits in the Albatros, and Ira took it up at last to test the guns. He placed a group of empty drums at the end of the field and, for some time, dived on them, firing until he was satisfied. Then he put the machine into a steep climb and flew along an old canal where the patches of water reflected the sky.

At ten thousand feet, the view was immense. To the east he could see the drift of blue smoke from where Tsu had his lines. Alongside him, the linen rippling along the wings and bellying slightly in the suction above them, made him realize how fragile the machine was and how tremendous was the power of flight. What he was sitting in was nothing more than a bracing of quivering wires, wood and linen bolted to a three-ply and linen body, yet on a day like this of blue, pink and crystal, it enabled him to see for fifty miles in any direction.

This was what aeroplanes were for, he thought, not the destruction of human beings down on the earth. In this uplifting loneliness of the profound sky, flying became a different thing, the gift of the angels. Down near the ground, it was reduced to the level to which humanity reduced all its greatest boons.

He made up his mind suddenly. The sooner the killing was over and they were gone, the better. What was it Kowalski had said? Get all you can out of it, but make sure you've left a line of retreat open to the coast. Perhaps Fagan had been right to grab with both hands while it lasted.

When he landed, Sammy was waiting for him, his fingers grimy with oil, and Ira stood by the machine, his helmet and goggles in his hand.

'I didn't come out here to go to war, Sammy,' he said slowly, 'but since Fagan contracted us into Tsu's army, let's take on Kwei's air force and get some of that money out of Tsu so we can get out and start up on our own again. With Ellie's insurance and what we've earned, we'll have capital.'

Sammy nodded, his eyes enthusiastic. 'Sounds fine to me, Ira,' he said.

'You and Mei-Mei can set up home.'

Sammy's enthusiasm died unexpectedly. 'She's got to be able to speak enough English to say "I will" first,' he said. 'And she don't seem to catch on that quick, Ira.'

Ira paused, then he slapped his gloves against his leg. 'We'll start as soon as the Fokker's ready,' he said.

By the time they saw Ellie off on the steamer, the resentment that had quietened the city after the machine gunning of the students had begun to fade a little and it was beginning to come to noisy life again. Ellie, too, had recovered quickly from Fagan's death and was full of plans and ideas.

'I'll get Eddie to set up the details,' she said as she waited by the gangway, somehow a little plainer and less striking in a cheap cotton dress instead of her usual breeches and shirt. 'We'll have somewhere to put our dough then.'

She seemed so enthusiastic, even Sammy warmed to her. 'What'll we call ourselves?' she asked.

'Penaluna, Fagan and Shapiro,' Sammy said immediately.

Her laugh still had an edge on it but it was growing less forced every day. 'Sounds like an attorney's office,' she said.

Sammy grinned. 'Always did fancy having me name on a hangar wall.'

She pecked him on the cheek and picked up the old leather coat which was the only protection against the weather she seemed to possess. 'Keep 'em flying, Sammy,' she said.

Her kiss for Ira was on the mouth and it suddenly dawned on him it was more than a mere friendly gesture.

'You're a good guy, Ira,' she said quietly.

They waited through the usual ceremony of fire-crackers and gongs until the huge three-decker was in midstream. Ellie was near the stern, still waving, fragile somehow in her cheap dress and with the old leather coat and the threadbare suitcase holding her few possessions.

Ira watched her for a while, his thoughts busy. There was more to Ellie than he'd believed. He'd imagined her hard-boiled, toughened by living out of suitcases since she was a child, making her home in tents and hotels and any shabby hut on the corner of a flying field as she'd followed first her father, then Chester Putnam and then Fagan. Behind the stiff unrelenting façade she'd built in front of her, however, there was a gentler Ellie, a warmer womanly Ellie with a soft curving mouth whom not many people were privileged to see.

Sammy was studying his face, and he turned away abruptly, sensing that Sammy knew what he was thinking.

'Let's get on with the job,' he said shortly.

The news from the east and south wasn't good. The long-projected Kuomintang advance to the north was well under way at last. News travelled slowly in China but they had learned that Chiang had fifty thousand men under his command and that Changsha had fallen already and the Chiang troops had reached the border of Hupeh, hundreds of miles to the north of Canton. None of the northern warlords seemed to be co-operating with each other against them yet; although they'd long since realized their only hope was in a unified movement against the Canton troops, their greed and the mutual suspicion that existed between them prevented them from trusting each other, and nobody seemed to be siding with Tsu as had been promised. In spite of his alliance, General Choy seemed to be leaving the river flank wide open, and Tsu's attempt to stand along the ridge of hills near Wukang had been a failure, and Kwei's less corrupt organization and better backing had forced him to give up two or three villages nearer to Tsosiehn.

The Chiang flags began to appear again, and there was another parade along the bund, this time with buglers, determinedly off key and flat, and coolies screeching and cheering in unison and chanting the Sun Yat-Sen slogans they'd been taught by the students.

There was no shooting this time, because the students had outposts down the streets and by the time the Tsu soldiers came clanking up with their machine gun the crowd had dispersed, and nothing much was done in the way of reprisal, except that two elderly half-witted coolies later appeared on the bund, their hands tied behind them, and knelt down to be shot in the back of the head by a scruffy-looking Tsu sergeant with a big German revolver that threw them a yard forward on to their faces.

Tsu's hold on Tsosiehn was still shaky and only a big victory could save him. Lao appeared on the airfield again.

'We have paid for action,' he said. 'We are prepared to pay again for action.'

Ira grinned at him. 'Colonel Lao,' he said. 'You're going to get so much damned action, it'll break the bank. Tell General Tsu to get his money boxes open. I'm after some of that gold he carries around. No cheques. No Tsu money. Shanghai, Mexican or American dollars only.'

He took off fast and lifted the Fokker in a steep turn past the Chang-an-Chieh towards the east. Almost as soon as he had passed over Tsu's encampments, he saw a regiment of soldiers moving west towards Tsosiehn and he roared down towards them, his eyes narrow, his face grim, his guns clack-clacking, smoke and the smell of cordite streaking back. He saw the line crumple as men dived for the ditches, and a colonel waving his sword in fury at the aeroplane leapt from the saddle and bolted for safety.

Twice he climbed into the sky, waiting for the column to re-form, then fell down in a steep dive with his guns shaking and saw the column disperse and finally begin to straggle back towards Kwai-Yang.

As he roared up a third time, he saw a group of carts heading towards Wukang and he circled, high in the air, anxious not to draw attention to himself until he'd established that they were Kwei soldiers carrying ammunition or supplies.

Faces turned up towards him as he roared down from the rear and he saw the drivers whipping the trotting ponies into a gallop, the waggons rolling and bouncing along the uneven road behind them. As the guns clattered, the ponies pulling the first cart went over, and the vehicle, under its own momentum, piled on top of them in a terrible heap of kicking legs and scattered boxes. The second waggon, rattling along close behind, swerved and overturned, wheels spinning, and the third

171

crashed into that in a tangle of crippled animals and cursing men.

Back at Tsosiehn, he climbed from the machine and lit a cigarette without speaking. Sammy watched him, saying nothing, wiping the oil off the engine with a rag.

'All right, Ira?' he asked quietly after a while.

Ira studied his cigarette, his face expressionless, then he nodded. 'All right, Sammy,' he said.

'Don't go and break your neck, Ira.'

Ira's grim mood persisted. 'Would it matter much, Sammy?' he asked.

Sammy frowned and blinked quickly. 'It would to me,' he said hotly.

Ira looked up. Sammy was staring at him, his face serious. 'Would it, Sammy?'

'You know bleddy well it would,' Sammy blurted out.

Ira grinned unexpectedly. 'I didn't know you cared, Sammy,' he said. 'Give us a kiss.'

Sammy stared at him, startled, then he took a swing at him with the oily rag and the tenseness passed.

'I'm going to write out a report, Sammy,' Ira said as he began to walk to the office, his arm over Sammy's shoulder. 'You can take it over to Lao and bring the money back with you. And while I'm doing that, let's have the machine refuelled and rearmed and I'll get off again. I'll take Cheng this time. He's good enough now and it'll give him confidence. He can sit up above and watch. He'll have to do it himself before long.'

The Fokker took off again, with the Albatros trailing doubtfully behind, and as soon as they had passed Tsu's villages, machine gun fire came up at them. Signalling to Cheng to stay where he was out of range, Ira went down in a shallow dive. Beyond the exhaust manifold and the blur of the propeller, he could see a speckled group of unidentifiable moving objects among the buildings changing to soldiers blazing away at him with rifles, then he caught sight of a machine gun among the ruins and banked towards it. Bullets came up at him and he climbed away, skidding and turning for a better look, gravity driving the seat against his back and draining the blood from his cheeks.

He spotted a second machine gun on a house with a green

172

roof and decided to approach from the opposite side where the trees at the end of the village would hide him. Climbing away, keeping his eyes on the house with the green roof, he banked beyond the village and came roaring back from the east. Almost at once, it seemed, the machine gun was ahead of him with the frightened gunners turning to stare over their shoulders. He dipped the nose in a steep dive and pressed the trigger. Tiles flew into the air in splinters and the gun swung slowly on its own, untended, then almost at once he saw the first gun again, alongside what appeared to be a pigsty.

The Kwei soldiers were changing the ammunition pan but as they saw him coming they slammed it home and swung the gun round and he saw the yellow flashes at the muzzle. Diving more steeply, he pressed the trigger with one hand and with the other lifted the nose slightly to bring his sights to bear. It was quicker to aim a moving gun than to manoeuvre an aeroplane and tracers flashed past his head and he saw splinters fly off the centre section struts. As he fired, he saw dust filling the pigsty and chips flying off the stone wall, and men in dark green uniforms diving for shelter.

He picked up Cheng above the village and they turned west towards Tsosiehn, shooting up a group of sampans loaded with Kwei soldiers who were crossing the river. There was no sign of General Choy's troops and he dived repeatedly, flattening the reeds and stirring the surface of the water with his fire until the sampans were empty or overturned and the Kwei soldiers were hidden in the swampy marshland under a circling cloud of scared white birds.

At Tsosiehn, Lao was waiting on the airfield for them with Kee. Ira jumped down from the plane, his face marked below his goggles where the burnt cordite had blown back on him.

'Tell Tsu he'll be paying out again tonight,' he said.

Lao's face was unsmiling. 'General Tsu is grateful,' he said. 'He is pleased that the illustrious British airmen are doing so well. However . . .' He paused and Ira looked up sharply.

Lao seemed to be searching for words and even managed to look faintly apologetic. 'General Tsu feels the time has now come,' he continued slowly, 'when his *own* airmen should take part in the fighting. He requests, therefore, that you should return to instructing and that his machines should be placed at the disposal of his best pupils.'

Ira stared at him for a second and glanced at Cheng. Then he shrugged and gave a short bark of laughter. Paying out was beginning to hurt already.

'O.K.,' he said crisply. 'I'll get Cheng and Tsai on it at once, and God help 'em both.'

( 5 )

Cheng's first offensive patrol was an undistinguished affair in which neither he nor Tsai seemed to know what to do. Cheng was a little scared of the speedy Fokker after the old box-kite Farman and Tsai in the Albatros seemed to have the greatest difficulty even in keeping station.

Ira followed them in the Avro, trying to give them confidence but now cynically indifferent to whether Tsu's plans succeeded or not. It hadn't taken long for the Baptist General—Pride of the Missionaries and Warlord of the South-West—to back out of his agreements when money was involved. He clearly wasn't in the fighting for any patriotic motive and if he could save a few hundred silver dollars by risking the neck of an inexperienced boy instead of an old hand blooded ten years before in a bigger war he was going to.

At Ningyan, where Kwei's troops were making life miserable for the peasants, Cheng went down in a steep dive, Tsai following in a wavering glide behind. There seemed to be no machine-gun fire coming up at them but Cheng didn't appear to be doing much damage either. He killed a horse in a cart but it appeared to belong to a peasant and not to Kwei's army, and Tsai, with his single Lewis on the upper wing, was able to do no more than fly a wavering line backwards and forwards above him.

From then on, with Ira pouring out his experience and advice every morning for no other reason than to give the two boys enough confidence to stay alive, three uncertain patrols a day were flown. Judging by the number of times Lao arrived on the field in a fury, however, nothing much seemed to be achieved.

'Mistah Ira,' Cheng said in an agony of frustration in his

halting English, 'I cannot do this. Eyeh, I do not know how!'

Ira, however, was suddenly surprisingly happy. The war seemed to have slipped back again into the serio-comic situation of both sides being apparently as lacking in initiative as each other.

Over the whole of China the warlords were trailing disease and terror from valley to valley in campaigns that were as farcical as they were barbarous, colourful bizarre brigands with few standards of human decency and a great gift for being unconsciously funny, living joyfully in their great mansions with their concubines and eunuchs and their extorted wealth, adding land to their already great estates and serving their country only when they killed each other off. The cities reeked of the opium they encouraged, and with cholera, dysentery, syphilis and trachoma going unchecked, industry was almost non-existent. But these tragedies were China's and the uncertain manoeuvrings along the borders of Tsu's province hardly touched the Europeans at Yaochow.

It had been quite clear for some time that they weren't going to get any more of the old guns they possessed into working order, and the most they could do was keep the two scouts flying and continue the instruction on the Farman and the Avro. The weather was good, however, with warm sunny days and bright skies, and flying the fluttering old Longhorn was enjoyable because it was slow enough to enable them to look round and take in the plum trees and the cherries and the banks of yellow willows. By the end of a fortnight both Lieutenant Sung and Lieutenant Yen had reached the point when they were due to fly solo and life seemed good once more.

Cheng's unhappy patrols were proving of so little value, however, that at the end of the first week, news came through that Tsu had had to give up another two villages before Kwei's superior artillery and was preparing to pull back even further, and Lao descended on the airfield in a rage to castigate the two Chinese boys with threats and urge them on with promises of rewards. He waited, his face grim, until they flew off again, Cheng leading, Tsai following an uncertain course close behind. He remained after the two machines had disappeared, putting on a face-saving inspection of the few remaining pupils, and talking unconvincingly of enlisting more as he toyed with

Sammy's array of tools and studied the motley collection of vehicles they'd gathered around them, from the tiny Peugeot to Heloïse's majestic bulk.

'My gracious goodness,' Kee said gaily as they climbed into their car to leave. 'A very impressive performance, you know, Major Ira.'

Ira caught Sammy's eye and winked, no more convinced by Lao than Lao was by the airfield. Only the Avro was serviceable because on Sung's final flight in the Farman before going solo, they had descended with the engine shedding parts and petrol jetting out behind them in a vapoury cloud, and Lao had no sooner disappeared than the laundry coolies were back with their buckets and their irons, hanging the washing on the bracing wires and the booms, and the smell of cooking was coming from behind the farmhouse. With Kwei's ancient Caudron a heap of splintered spruce and torn fabric, there appeared to be no opposition at all in the air, however, and since Cheng and Tsai seemed to be totally incapable of inflicting damage the musical comedy campaigning with each side as farcically unlethal as the other appeared to have returned.

The reedy note of a flute floating over the hammering of Wang and his makee-learn boy added to the illusion and Ira could hear Sammy singing tunelessly as he struggled with a spanner over the Longhorn's engine.

'I've heard these Renaults are supposed to be bloody fine engines,' he was saying cheerfully as he wrestled with a recalcitrant nut. '*I* reckon they're more bloody than fine.'

As the morning progressed, the hot summer sun made them sweat and they were lying with a beer under the shelter of the Farman's wide translucent wings when they heard the low hum of an aeroplane engine from the direction of the Chang-an-Chieh. Scrambling into the sunshine, they saw the Fokker returning low over the willows by the river. There was no sign of the Albatros and as Sammy began to frown, the illusion of farce that had laid so heavily over everything they'd done, disappeared at once.

'Something's happened, Ira,' Sammy said.

The Fokker came in cautiously, the engine missing badly, and they saw at once that fabric was fluttering on the wings. As it settled almost to the ground, the B.M.W. spitting and uneven, the exhaust note died in a final cough and the propeller stopped. The machine's nose went down and immediately the wheels caught the tufty grass at the top of the ditch that circled the field. The nose dug in and the Fokker stood on its propeller boss and turned over slowly to whack down on its back in a cloud of dust and flying scraps of wood.

Cheng was hanging upside down from his harness in the cockpit when they reached him, and they dragged him out, spitting teeth from his bloodied mouth and staring at the butt end of the guns where he'd banged his face. His appearance was frightening but the only damage appeared to be broken teeth and, for a long time, as they felt over him, he said nothing then he turned his head slowly as though it were weighted.

'Plane,' he lisped through the blood that was filling his mouth and making gestures with his hands. 'Much shooting.' He moved his hand round in a circle. 'Tsai.' His hand descended in a spiral and smacked hard against his knee. 'Fire. Eyeh, much fire, Mastah Ira.'

Ira watched as Sammy crouched over the Chinese boy, dabbing ineffectually at his face with a piece of dirty rag, and Cheng lifted his head again.

'New, Mastah Ira,' he snorted through the blood. 'Fast. Very fast.'

Ira hoisted him to his feet and slapped his shoulder. 'You'll have a scar on your lip you'll be proud of to your dying day, son,' he said briskly. 'It matches my nose. You've crash-landed and survived.'

Cheng nodded and grinned painfully, and Ira turned to Sammy.

'Sammy,' he said. 'Fuel up the Avro. Kwei must have got those planes we heard about. Let's go up and have a dekko.'

They took off quickly past Lawn struggling profanely with Wang to get a rope round the dusty tail of the Fokker and climbed towards the east. There seemed to be remarkably little movement on the ground and no sign of any aircraft, and for an hour and a half they flew backwards and forwards without seeing a thing. On their way home, they passed the wreckage of the Albatros, crumpled and burned on the edge of a paddy field, and landed alongside it.

An old man with a headcloth round his narrow skull, who was poking among the wreckage, gestured towards his house and beckoned to them to follow him. Tsai's body lay in a mud and wattle shed, almost unrecognizable, and the old man made signals with his hand to indicate that he'd jumped clear before the blazing machine had struck the ground.

Ira gave the old man a few coins, and promised to collect the body, then they searched among the wreckage for anything worth salvaging. The home-made quadrant had been wrenched clear and the Lewis seemed undamaged apart from a bent cocking handle, but the engine was only scrap metal beneath the burned-out fuselage, and apart from a few turn-buckles and one of the wheels there was remarkably little worth saving.

Landing back at Yaochow with the Lewis in the rear cockpit, they found Lawn grunting under the Fokker.

'She'll mend,' he said. 'Needs a new wheel and there's damage to the elevators and stabilizer, but the prop's all right and there's nothing that can't be fixed.'

They helped him get the machine under cover and turned the Maurice Farman over to Cheng. When it was repaired it would give him confidence to teach Sung and Yen.

They collected Tsai's body in the Crossley that same afternoon and buried him the following day. The city was quiet and, watched by crowds of gaping coolies, they walked in a vast procession of lanterns, gongs and a military band provided by Tsu which played 'John Brown's Body' discordantly all the way to the cemetery and back. There were wreaths and effigies of horsemen and favourite pets, and even a crude aeroplane, all made of paper so they could be burned and waving in the breeze, a smiling portrait of the dead boy carried by Peter Cheng and boards with his virtues printed on them in gold paint. Professional mourners in white, sitting in rickshaws in traditional attitudes of grief and hawking and spitting into the gutters as they passed, were accompanied by hired musicians forcing sobs from long instruments like huge garden syringes, and pigeons with lute-like reeds attached to their backs were released in a flock to add their wailing cries to the din. A few Buddhist and Taoist monks gave solemnity to the occasion, carrying gifts of money, lacquer boxes, songbirds and wooden dragons for the dead boy to take with him to paradise.

During the night, they were awakened by a series of thuds to the east.

'Guns?' Sammy asked, appearing stark naked on the verandah and staring over the cherry trees at the swathes of stars that hung over their heads like fields of daisies.

'Bombs, I think,' Ira said. 'If it is, Lao'll be round in the morning.'

They were sitting over the coffee pot in the office when the car arrived, bouncing and rattling over the uneven ground towards the tents. Lao climbed out, accompanied by Kee. It was hard to tell from his stiff features whether he was angry or merely amused.

'General Tsu's headquarters were bombed during the night,' he announced at once. 'General Tsu's air force is not doing its duty.'

Ira snorted. 'General Tsu's air force isn't doing its duty because General Tsu's pilots don't know how to. And if General Tsu's interested he has one less pilot and one less aeroplane than he had yesterday.'

Lao looked disconcerted. 'Could you not repair it?'

'There isn't enough to repair.'

'General Tsu will be very angry to have lost an aeroplane.'

'Isn't he interested in the bloody pilot?' Ira snapped. 'The poor little bastard never had a chance. He couldn't even fire in the direction he was flying.'

Lao blinked and stiffened. 'War consumes youth and beauty like a tiger,' he said.

Ira grunted and Lao gestured at the sky.

'General Tsu wishes to have the enemy bombing aeroplane destroyed,' he said. 'He wishes the illustrious foreign flier to do it at once.'

Ira grinned. 'Me?'

'Of course.'

'You're sure?'

Lao frowned and nodded. 'It is the General's wish.'

Ira turned away, then he stopped and spoke over his shoulder. 'O.K.,' he said cheerfully, 'but, by God, it'll cost General Tsu something this time. The newer the plane, the higher the price. This one'll cost him *seven* hundred dollars at least—because of Tsai.'

That night they heard the thud of bombs again and within an hour of daylight, Lao was back on the airfield demanding action, and Ira began a routine that took up every minute of his time, patrolling with Sammy in the Avro at ten thousand feet with the sun behind them, on the look-out for Kwei's plane. When they landed they didn't bother to take off their leather flying jackets before they rolled out the petrol drums and began to refuel. As soon as they'd finished, they were off again, climbing towards the sun.

There was no sign of Kwei's bomber, however, though they still occasionally heard the thud of bombs in the early morning and even took to leaving in darkness along a line of home-made paraffin flares and waiting above the airfield as the first rays of light stole across the horizon. But the sky was immense and Tsu's territory enormous, and Kwei's pilot crafty enough to change his targets and his timing. In their efforts to cover every eventuality, they fell into a routine of leaving for their first patrol at dawn and slipping to the ground after their last with the final streaks of daylight, until Tsu's men, watching from the villages where they were billeted, got used to seeing the single aeroplane buzzing above them several times a day, the sun luminous on the under-surface of the wings and the curve of the engine cowling.

They had no idea what sort of aeroplane it was, nor even if it was a friend or a foe, but in their cheerless billets they guessed that the regularity of its passage indicated something of enormous importance, and burned joss-sticks to placate the demons so that it would not concern them.

Since telephones were almost unheard of in the area, and communication could only be carried on by telegraph along the railway or the river or by means of a man on a horse or a bicycle or even on foot, it was impossible to be forewarned of the approach of the Kwei bomber. But fitting an extra tank increased the cruising range of the Avro and allowed them a wider coverage of the sky, and they flew high enough to feel the cold, singing as they searched or, when the immensity of the heavens seemed too heavy a weight, brooding through the entire flight in silence, obsessed, hoping and praying for the sight of that one small insect-like dot sidling towards them that would indicate where Kwei's bomber flew.

When they returned, chilled and stiff, they ate quickly and turned to work on the Farman and the Fokker, absorbed, so concentrated on what they were trying to do that Ellie returned almost unnoticed from Shanghai.

She was in good spirits and seemed to have recovered completely from Fagan's death. As she had promised, she had deposited every penny of the insurance money in the bank in their joint account.

'We're in the money, kids,' she said, smiling.

Ira and Sammy, not long down with the Avro, were working on the Fokker, both growing daily more involved with the search for Kwei's bomber. They nodded and exchanged a few brief words, and as they returned to their work, Ellie's face fell. She'd been looking forward to returning and had expected to be welcomed, and the two stubborn tired faces that greeted her knocked all the enthusiasm out of her. No one had any time to talk much and she began to suffer from the frustration of having news no one would listen to. But she said nothing as they turned to, between flights, to help Lawn with the damaged machines and tired motors, interrupting them only to pour their coffee and light their cigarettes. Almost unnoticed, Tsu's ridiculous little war had been stepped up and grown deadly serious.

At night, when they returned to the bungalow, they wanted only to sleep and neither Ellie nor Mei-Mei saw much of them. Mei-Mei had little to say—her affair with Sammy seemed to be going through a certain amount of difficulty—but out at the field, Ellie finally rebelled.

'What's the goddam hurry?' she asked loudly. 'Don't we ever get to rest?'

For a moment there was silence in the dope- and oil-smelling interior of the marquee where they'd wheeled the Fokker, then Ira smiled and, seeing the tension relax, Sammy smiled too.

Ellie was watching them, her eyes big and angry.

'Well,' she said. 'What *is* the goddam hurry?'

Ira drew a deep breath. 'Sorry, Ellie,' he said. 'It's begun to get hold of us.'

'You're telling me, it's begun to get hold of you.'

'It's not just that.' Ira tried to explain the idea that had been growing at the back of his mind. 'One day Tsu's going to lose interest in aeroplanes because he doesn't know the first thing about them. And when he does I'm hoping the Avro'll still be around and serviceable so I can buy it back. As for the Fokker, it's no good for transport but a hell of a lot of good for what I'm doing now.'

For a while her eyes moved over his face, then she nodded.

'O.K., Ira,' she said, 'you're the boss.'

As soon as they had replaced the lost parts of the Farman's engine, she took it over and restarted the training programme, pushing the ancient machine to the limit and working herself on the always-dubious rigging with Lawn and Wang.

They got the Fokker repaired and re-rigged at last and Ira stared round at the sky. Clouds had begun to appear to the north, small puff balls as yet, broken and torn by a wind in the upper spheres, all garish colours in the soft lavender of the evening.

'I'll test her straight away,' he said. 'The weather's breaking and I want to get this job over before it's too late.'

The following morning, he filled the Spandau belts himself, selecting and measuring each cartridge carefully. One faulty bullet could mean a split case and a jammed gun, and if Kwei's bomber was half as good as Cheng seemed to think it was, it might be a good idea to take no chances of that kind.

Ellie's eyes were worried as she watched him.

'Ira . . .' she began, then, as he looked up, she half-turned, unable to meet his eyes.

'Go on, Ellie,' he prompted.

'Hell, it's nothing,' she said. 'Only—only, for God's sake, Ira, let's have no more dying. Take care of yourself. You're the reliable sort of guy who gives meaning to the world for people like me.'

She was on the field as he left, her eyes troubled, her fingers nervous with her cigarette. The routine of patrol started all over again, and from time to time they even tried sending out the Avro with Sammy at the controls and Cheng in the rear cockpit, with Ira waiting in the sun, hoping it would bring out Kwei's plane. But Kwei's advisers seemed to suspect a trap and nothing happened, though they continued to hear the occasional thud of bombs at night and Sammy got news from Mei-Mei, who picked it up in the market, that Tsu's troops were beginning to sneak off to join Kwei.

'A whole regiment cut and run the other day, Ira,' he said. 'Any day now, Tsu'll take off for Shanghai before they capture him.'

Lao stopped coming and they put it down to sheer frustration, until Tsu himself turned up, with his son in the car beside him, to insist on results.

'The bombs continue to fall,' Lao interpreted icily. 'The General insists that the enemy machine is destroyed.'

The following day, acting on an idea of Sammy's, they picked up Kee and went to see Tsu's artillery commander, Colonel Tong.

'Tell him,' Ira said to Kee, 'that I want one gun from every battery mounted so it will fire into the air.'

There was a lot of high-pitched Chinese chatter, and Kee turned.

'Colonel Tong says that the guns will never be able to hit the enemy aeroplane. They are too old and the rifling is worn smooth.'

'Tell him I don't want to hit the bloody aeroplane,' Ira snorted. 'I just want them to fire into the air. So that the shells explode at extreme range.'

There was more chattering, then Kee turned, grinning. 'I say, the Colonel thinks the illustrious airman has jolly well gone off his head,' he said.

Ira grinned with him. 'Tell him if he'll help me I'll help *him*. I want to stop Kwei dropping bombs, but Kwei's fly-devil is very crafty and I'm never in the right place at the right time, and I can't see him against the cloud because there isn't any real cloud yet and there won't be for another month when the rains come, and then it won't be possible to fly. But'—he gestured—'if I wait high in the sky and Colonel Tong's guns fire whenever they see Kwei's fly-devil near, then I shall see the shell bursts and know where to search.'

He seemed to get his idea across at last and Colonel Tong began to smile his gold-toothed smile. They stayed for a meal of chicken and rice and drove off again, half-drunk on samshui.

'Sammy,' Ira said. 'I think perhaps we've turned the corner.'

For three days Ira took off four times a day, cruising at fifteen thousand feet, waiting for a sign of Tong's shells, and he had

183

just begun to think that his scheme was not going to work when he saw a puff ball of smoke to the east, white against the evening purple of the land. Immediately he went into a long slow dive, his eyes staring towards the shrouded earth.

Pushing up his goggles to see better, he peered beyond the windscreen, feeling the cool autumn wind burn his face and flatten his cheeks, but it was too late in the evening and the camouflage of the land hid Kwei's machine.

As he banked towards Tsosiehn, he suddenly realized how weary he was becoming and how badly he needed a rest. Flying could be a tiring business and he had been at it solidly now for over a fortnight, the rattle of the wind and the drumming of the motor beating at his nerve-ends. And in their efforts to keep the old machines flying there had not even been a pause when he'd been down on the ground.

Three days later, still brooding and grim, he jumped as he saw the puff of smoke again, where one of Tong's shells exploded below him, but once more the light was bad and he found nothing. The following day, however, he at last saw the flash of wings against the ground, though Kwei's plane was already streaking for home and too far away to be identified.

When he landed, tired and unshaven and edgy, he started up the Crossley and went to question Colonel Tong and beg him not to lose heart. The gold smile was thin, however, and not very warm.

'The Colonel is worried,' Kee said. 'He cannot continue to have one gun from each battery pointing in the air. He has not the ammunition and Kwei's troops trouble him.'

Ira gestured. 'Tell him to keep trying just a little longer.'

The following evening, with the first darkening rain clouds of autumn beginning to appear along the horizon, Ira saw the shell bursts and the flash of wings again, and this time, he dropped in a steep dive, hoping to get below the other aeroplane so he could see it against the sky. Another puff of smoke appeared over the loop of the river where it curved towards Hwai-Yang and he saw the flash of the sun on the underside of an aeroplane's wings.

For the first time he saw Kwei's aircraft and the hair on the backs of his hands began to prickle with anticipation. It was an old De Havilland Four bomber, a machine long out of date

184

but sturdy and powerful and still being used all over the world for transport. It was banking slowly over one of Tsu's villages and Ira saw the flash as the bomb landed among the houses. The pilot clearly hadn't seen him, and lazily, catching the late sun that peered through tumultuous clouds, the De Havilland levelled off.

Ira put the Fokker into a climb again towards the east in an attempt to get between the De Havilland and its base, his heart in his mouth, all the old excitement of the stalk gripping him. He saw the De Havilland bank again and the flash of another bomb in the huddle of buildings, then it levelled off once more and swung in a wide loop east. Kwei's supplies were clearly as sparse as Tsu's and he wondered if his foreign advisers were having as much difficulty in keeping their old machines flying as General Tsu's were.

The De Havilland was heading directly east now and Ira put the Fokker into a long curving dive towards it. The De Havilland grew larger and larger in front of him, then the observer saw the Fokker descending and as he hammered on the fuselage behind the pilot and pointed, the big machine turned abruptly towards the west. Swinging in a tight bank behind it, Ira saw the observer's guns jerk round and he climbed at once, wires singing, heading to the east and banking for another dive. The other pilot saw him coming again and swung further west in the direction of a village called Hakau, and it dawned on Ira that if he could continue with these manœuvres there was a chance of forcing the De Havilland down in friendly territory where they might salvage something worth having.

Several times he repeated the manœuvre and several times the De Havilland swung west, turning east again every time the Fokker banked away. But the Fokker's turns were tighter than the De Havilland's and with every manœuvre it drifted lower and farther from its base until it was possible even to see the Chang-an-Chieh Pagoda, misty and blue, sticking out of the night haze near the river, its tower tinted with vermilion.

The Kwei pilot seemed to wake up to his danger at last, and put the machine into a long turn east, and this time as the Fokker came down, he merely fishtailed from side to side, making no attempt to swing away. Ira cocked his guns which, so far, he hadn't attempted to fire, and pulled the Fokker round in a tight bank. Then he dived below the tail of the De Havilland and came up underneath. As the two-seater swung wildly, he saw the observer close in front of him, his mouth open and the flashes of yellow flame as he dragged his gun round to bear. He was a young Chinese and to Ira's surprise he looked exactly like Peter Cheng.

As the Fokker Spandaus clattered briefly, he slid out of sight inside the cockpit and the large brown biplane, instead of turning again, went into a slow glide towards the west. Roaring up in a climb, Ira banked, watching. There was no sign of the observer now, and the pilot, his head down, seemed to be struggling inside the cockpit with his controls. Slowly the big machine made another turn, working round to the east, but Ira was there to meet him. Then, banking steeply, he saw that the pilot was hanging in his harness, one arm limply over the side of the fuselage and, as he watched, the helmeted head sagged further into the cockpit until it vanished from sight. The limp arm disappeared and the De Havilland dropped lower in a long looping curve towards Hakau, its flapping rudder gleaming redly in the lowering sun.

It was only a few feet above the ground now and dropping fast, then one of the wing-tips caught the end of a line of trees and the machine swung just as the wheels touched the ground. The port wings flailed the air wildly for a moment, and clods of earth and fragments of wood were thrown up, then it came to a stop, its engine steaming, on the edge of a field near a stream, a wheel bouncing high into the air, dropping, bouncing again, and finally disappearing from sight among the bushes.

A feeling of enormous lassitude came over Ira as he pulled the Fokker up into a climb, his eyes on the crashed De Havilland. The Kwei crew had been poor and it had been almost too easy.

He was just banking slowly towards the west when a flash of crimson flame caught the corner of his eye. For one terrifying moment he thought the Fokker had been hit and was on fire, then a shadow flashed across his face and he instinctively wrenched the machine to his right in a tight turn. At once he heard the clatter of guns and saw fabric on his lower plane tear away with a crack near the wing root and flutter in strips. Then he saw a small aeroplane streak past him, the blood-red sun flashing on its varnished wings as it did a steep climbing turn behind him and stood on its tail to gain height.

Camels! His mouth dry as chalk, he dragged back on the control stick then he saw a second machine swinging towards him in a slow bank, brilliant red in the sun against the dark bank of cloud.

Camels! The fast little planes from Russia that Cheng had talked about! The British had shipped several squadrons of them to the Don Basin to help the White Army in the Civil War there in 1919 and Chiang K'ai-Shek had obviously got hold of some of them for Kwei. Heaven alone knew from what God-forsaken aircraft park they'd come but, despite their age, they looked clean and smart with polished cowlings reflecting the glow of the sun.

Probably the best fighter the British had ever put into service before the end of the war, they were as quick as a squirrel and could climb at three thousand feet a minute. Flying at a hundred and ten miles an hour, they could change direction like a bat and, landing fast, with their short body and big radial engine, they terrified more pupils with their crab-wise take-off than any other machine.

As he turned, Ira looked about him hurriedly, his head moving nervously from side to side. The sky seemed to be filled only with towering mountains of purple and blood-red, then he saw the first Camel above him, swinging in a small swift shadow against the dark gateway of a crimson castle. The second one, still in its wide turn, was away on his left and slightly below, blurred against the purple mistiness of the ground.

His first instinct was to bolt for home—he had never been a believer in fighting against odds, and had stayed alive through a hundred fights when better pilots and better shots had died because they didn't know when to run away—then he realized that the second of his two enemies was not as good as the first and that it might be possible to do it some damage.

The first Camel was banking steeply above him now, black-purple against the light, its wings and spars outlined with fire, and glancing up, Ira saw its nose fall as it came down, trying to get into position behind him. He allowed it to close up, then he snatched the Fokker abruptly to the left, wires howling, the earth revolving beneath him like a flat plate. It was harder for the Camel to turn to the left because of the torque from its big engine, and he saw it shoot underneath him in a flash of vermilion, the fabric rippling along the fuselage.

His manœuvre had carried him up to the second Camel and he saw the pilot's head swing round in a panic blur of a white face and glinting goggles. He didn't seem to know what to do, and Ira guessed he was another half-trained Chinese boy like Tsai, and that General Kwei had had no more compunction at sending him into the air than General Tsu had had. For a second the Camel flew steadily on its wide turn and Ira hadn't the heart to press the triggers. Again the first Camel flashed past him and as he swung again to the left he found himself beam-on to the second Camel, which was diving across his course, presenting its belly towards him, so close he could see a patch on the fabric near the Kwei insignia and the streaks of oil on the engine cowling.

Momentarily, he thought it was the first and more dangerous Camel, and as his finger jabbed at the trigger, the guns shook and the cartridge cases flew against the guards. The Camel continued its dive, the sun glinting redly on the white insignias, then as it moved into an unsteady turn he realized he must have hit it. As he pulled the Fokker up, the blood draining from his sagging cheeks, he saw the port elevator tear away and the upper wing begin to shed fabric, then the turn became a dive and the Camel dropped like a stone out of the sun into the shadows, the dive finally crossing the vertical so that it was in an upside-down loop as it crashed into the side of a farm with a tremendous explosion like a shell burst. There was a vast flare of flame among the trees that sent out smaller jets in every direction, then it died into a dozen scattered little flickers of light against the dark pattern of the ground.

The pilot of the first Camel had pulled up above the Fokker, circling, as though wondering what to do, and the few moments of hesitation gave Ira a chance to gain precious height. Then the Kwei pilot flung his machine round and came at him head-on.

He was clearly no hastily trained Chinese but a man of courage and skill, and Ira saw flickers of light behind the propeller and a bullet clanked on the Fokker's radiator and sent splinters jumping from the centre section. It was the Camel that pulled aside on the moment of impact, however, and Ira heard the high hissing crackle of the Le Rhône even above his own engine and saw the big blue-painted markings flash past over his head. He caught a brief glimpse of dark oil streaks and a faint momentary rainbow as the sun caught the oil spray from the engine, then the Camel, with incredible manœuvrability, had whipped round and was behind him.

For a second, as he wrenched the Fokker left in a tight bank, he saw splinters fly again and waited for the bullets to tear into his back, but the Camel had disappeared again and for a moment he lost him in the sun. He glanced round and down and received the iron glare full in his eyes, then he saw the Camel again just below him, and he could see into the cockpit and the pilot staring up at him, his goggles two red eyes in the sun, his face picking up pink highlights from the glow. He was so close, Ira felt he could have leaned out and thrown a spanner at him, and he was suddenly sickened by the stupidity of the situation—two men trying to kill each other in a struggle that concerned neither of them.

The Camel was swimming sideways on a converging course now, in a pink glow that came through the purple clouds, and Ira threw the Fokker over vertically to come round behind it, the machine shuddering with its speed.

'For God's sake, go away,' he was yelling.

But the Camel pilot was whipping his machine round again in the tight turns of a deadly game of ring-a-roses, firing whenever he came within reach. From time to time Ira felt taps on the Fokker and he grew angry at the other's persistence and tired because the Fokker was a heavy machine to throw about the sky. For a long time the two aeroplanes circled, tiny flashing butterflies in a crimson sky to the startled soldiers below who forgot to shoot at each other in the excitement.

Then the Camel pilot, frustrated by Ira's tight turns, heaved his machine in the other direction, knowing the Camel turned better to the right. As its nose came round and they came together, it swam past almost beam-on to Ira, but at the last moment he couldn't bring himself to fire and, still shouting angrily, he heaved on the joystick to break off the fight. For a second the Camel filled the whole horizon, then, as it disappeared beneath him, he felt a jar and realized they must have touched. As the Fokker swung in a bank, he couldn't see the

Camel and he thought it had broken off the fight, too, then he caught a glimpse of the other machine moving down below him in a long slow curve, its right upper wing-tip collapsed and shedding fragments of wood and fabric.

Looking round him in alarm for signs of damage to his own machine, Ira realized he must have taken the shock of the collision on his wheels, but the Camel was moving awkwardly now, more of its wing collapsed, the pilot struggling over the controls. Then fabric began to peel off and the wing collapsed altogether, folding back with a snap that he heard even above the roar of his engine, and the Camel went into a flat spiral, spinning round and round, a fragment of wing fluttering down behind like a dead leaf, into the growing darkness of the land.

It seemed to recover at the last moment, but as its wheels touched, the sound wing came up and the nose dug in and the tail rose. One of the blades of the propeller flew into the air in an erratic arc, then the machine cartwheeled across the field, scattering wreckage as it went, until it came to rest in a clump of trees, one of the wings and part of the tail bouncing after it through the trees into the next field before they came to a stop.

For a moment, Ira stared down, shocked, exhausted and drained of emotion, then he drew a deep shuddering breath and stared round him at the sky. The clouds had closed over the sun at last and the brilliant blood-red glow had gone, leaving only a pale pinkness and, beyond it, the rising purple of night. He was alone, a minute living thing, in the infinite profundity of the heavens.

It was partly weariness, partly reaction, but there seemed to be no strength in his arms as he pulled at the joystick to lift the nose of the aeroplane towards Yaochow, turning her slowly, looking for damage, and as he swung towards the west in a long slow bank that was like a valedictory salute, he knew it would soon be dark and that there could be no more killing.

Sammy was waiting on the airfield with Ellie when he returned. He came in low out of a darkening sky, and as the Fokker settled and the wheels touched, one of them buckled and collapsed. The nose went down and the propeller flew to pieces as it caught the ground, then, slewing wildly and throwing up the dust, the machine skidded sideways across the field, the wires twanging, the struts groaning and squeaking, a spray of dried grass clippings flying into the air, then it dug in its nose, rocked back to its tail, and came to a stop.

Sammy was alongside in a second, a shadowy figure throwing off the harness straps.

Ira's voice came wearily as he eased himself out of the cockpit, one hand on a centre section strut. 'It's all right, Sammy,' he said. 'She's not going to burn.'

'Ira!' Sammy's voice was cracked with concern. 'You all right?'

'Yes, I'm all right.'

Sammy jumped down and stared at the wrecked machine. The fabric was slashed and the inspection panels were pierced by bullets.

'What happened?' he asked. 'Lor', the bleddy thing's full of holes.'

Ira lifted himself in the seat as Ellie's face appeared behind Sammy's, shocked and shaken and white.

'I bumped into Kwei's air force at last,' he said.

( 6 )

The Hong Kong gin tasted like petrol and the cigarettes burned his tongue. Ira sat on the camp-bed in the office, his body limp, his hands hanging, his oil-soaked flying coat still round his shoulders. In the yellow glow of the single light bulb, his face was grimy from the guns and he felt as drained of energy by the concentrated violence of the fight as if he'd run a ten-mile race.

'Three,' he said wonderingly. 'Three! Within ten minutes! It never happened to me even during the war.'

Sammy grinned. 'Thank God you're all right,' he crowed. 'The Fokker'll mend. We've got Heloïse hoisting her up now and I've looked her over. One of the tyres was burst. Must have been a bullet or the collision. We've only to get a spare prop from Shanghai and we can rig up the rest all right. We've still got two good aeroplanes and the Maurice Farman.'

Ira dropped his cigarette almost as though it had grown too heavy to hold, and ground it out with his heel.

'Sammy,' he said wonderingly, 'what is it that makes one man stay alive and another die?'

'Skill,' Sammy said.

Ira shook his head. 'No. Not skill. That pilot was good. The luck wasn't with him. Why did his machine break up, and not mine? If he had been above instead of below it would have been me over there by the river among all that wreckage.'

He grinned suddenly, his eyes alert through the weariness as his mind, always concerned with the problem of spares and maintenance, snatched at a ray of hope.

'Sammy,' he said. 'We ought to look at that wreckage. There might be something worth salvaging.'

'I shouldn't bother,' Sammy soothed. 'Not now. You need a spot of shut-eye.'

Ira stared at the half-empty gin bottle, and Sammy laughed. 'I'll leave you to finish the rest of it,' he said, 'and go and see what I can do about the Fokker.'

As he rose to his feet, they heard the sound of a car engine over the putt-putt of the generator, and the thump of doors banging in the darkness outside. It was Lao.

'The General is very pleased,' he said.

'So he bloody well should be,' Sammy snorted. 'Three of 'em. In one go.'

Lao's eyes widened. 'Three?'

'You can go and count 'em if you like,' Ira said. 'They're all on this side of the lines near Hakau. General Kwei hasn't got an air force any more, so you can tell General Tsu he can gallop from here to Canton now without being worried.'

Lao looked startled, then he began to beam. 'Of course,' he said. 'Of course.'

'You can tell him, too, that there'll be a report coming along and a bloody great demand for money. We stuck to our side of the contract. He sticks to his.'

As Lao left, Ellie appeared in the doorway with a chipped enamel jug of black coffee, aromatic with rum.

She waited outside for Sammy to emerge, her eyes gentle and concerned and questioning.

'He's jiggered,' Sammy said softly.

'Perhaps the coffee'll help.'

Sammy stared at her, wisdom in his eyes beyond his years. 'It ain't coffee he wants,' he said.

She stared back at him. 'I'll stay with him, Sammy.'

Sammy nodded and closed the door behind her. As he became aware of her near the table, Ira looked up. His movements were sluggish with weariness and his eyes red-rimmed with the wind, but he managed a twisted smile.

'It's been quite a fortnight,' he said.

She poured out a mug of coffee and handed it to him without replying. He took it gratefully.

'That's better,' he said. He looked up at her. 'I ought to be elated, Ellie. If Tsu pays up, we're in the money. And we can take it easy, too, now. We ought to be going out on a damn great booze-up just like we used to. But somehow, here, it's different. Those men I killed didn't mean a damn thing to me. They were doing it for money like I was.'

He drew his hand across his face, realizing how tired he was. The last two weeks had been exhausting. He had flown several patrols a day, culminating in the racking drama of the afternoon, and it seemed as if the backbone had been drawn out of him.

'I could sleep for a week,' he said.

'Why not try?'

He nodded and as Ellie lifted his feet to the bed, he lay back with a groan.

He looked up. 'What happens now, Ellie?' he said. 'Tsu's air force's lost its reason for existing. What happens to *us*?'

'We'll think about that tomorrow.'

His mind was still occupied by the dozens of niggling responsibilities. 'How many more of the pupils are going to go solo, Ellie?'

'One. Perhaps two. No more. Maybe they just haven't got what it takes.'

She pushed him down on the blankets and leaned over him. 'Go to sleep,' she said.

His grin was crooked and exhausted as he looked up at her. 'How about a goodnight kiss, Ellie?'

She gazed at him for a second, then she bent and her lips brushed his.

As she straightened up, Ira's voice was strained. 'I hate my bloody self,' he said harshly. 'Four men in half an hour. As easy as falling off a log.'

She passed a hand over his forehead, brushing the hair out of his eyes. 'Pat was wrong, you know, Ira,' she said gently. 'There *is* no sport in it.'

'Dying's never a sport.'

She bent over him to drag the leather jacket free. Since she'd been to Shanghai the strain had gone out of her face again.

'Ellie,' he said gently, 'you're beautiful.'

'*You're* drunk.'

'Not *that* drunk.'

As she pulled the coat from under him at last, his other arm came up round her and pulled her down to him. For a second they stayed together, their faces only an inch or two apart, then his hand slipped underneath her shirt, above the khaki trousers she wore, and he felt the warm skin in the hollow of her back and the sudden quivering tension of her body.

She shuddered in a spasm of pain and there were unexpected tears on his cheek, then she was moaning softly, her face hidden in the curve of his neck, her fingers digging into his muscles.

'Oh, Ira, Ira! Thank God you're safe!'

At her cry, Ira was immediately alert and sobered, and his arm tightened gently round her, holding her to him until the shaking stopped. As she allowed herself to relax, he could hear her crying weakly, and for a second he lay motionless, his arm firmly round her quivering frame. Then, moving on the bed, he allowed her to slip down and crouch against him, still sobbing weakly, and reached up and silently pulled the leather coat over her.

# PART FOUR

## ( 1 )

THE FIRST COOL WIND was blowing from the mountains to the north, and though the day was clear, a nagging breeze that was noticeably colder came across the field, rattling the ropes of the marquees and billowing the panels. The wings of the Farman lifted and sagged as it snatched at them, and Wang appeared for the first time wearing a quilted coat.

Towards midday, Lao's car came down the dirt road, drab against a grey sky, dragging a plume of yellow dust after it, and rattled and banged across the field to where Sammy was working over the wrecked Fokker with chilled fingers. With him, Lao had Kee, a suitcase full of Shanghai dollars, and Peking medals for Ira, Sammy and Cheng.

He looked pleased with himself. With Kwei's air force gone and no fear of danger from aeroplanes, Tsu's troops were on the march east already. Kwei had expected a great deal from his brand-new Russian-supplied air force and, his nerve broken by his losses, his troops constantly harried from the sky, he backed away so fast his vaunted artillery was left behind and lost and, as his troops vanished into the wooded area towards Hwai-Yang, there was no longer any need for flying. With Tsu's grip on Tsosiehn immediately firmer, all the parades had stopped overnight and the students had suddenly discovered the importance of examinations. The flags and the placards had disappeared and the mob had become earnest-faced coolies again, going about their business in their blue cotton rags and conical straw hats with no sign of disaffection.

'Everything is going our way,' Lao said gaily. 'The Warlord of the South-West is gaining followers every day. Even Chiang K'ai-Shek will not be able to withstand him now.'

Ira glanced at Sammy. They all knew Lao was seeing things through rose-tinted spectacles because, whatever was happening in Tsosiehn, the three Chiang columns that had headed north from Canton during the summer had not been defeated. Preceded by political agents who had destroyed loyalties and beliefs ahead of them, they had toppled one warlord after another, and city after city to the south of Tsosiehn had been captured. No matter how strong he had become, it would be the Baptist General's turn eventually, because the Chiang troops were frighteningly efficient with their smart new uniforms and well-cared-for weapons, and they had orders not to murder or rape, and had pledged themselves to lower rents and put down banditry so there'd be no need for the hated foreign gunboats on the river. The discipline in itself was enough to recommend them to the harassed peasantry and the Kuomintang's foreign policy appealed to the jingoistic students, and there had been a feeling in the air for a long time that it would not be long before *all* the hated warlords were finally removed from the scene. No woman had ever been safe from their men, no matter what her wealth or class, and there were always wailing girls, and headless bodies on the garbage heaps along the river bank, surrounded by flies and waiting for the spring tides to wash them away.

Whether he believed what he said or not, however, Lao seemed delighted by the turn of events and was inclined to be jovial as he took out the medals.

'No one has been forgotten,' he said gaily. 'They are pure silver and worth a great deal of money.'

Ellie's lip curled. 'There never *was* a medal that was worth all the lives they cost,' she said.

Lao shrugged and pushed the suitcase forward. 'The General regrets,' he said, unperturbed, 'that the full amount is not there. It was a very large sum to get hold of and there are no banks in this province. Of course, no one expected three machines to be destroyed at once, but he will send the rest as soon as he is able to lay his hands on it. Mr. De Sa will have to arrange it because they are unwilling to despatch large sums of money so far up-river.'

When he had gone, Sammy pinned his medal to his chest and strutted about, saluting everyone in sight and pretending to be Tsu. The coolies collapsed in hysterical laughter and Lawn grinned boozily from the tent where the wrecked Fokker had been dragged, while the pupils marched round the field in a mock parade, followed by every one of Wang's children down to the smallest and a few sightseers from Yaochow, shouting and blowing flutes and letting off fireworks in celebration.

They had a party at the bungalow that night to celebrate. Mei-Mei put on a mass of Chinese dishes, and they all stood around—even boozy old Lawn—drinking Chinese wine. It was a hilarious affair with Ellie in great form, showing an unexpected ability to play the jew's harp and getting merry enough on samshui to insist on giving Ira a victory kiss in front of all the others. As he grabbed hold of her and put on a big mock love scene amid cheers, he recalled isolated little events of the past weeks and it dawned on him that she must have been in love with him for some time now, even before Fagan was killed, and the knowledge left him with a humble guilty feeling.

The party had gone on well into the night, but, in spite of heavy heads and threatening weather, Ira and Sammy left in the old thirty-hundredweight the following afternoon to look at what remained of General Kwei's air force.

They found the two scouts first, surrounded by soldiers in ill-fitting uniforms who were beaming all over their faces, full of elation at Ira's victory. There was nothing left of one of the Camels but a ruined Le Rhône engine, a few scraps of burnt wood and canvas and a bent wheel, lying among the scorched wreckage of the farm where it had crashed. The farmer was poking with a stick among the smouldering beams and blackened stones where his livestock had roasted to death, but he and his family had eaten well of charred pig meat and he seemed quite content with the money Ira gave him as compensation. A platoon of Tsu soldiers had dragged the body of the pilot to one side, making no attempt to cover it, so that it lay near a flattened bush, a charred unrecognizable thing smelling of burnt flesh.

The second Camel seemed to be spread across two fields, with the remains of one wing almost a quarter of a mile from where they found the tail surface. The Le Rhône was not badly damaged and they gave the sergeant in charge of the soldiers picking among the remains a Shanghai dollar to place a guard over it until they could arrange to hoist it on the lorry. Another few dollars made sure that nothing would be stolen and every scrap of wreckage collected.

The pilot lay under a sheet of canvas nearby, a tall good-looking man whose face was unmarked apart from flecks of blood from the nose and ears. Silently the sergeant handed Ira a wallet. Significantly, there was no money in it, but there was a New York driving licence bearing the name of Leon Lucas Sergieff and a photograph of a girl sitting on a cart with what appeared to be an American farm in the background, all there was apart from a letter written in Russian and signed with an unreadable name, to show who Leon Lucas Sergieff was or why he was in China.

The De Havilland lay crumpled on the edge of a field seven or eight miles to the east near Hakau and not far behind the lines, looking like a great wounded bird as it sagged across a rivulet that ran round the back of a broken empty farmhouse. There was the usual group of soldiers looking for something to steal, and along the road a hundred yards away, a steady stream of men was heading south-east with a few guns, and a great deal of ox-cart traffic carrying supplies.

Soldiers cooking their rice nearby indicated with delighted signs and gestures that both the pilot and the observer had been alive when the machine had landed and both had been captured.

'Talk much, Mastah. Tell officah fly-machines Kwei no have got. All finished. All gone.'

They thanked them for the information and began to climb over the fuselage. The fabric was torn by bullet holes and branches, but the longerons appeared to be unbroken, and though one wing was a crumpled wreck, the other appeared to be only slightly damaged; and Ira prowled round it, his eyes glinting suddenly as he lifted the torn fabric to run a finger over the splintered ribs of silver spruce.

'Sammy,' he said slowly. 'I think we can repair this machine.'

Sammy looked startled. 'Lor', Ira, you seen them wings?'

Ira gestured excitedly. 'Only the port side's smashed, Sammy. If we can salvage them as they are, we can reconstruct 'em. The starboard set's hardly touched. We can use 'em as a model for the other set and, with a new undercarriage, it ought to fly again.'

Sammy was gaping at him and he went on enthusiastically. 'I flew these things for a while in 1918 and I know a bit about them. And, Sammy, I helped my father build his old box kites. I know what to do.'

Sammy still said nothing and Ira laughed. 'The engine's an American Liberty,' he said. 'Four hundred horse, Sammy, with cylinders like beer barrels. Big enough to lift a hell of a load. And I think it's sound. With Heloïse, we don't even have to take it out to move her.'

Sammy was staring with his mouth open at the De Havilland now, and Ira could see the ideas forming in his mind, the enthusiasm growing as he considered possibilities and rejected impossibilities.

'Ira,' he said slowly, 'if we repair her she's *ours*, isn't she? Ours. Not Tsu's.'

Ira grinned. 'Yes, Sammy. Ours.' The idea was heady and exhilarating. 'We can rig a sheerlegs right here and we can lift her and rig a temporary undercart to tow her away. Labour's no problem and, Sammy, we've got the money to do it with now, and no flying for General Tsu because there's nothing to fly against any more and winter's coming. We've got months to get the spare parts and repair her before the spring.'

Sammy was grinning too, now, and Ira went on eagerly.

'We can get Eddie Kowalski to get hold of propellers, parts and a set of plans through the De Havilland agent in Shanghai and, between us, we ought to be able to work out what's to be done. What do you think?'

Sammy's eyes were shining. He drew a deep breath and the words burst out of him enthusiastically. 'I think we can do it, Ira,' he said.

They drove home through a thin rain as though the hounds of hell were after them. To their surprise the farmhouse at Yaochow was deserted and they saw that everyone—pupils, coolies, Ellie and Lawn—was standing in a group near the ditch at the far end of the field where they could see broken spars and the big box-kite tail of the Farman sticking up in the air in a pathetic pile of splintered spruce and torn white linen like a gracefully crumpled eggshell.

'Someone's busted the Longhorn,' Sammy said at once, the disgust plain in his voice.

The Peugeot detached itself from the group and came towards them. Ellie climbed out, her face flushed and guilty and curiously diffident in front of Ira.

'I guess we've lost the Longhorn,' she said at once. 'Sung landed it in the ditch. Lawn says it's a write-off.'

'How's Sung?'

'He walked away from it. I'm sorry, Ira.'

For a moment there was silence, because the old Farman had served them well, then Ira glanced at Sammy and grinned.

'Any landing you can walk away from's a good landing,' he said. 'I don't give a damn. We've got a better machine now than any Longhorn and it belongs to *us*, not Tsu.'

Sammy had climbed out of the lorry and was throwing ropes and timber and tackles into the back with the wheels they'd bought from De Sa months before. As Ellie stared at him, bewildered, he swung round, grinning.

'The two-seater Ira forced down yesterday, El,' he said. 'We can repair it.'

Excitement flared in her eyes. 'Honest?'

Ira grinned. 'Honest. And Tsu's too busy in the east to worry about us and very happy because Kwei's on the run. We've got the whole winter to get it flying and only five pupils to worry about.'

'Four,' she corrected. 'Sung decided he'd rather go back to being an infantryman. He left an hour ago on Cheng's bicycle.'

Ira grinned again, in no mood to quibble about losses. 'Let's call it three, because Cheng's on his own now, and we've got to salvage that De Havilland before those thieves of Tsu's strip it for firewood.'

As he began to grab for tools and cooking implements, Ellie swung round and dived for the farm building.

'Hold your goddam hosses,' she said. 'I'm coming with you!'

As they headed east again, Heloïse clanking behind the lorry, they began to pass a straggling column of troops on the march towards Hwai-Yang, ill-clad and carrying unfamiliar banners and umbrellas, and wearing everything from spats and boaters to furs, shabby, badly armed and out of step, all of them gaping in awe at Heloïse. General Choy, realizing he was on a winning ticket, had joined in the campaigning at last, while Tsu, his sphere of influence expanding again after Ira's unexpected success, was reported already to have his yamen and his concubines at a country home levied from a Hwai-Yang merchant. Peter Cheng had had a story that he was already printing worthless Tsu dollars to exchange for gold with which to pay off his debt to Ira, and had even set up a bank and was forcing the local merchants, under the threat of decapitation, to trade with him so that he was rapidly gathering in every scrap of money in the district.

Until the victory, Cheng had insisted, he had been for a long time having secret dealings with Shanghai bankers and had had a tug with steam up waiting downstream to whisk him to the coast, but with success in the air, he'd changed his plans and was preparing once more to move into Hwai-Yang and get a grip again on his province.

The rain cleared miraculously and that night a glow in the sky to the east indicated buildings on fire, and rumours came in from Hakau that Hwai-Yang had fallen again. General Kwei had retreated further east, they heard, and the mob had swept to the waterfront, and the city was in a turmoil, with no one in authority. A few Japanese merchants were reported to have been killed and the British gunboat, *Cockroach*, had been sent up from Shanghai to remove any of the American and British missionaries who wanted to avoid the fighting.

They reached Hakau at first light after a difficult journey when the old lorry had persisted again and again in casting its drive-chain, and bumped across the fields with Wang bouncing up and down in the back with the timber and the ropes and the wheels. Loading the salvaged Le Rhône and anything else that could be repaired or sold, they shoved the snouts of the two old vehicles between the straggling troops again to where the wreckage of the De Havilland lay.

The Tsu sergeant had long since vanished with his men and one or two local coolies had stripped some of the linen from the wings for their own use, but apart from a few scattered fragments of wood that had been stolen for firewood, it remained as they had left it.

With the fighting safely to the east now near Hwai-Yang, the area was quiet again round the wrecked and deserted farmhouse. There was no sign of the farmer and Ira guessed he'd been snatched up long since and shoved into uniform by some marauding warlord, and his wife dragged along for the entertainment of the troops.

One of the coolies, scratching around the wreckage told them there had been no troops past for some time, apart from deserters from Kwei's defeated army who were still hiding in the woods and living like bandits, unspeakably cruel, unsuperstitious and highly dangerous. A gang of them had wiped out a neighbouring village a week before but they had now moved north into the hills and nothing had been seen of them for some time.

Removing the wings was harder than they'd imagined because wood had splintered and metal sheered and twisted in the crash, and they were forced here and there to saw through spars to get at the big bolts at the wing roots. Using coolie labour from Hakau, however, they chopped down three tall pines and erected a sheerlegs and began to slacken off control cables and bracing wires, and unscrew turnbuckles and nuts. It took them the best part of the first day, even with Heloïse's brute strength, to prepare the way and all the next day to remove the wings, swing them clear and lay them out on the grass.

For safety, they removed the splintered propeller and stood back, grimy, tired and aching, but unable to stop smiling as Ellie produced rum and hot coffee from a little paraffin stove. Sammy was sucking a split thumb and Ira was wiping away the perspiration from an oil-streaked face. Ellie looked up, smiling at their looks of satisfaction.

'I guess we're in business,' she said.

They paused only long enough to swallow the coffee then Sammy clambered on to the dust-spattered engine and began to examine it.

'Nothing wrong with it, Ira,' he said gleefully. 'Nothing at all, as far as I can see. Gilt-edged, tip-top condition. A bit of strain on the shaft, maybe, because the prop hit the mud, but she'll stand a lot more work—a hell of a lot more work.'

Sleeping in a tent under the gaudy moonlight that lit up the knobbly mountains in weird tortured shapes, they were surprisingly happy despite the discomfort as they re-rigged the sheerlegs over the nose of the machine and jacked it into position again so that Wang could build a crude undercarriage, and eventually, using the wheels they'd acquired from De Sa, they cautiously lowered it again and watched it settle, then swung the twisted tail unit round and attached it to the back of Heloïse.

'What about the wings, Ira?' Sammy asked. 'Suppose some bastard comes along and uses 'em for firewood.'

'He won't while I'm here,' Ira grinned. 'You take the fuselage and the Le Rhône to Tzetang. We can easily move it from there to Yaochow. Take Wang with you and leave him to keep an eye on it and come back.

As Sammy clanked off, trailing the quivering fuselage, Wang sitting high on the engine, blank-faced and self-important before the Hakau coolies, it began to drizzle but they ignored it to collect the rest of the fragments of wing and place them in a neat pile.

By the time they had sorted out the splintered pieces and placed them alongside the huge wings, and the last of the coolies had left for Hakau, the evening had set in. The cicadas were tuning up but the stillness was immense, and a bronze light was coming through the trees to lay golden stripes across the wet grass. In the distance, they could see the mountains and above them great dark towers of rain cloud that looked almost solid in the dusk. Apart from the unroofed farmhouse nearby there was no sign of habitation anywhere on the bleak landscape.

As darkness fell, they saw the glow in the sky which showed where Tsu's troops continued to press eastwards. A cool breeze was lifting the tent flap as they ate corned beef and sipped scalding coffee from tin mugs, and outside they could hear the last drowsy mutterings of the birds.

Sitting on his bed-roll, Ira looked across at Ellie on the camp stool. There had been a new kinship of spirit between them now for some time, based on the firm belief they both had in independence. Ellie's hands were grimy with oil, her short blonde hair untidy, her eyes tired. She had torn her shirt on a sheered bolt as they had pulled the wings free, and he could see her skin through it, and there were oilstains on her breeches, but she seemed satisfied and deeply happy.

'It's going to rain,' Ira said. 'Let's hope we finish before the weather breaks.'

She nodded, not speaking, and began to clear away the mugs, and it was almost dark and drops of water were tapping at the tent as they lapsed into a silence that was tense and nervous, as though each of them was in the presence of a stranger. Ellie seemed lost in a morass of her own thoughts and her eyes were uncertain suddenly. Ira, too, was aware that beneath the brittle shell of their companionship unexpected currents flowed.

It was raining more heavily now, the drops tapping rapidly at the canvas in a nervous light-fingered way that seemed to highlight the tension, and Ira drew a deep breath, finding the silence unbearable.

'It's sometimes hard to realize that this is me,' he said, speaking abruptly. 'Here, in China, doing what I am doing. It's only six years since I came back from Russia, full of schemes to set up an air carrying company.'

Ellie looked up. 'Six years ago,' she said, '*I*'d just gotten myself married to Ches Putnam and was looking forward to living happily ever after. I was young enough then to think I might.'

Ira gestured uncertainly. 'Is it O.K. to talk about it now?'

She managed a laugh. 'After being with Pat all that time? Yeah, it's O.K.'

'Wasn't it ever the same with Pat?'

She shook her head. 'We just leaned on each other, that's all. We'd all been living in the same house, so we just *went on* living in the same house. It seemed the most sensible thing to do.'

It was quite dark outside now and they were still talking by the light of the lamp when Ira lifted his head, listening.

'Someone coming.'

He reached under his blankets for the Smith and Wesson he'd carried ever since his arrival in China. The voices outside were Chinese and they could hear the clink of weapons over the whisper of the rain. Quietly, he bent down and released the curtains at the back of the tent. The noise of the rain seemed to grow louder.

'Outside,' he said softly.

They had hardly slipped free when they heard shouts and a shot roared in the darkness. One arm round Ellie in the wet grass, Ira thumbed the safety catch off the revolver and, as a figure came hurtling round the tent, he pulled the trigger. For a fraction of a second, they saw a Chinese face distorted with rage under a wet bus conductor's hat with a broken peak, then the Chinese fell back heavily against the tent, which collapsed under him, the canvas wrapping round him like a shroud.

There were more shouts and two more Chinese, both with rifles, began to scramble for the road. Ira fired at them, but they didn't stop running and the third man freed himself from the tent and bolted after them, uttering little yelps of fright.

The silence as the yelling died was immense.

'Who were they, Ira?' Ellie asked in a small breathless voice.

Ira was rummaging among the wrecked tent, throwing out blankets and leather coats so they could sleep in the cabin of the lorry. 'Deserters,' he said shortly. 'From Kwei's army, I expect.'

The rain was falling more heavily now, hissing and rustling in the grass as they threw their possessions down alongside the De Havilland wings, and Ira became aware of the breeze that was chilling them both to the bone.

'Ira,' Ellie wailed suddenly, 'I'm frozen.'

He thrust a torch at her. 'Here,' he said. 'Grab what you can. I'll get a fire going in the farmhouse there. I expect it's full of fleas but it's better than this.'

While she scrambled among the ruins of the tent, he climbed inside the shell-smashed building and began to wrench up splintered beams. Half the roof had survived and there was dry straw below it.

He got a fire going at last, the rain hissing and spattering as it hit the flames, then Ellie came stumbling through the door with an armful of blankets and, spreading them on the straw, crouched over the flames, hugging herself.

Ira flung more splintered beams on the flames and turned to her as they roared up. She was shivering and her teeth were chattering.

'Get your clothes off,' he said. 'I'll rub you down.'

He took out a brandy flask. 'Here, have a swig at this.'

He thrust it at her and made her take a couple of heavy swallows then, in the light of the flames, she pulled off her clothes and he rubbed at her naked body with a damp towel until she began to yell. Her breath was aromatic with the brandy as she laughed in his face.

'Warm now?'

'Sure I'm warm. How about you?'

He grinned, heated by his exertions, and she reached for a blanket to put round herself, and began to hang her clothes in steamy strings near the fire. Then she pulled off his shirt and began to work on him with the towel, but he brushed it aside, staring at her.

'I'll dry you,' she said.

'Damn drying me.'

The towel dropped and she stared at him wide-eyed over the top of it. He took it from her slowly and as he reached for her she caught at his hands, but not to put them away. As she pulled him to her, mouthing little suffering sounds in his ear, he felt her flesh warm against his and the contact made him feel giddy, and as they sank to their knees, the night was shut out and their mouths began to search eagerly for each other.

( 2 )

Ira spent the rest of the night scratching unashamedly in the blankets, and awoke after a restless sleep, his skin blotched with red. The rain had stopped and the first of the daylight was already outlining the knuckly hills with gold under the sharp morning sky, and in the distance, a mile away, he could see the coolies from Hakau heading towards him, their cone-shaped hats bobbing as they picked their way across the fields.

The breeze had dropped and the sun was already warm after the rain. As he stretched, Ellie stirred alongside him and he realized she was crying—in a quiet soft weeping that was entirely devoid of histrionics.

He sat bolt upright and put an arm round her. 'Ellie, what's wrong?'

She turned a tear-stained face towards him, trying to smile. 'It's because I'm happy,' she whispered. 'I'm crazy, I guess, but I've never been so happy.'

He tried to console her and she stopped crying at last, and they began to joke weakly with each other.

'I was going to bring my bed-roll in here,' he said slowly. 'And leave you the tent.'

Her mouth played over the skin of his arm. 'Better the way it is,' she whispered.

After a while he scratched himself. 'I think I've been bitten,' he said.

She smiled drowsily. 'Come to think of it,' she said, 'so have I.'

The fire had burned low when he lifted himself to his elbow again. Ellie moved in the straw and sat up alongside him, her head against his shoulder, the perfume she used giving the skin above her breasts a warm fragrant lemony smell. They stared at each other's nakedness, unembarrassed but shocked by the frightening violence of their love-making. There had been nothing else in the world for a time but the flaring darkness and their racing pulses, and they realized that what had happened had been inevitable almost from the day Fagan had died.

'How're the fleas?' he asked at last. 'Biting?'

She blinked at him, and managed a laugh. 'Not too deep.'

'I'm going for a swim in the stream. Wash some of 'em away. Coming?'

She nodded and they ran together through the dewy grass, carrying their clothes, and began to splash among the rocks. The coolies had arrived by the time they had scrambled out, and Ellie, cooking eggs on the remains of the fire, gave them tins of corned beef to share.

Later, sitting over their plates, she looked up at Ira. Her shirt was unbuttoned so that he could see the cleft between her breasts, and her hair was still wet and curling on her forehead. She looked tranquil and calmer than he'd ever seen her.

'You're beautiful, Ellie,' he said, as though he were seeing her for the first time.

She smiled, her face devoid of pain and frustration. 'I've not been called that for a long time,' she said. 'Pat tried occasionally, but I guess he didn't really mean it. Maybe I wasn't, in fact—not then.'

She bent over the fire, her face flushed, her hair over her eyes, and he realized he'd never seen her looking happier, then she raised her head unexpectedly and caught his eyes on her.

'Ira,' she said. 'When this is all over, when we've rebuilt the De Havilland, can we get the hell out? Go somewhere safe and civilized, somewhere I won't feel scared and homesick and restless.'

She looked unexpectedly young and insecure suddenly, and he smiled and nodded. 'Of course. We'll get the company going again with the Avro and the De Havilland.'

She shook her head. 'Not an airline, Ira,' she said unexpectedly. 'My brother was killed flying planes. So was my father and so was Ches and Pat. Not you, too, Ira.'

He gestured. 'It's different, Ellie, with an airline. You have time to check things. It won't happen to me.'

'Only to the other guy?'

Ira's expression changed and he nodded slowly.

'It's always the other guy it'll happen to, isn't it?' she asked. 'I guess the other guy's saying that, too—of you.'

He drew a deep breath, searching for words that wouldn't hurt. She'd been too often hurt for him to wish more punishment on her. 'Ellie,' he said. 'Like you, there's only one thing I know and that's aeroplanes. Before the war I was an articled clerk, and a poor one at that. But I've learned engineering now—the hard way, over the fitter's bench, like Sammy. If it isn't aeroplanes, it'll have to be motor cars, and I couldn't ever go back to motor cars—*not after aeroplanes*.'

She sat up, buttoning her shirt, and managed a twisted smile. 'Maybe it won't be you, anyway,' she said briskly. 'Maybe it'll be me. I'll never grow old. I'll never get the chance.'

'Ellie, don't talk like that!'

She looked up quickly, the smile dying. 'Why not?' she said, a tremendous sadness in her words. 'I've got no illusions. Happiness is short and I can't afford not to hang on to it when I get it. I haven't had so goddam much.'

Ira sat for a moment, silent, knowing she was watching him anxiously, then he pushed his plate away. 'Better get on with the work,' he said gently. 'We've got to have everything set up at Yaochow before the rains come.'

She watched him climb to his feet, a defeated expression on her face, then she pushed the plates aside and got to her feet, too.

During the morning Ira set the coolies to work building a sled to carry away the wings, and it was almost complete when Sammy returned late in the afternoon. He looked tired and was covered with dust from stoking Heloïse's boiler.

'Drove all night,' he said shortly.

They secured the sound wings and what was sound of the two broken ones on the sled and roped them in position, with straw and strips of fabric to take the worst of the jolts. Then they began to pack the back of the lorry with the splintered struts and spars they'd collected.

'Heloïse's tremendous fast,' Sammy warned with a grin. 'You'll have to drive in low gear to keep up.'

At Tsosiehn, Peter Cheng and the students greeted them ecstatically as they clanked on to the field, and Lawn, driven half-silly by loneliness, promptly celebrated their arrival by getting drunk.

With the fighting moving further east, things seemed to have settled to normality again in the city. Gunboats had opened the river once more and steamers were moving beyond the city into Hunan and Hupeh, and Tsu was down near Hwai-Yang with his yamen, too busy settling in to be interested in what happened at Yaochow.

He had not managed to move fast enough to cut off Kwei's retreat and General Choy's alliance had been half-hearted enough for him not to support him too obviously, but the defeat seemed to have shaken Kwei's nerve and Kee came with a story that his Russian advisers had returned home and that Chiang, his boss, had broken with his friends to the north. Everything suddenly seemed to be going Tsu's way.

The weather shut down almost overnight and the multitudinous roofs of the Chang-an-Chieh Pagoda sticking through the mists were suddenly dripping rainwater into the branches of the cherry trees.

They moved the De Havilland fuselage and the cumbersome wings across the airfield in drenching rain. Lawn had emptied the big barn so they could work in comfort, and with Wang's family moved to one end, they cleared out the straw and manœuvred the De Havilland into the steamy interior and began to set up a fitter's bench.

Sammy was bursting with excitement and enthusiasm as he brushed the wet hair from his eyes.

'We can rig a Weston purchase from them beams, Ira,' he said, jerking a hand upwards. 'And use Heloïse outside the door for lifting. It'll save us a precious lot of trouble, and we can get a few coolies under Chippie Wang sawing up logs and wedges to jack her up.'

By the time they got down to work properly, the weather had

broken completely, with the rain pounding down in sheets and the days growing steadily colder.

'We oughta give the engine an overhaul, too,' Sammy advised, stretching a piece of canvas in a corner of the barn floor and beginning to dump pistons and valves and nuts and bolts on it. 'Polish the valve seatings and decoke the cylinder heads. We'll get a better performance out of her if we do.'

The fuselage seemed to have suffered remarkably little harm, though it looked forlorn and naked without its fabric or its engine as it hung from the great beams of the roof. The plywood round the cockpits hadn't been much strained and what little damage there was they felt they could repair. The longerons, although they would probably have been condemned by any Royal Aircraft Factory inspector in England, were not broken and seemed sound enough to take the new undercarriage.

'Oil gauge's all right,' Sammy said, 'But we'll need a new coil and the revolution indicator's gone and the wheels and shock absorbers are bust.'

They discussed getting new parts sent out from England or the Middle East and arranged for Ellie to take the steamer to Shanghai to persuade Kowalski to find such spares as propellers, gaskets, pistons, tyres, wheels, high-tension coils, streamlined bracing wire, shock absorbers and, above all, plans.

'The R.A.F.'s still got one or two D.H.9's,' Ira said, his mind roving eagerly over the snippets of news he'd heard on his visit to Shanghai. 'And the Middle East air forces are still flying Fours, so there should be no difficulty. We'll have finished rebuilding by the time they arrive and be ready to replace the spare parts.'

He stared at the wings, which they'd stripped of linen and laid out on the floor of the barn. 'Christ knows how many different pieces of wood there are in those wings,' he said, suddenly awed by the size of the task they'd set themselves.

'We can do it,' Sammy encouraged him. 'We've done it before.'

Ira gave him a wry grin. 'Nothing as big as this, Sammy.'

Sammy looked at him earnestly. 'Ira,' he said. 'I've been looking at them wings. Last night. I sat on a box looking at 'em for hours. They're intricate and we ain't got many tools, but we've got two good wings to look at.'

'What'll we need, Sammy?'

'Nothing we can't get sent up from Shanghai. I made a list.' Sammy fished in his pocket and dragged out a greasy piece of paper. 'Screws. Millions of 'em. Chisels. Glue. Waterproofing. Dope. Tape. Thread. We can get the wood around 'ere, I reckon, if we look hard enough. It looks a lot, Ira, but I reckon we'll pull it off.'

With the change in the weather, all the armies in China seemed to have retired to the villages and towns for the winter. Even Chiang K'ai-Shek, who had set off from Canton to conquer the north for the Kuomintang, appeared to have called a truce on all fronts for the cold months.

The airfield at Yaochow took on a bleak deserted appearance, the wheel marks and skid tracks filling with water and turning to muddy patches. Outside the farmhouse, a dip in the ground had become a large lake that attracted dozens of water birds from the marshy lands by the river, and little flying was done with the clouds almost down to the ground. When Peter Cheng did get the Avro off the ground, it trailed behind it a cloud of spray whipped up off the wet grass by the propeller and splashed through puddles that lifted over the wings in sheets.

With the rains, China seemed dead. No one was prepared to face the weather merely for the implacable jealousy of the military rivals for power.

The money that Tsu owed had still not turned up and Ira wrote numerous letters demanding payment before they got wind through Cheng that Tsu himself was about to appear, and they dropped the work they were doing on the De Havilland and made their way hastily over to the flying field.

Tsu's cavalcade included Lao and his wife and son, and the usual assortment of yellow-braided assistants. He seemed preoccupied and distant, and Lao explained that General Kwei, far from accepting his defeat as final, had begun to recover his spirits and had been recruiting reinforcements, and with the aid of General Chiang, was reported to be re-arming and re-equipping for the next spring's campaigning. After his disastrous defeat at the hands of Ira, however, it seemed he was making no plans to rebuild his air force and so, it seemed, neither was General Tsu.

Ira sensed what was coming and he was already three jumps ahead of Lao, his mind moving quickly, making plans, weighing up the pros and cons.

'General Kwei is acquiring artillery,' Lao explained earnestly. 'And the Warlord of the South-West must now direct his finances to prevent him gaining superiority in this field.'

Ira nodded and smiled and Lao seemed relieved that he understood.

'He feels, therefore,' he went on, 'that he must terminate al other contracts. You will be paid off and all debts settled.'

'When?'

Lao gave a shrug of irritation. 'When the money arrives from Shanghai.'

Ira glanced at Sammy and saw the sudden excitement in his eyes, as though he could already read Ira's thoughts. He'd been working with a file on a piece of copper tubing and he stood watching and grinning, his clothes covered with bright metallic flecks. Ellie stood alongside him, taller than Sammy, her slacks covered with oil, sensing that plans were forming under her nose, but, without Sammy's intuition, unable to guess what they were.

Ira drew a deep breath. 'What happens to what's left of the aeroplanes?' he asked cautiously.

Lao shrugged. 'The General expects to dispose of them,' he said.

'I've got a suggestion to make. If the General will make over his aeroplanes to me, we'll forget about the money he owes us.'

Lao looked suspicious and argued with Tsu for a while before he turned again to Ira.

'The General says the aeroplanes are worth more than the money he owes,' he pointed out.

'I doubt it,' Ira said shortly. 'And we've been waiting a long time for our money now. However, I'm prepared to forget the interest that's been growing on it—say at eight per cent—in return for the aeroplanes.'

'Suppose General Tsu needs his aeroplanes?'

'He can pay pilots' fees and hiring in the usual way. We

maintain them, we pay for them. We draw no salaries, but the aeroplanes are *ours*.'

There was a long argument in Chinese then they saw that Tsu was glancing at the two battered and patched machines— the Fokker still grounded for lack of a propeller—that were all that was left of his air force, assessing their value and shrewdly working out his profit. He nodded at last and Lao turned to give his assent.

The quick grin that Sammy gave Ira was only half-concealed. He felt Ellie's fingers touch his hand in congratulation, then Tsu, to hide the fact that he knew he'd been out-manœuvred, insisted on inspecting what few pupil pilots remained.

While he shook hands with everybody within reach, his ivory face inscrutable, Madame Tsu touched Ira's arm and drew him to one side. She looked nervous and tired.

'If I ever need you, Major Ira,' she said quietly, 'promise me you'll come.'

'Need me, madame?'

She drew a deep breath and went on quickly. 'As you know,' she said, 'I had hoped I might take my son to Europe. But it will not now be this year. However, the General has promised me he will retire before long and then'—her sad face brightened —'then we shall be able to go to Paris.'

She paused as Tsu finished his inspection and turned to the cars, and spoke quietly to Ira so that no one could hear.

'If I need you,' she repeated, 'I will send for you.'

Ira nodded, waiting, and she gave a very Gallic shrug that was full of weariness. 'The fighting has only finished for the winter,' she pointed out. 'Who knows what will happen next spring when it starts again? General Chiang grows stronger every week.'

Ira still looked puzzled, and she explained quickly.

'Last year,' she said, 'we had to escape from Hwai-Yang by river. But suppose General Kwei controlled the river? There is only one way then—by air. You see'—she gestured with a tired movement of her hand—'I am not concerned for myself and I am not afraid. But I *am* concerned and I *am* afraid for the boy. It would be such a waste of talent, would it not, if anything were to happen to *him*?'

213

When they'd gone, Sammy grabbed Ellie, kissed her and swung her round in a clumsy, capering dance.

'We're made, El,' he said. 'We're made, girl!'

Ellie laughed and, escaping, flung herself into Ira's arms. 'I don't know how your airline failed in Africa,' she said. 'For a Limey, you're goddam quick.'

'We've got money in the bank,' Sammy crowed, 'two tip-top aircraft and another building. What we all going to be? Ira'll be the taipan, o' course. Lawn can be chief engineer and Ed Kowalski can be treasurer. I'll be chief pilot and Ellie can be secretary and sit in a bloody great office behind all the papers. It'll be a smashing airline.'

He stopped as he saw that Ellie's smile had faded and the warmth had gone from her face. The fooling stopped immediately, then, as they were staring after her, puzzled, they saw Cheng standing alone, his long Northern face miserable.

Tsu had made no provision whatsoever for him.

With the deteriorating weather the whole countryside seemed to descend into a period of silence and stillness. The last of Tsu's regiments disappeared from Tsosiehn east, while General Kwei had set up headquarters round Kenli.

It was a remarkably happy period for them all. While Ira and Sammy worked on the De Havilland, Ellie, clad in her cheap cotton dress with her flying coat for warmth, set off down-river on the steamer to arrange for all the things they needed to be sent up.

The weather had suddenly become colder, with periods of wind when the ground dried out and the dust blew in clouds across the plain, and they had to drape the exposed engines with tarpaulins. To warm the freezing barn, they knocked a hole in one end, edged Heloïse inside and got Wang to build a shelter round her. One of the younger Wangs was paid to keep her boiler filled and her furnace going, and while she heated the barn, she also kept them in hot water for bathing and, coupled to a dynamo which Sammy's squirrel-like tendency to collect scrap had gathered to him months before, provided light and instantaneous power for lifting.

In spite of the grey days, Sammy remained excited and enthusiastic about what they were doing, quite undeterred by the knowledge that they had to work to hundredths of an inch. He never seemed to be tired or without a smile on his face, and was never downhearted when things weren't going according to plan. He was always ready with new ideas, efficient with any kind of tool they put in his hand, whether for metalwork or woodwork, and always chivvying Wang and the coolies to extra efforts with good-natured bullying in a strange mixture of English, Chinese and pidgin.

Tsu appeared to have abandoned the pupil pilots and they heard that Kee, their liaison officer, had gone east. Since Cheng had been as much caught by the flying bug as Sammy, he made no attempt to follow when the other three pupils set off for Hwai-Yang, determined to find glory as infantry officers once more. None of them had ever shown any real aptitude for flying. Only Peter Cheng, out of the lot of them, had produced any real ability, and he was now joined by his younger brother Jimmy, a sloe-eyed round-cheeked civilian of seventeen, who came up from Hwai-Yang and flung himself wholeheartedly into the business of sweeping shavings, coiling hoses, fetching petrol drums and washing off dirty oil with paraffin.

Ira was delighted with the turn of events. They had had a remarkable stroke of good fortune and he went into the repair of the De Havilland wings with a feeling of tremendous confidence. Apart from the smaller strengtheners of the leading and trailing edges, every rib in all four wings was made up of many pieces of spruce, some of them no thicker than cardboard, and each had to be glued and tacked and screwed into the right place between the main spars. But despite the size of the task, he felt sure they could do it and Sammy went off with Wang to find wood, searching the countryside and the stores and the timber rafts along the river bank halfway down to Yung-an-Chou.

The countryside was still quiet as the armies recuperated from the summer campaigning. In spite of the uncertainty reflected in the South China newspapers about Chiang's growing strength, there was still no sign of activity along the Yangtze and the crews of the patrolling gunboats were directing their energies to shooting at snipe again instead of Chinese insurgents. After the excitement of the summer, when half the European families along the banks had packed up their belongings and sailed for Shanghai, everything seemed to be safe again, and the white women began to reappear with their families to rejoin their husbands who did business round Tsosiehn, and the missionaries began to push out into the country regions once more, heading back to their distant stations, tiny groups of Bible-carrying preachers living on the edge of poverty but driven on by their stubborn faith and a self-immolating belief in themselves. The province seemed on the surface to be settling down again after the summer and Tsosiehn began once more to look like Tsu's city.

In spite of the calmness, however, it was difficult for anyone living as close to the Chinese as Sammy and Ira did to see that behind the scenes the agents the Nationalist leaders had planted in every town and village were still at work, and that agitators were whispering in the teashops, converting the area into a quicksand for Tsu. The tenuousness of his grasp on Hwai-Yang began to show again as Kuomintang flags cautiously reappeared and flapped wetly against the walls, then the students, encouraged by the apparent indifference of the Tsu officers to this initial cautious sign of their allegiance, held their first parade along the bund for weeks.

It started with paper lanterns and strings of popping fireworks and ended with a riot. In spite of the derisive comments of the Europeans in the treaty ports, a vast revolutionary feeling was tearing China apart from inside, and the insurgents of the Kuomintang were helping their cause by blaming the white people as much as the warlords. Smouldering feelings were fanned into flames and in a sudden spontaneous combustion of emotion, stalls were upset in the market among the rush-mat booths, and ducks, pigs, chickens and even fish were released because the stallholders had started selling to the returning Europeans again.

Before the day was out, chivvied into action by an indignant deputation of European businessmen, a regiment of Tsu troops marched in from one of the outlying villages and the riot turned into an orgy of murder, and even as far west as Tsosiehn there was a clear nervousness in the air among the shopkeepers and merchants. It was like a farcical game in which, every time Tsu turned his back, the students came out *en masse* and tried to destroy his influence, and every time they were moved to demonstrate, his officers lashed out in retaliation—blindly, because they never knew who were the ringleaders—so that all became quiet again until they turned their backs once more. Although he still kept his grip on Hwai-Yang, it was clear that what the Nationalists promised held out far more appeal than Tsu's cruelty, avarice and debauchery, and suddenly no one seemed to have much faith in his ability to consolidate his summer victory or hold back the growing tide of Chiang's new armies. The whole of south China seemed to be passing into the hands of the Kuomintang.

( 3 )

From all the vast events that were tearing at the roots and fabric of Chinese society, the little group at Yaochow were happily insulated by the few intervening miles of paddy field. The tensions of the cities rarely spread beyond their boundaries, but they were glad nevertheless that they had broken with Tsu so that they could regard the war that was martyring China as something that didn't concern them. As Sammy said, they merely happened to have set up in business there and the never-ending bitterness that existed between Peking and Canton and between the rival warlords didn't touch them.

They salvaged from the broken wings what ribs and spars were undamaged and, with Wang to do the skilled work, Ira and Sammy began the hard, uninteresting jobs of screwing, tacking and glueing. As they laboured, they learned short cuts and, gradually, they were able to work as well as Wang, plugging, measuring, shaving and shaping as if they had been doing the job half their lives.

Ellie watched them, her face sometimes amused, sometimes sad, sometimes with an unexplained frown on her brows, as though she were obsessed with private thoughts that she couldn't hope to communicate. When she looked at Ira, her eyes were soft and her face calm, but there were moments when she still looked lost and lonely and uncertain.

With a wisdom beyond his years, Sammy guessed that the life they were obliged to live had suddenly ceased to appeal to her and that she had begun to yearn like any woman to push down roots for a settled existence somewhere where there were other white women and European homes and security. Watching her, seeing Ira's enthusiasm not reflected in her eyes, it was clear to him she had at last become disenchanted with aeroplanes.

She had returned from Shanghai a little subdued and surprisingly affected by the uncertainty which had begun to hit the coast, and had shown remarkably little excitement at the fact that they had already managed to repair the De Havilland's least damaged wing by the time she reappeared.

On the coast, it seemed, the officials of the International Settlement were beginning to regard the quietness in the interior not so much safe as ominous. The Kuomintang had emerged as the most powerful political and military party in China and rumour had been circulating for some time of rioting, bloodshed and butchery following its advancing armies as the peasants, aware of freedom for the first time, rose behind them against the Europeans. There was no longer any disguising the fact that China was in a state of full-scale revolution and, as in all revolutions, there was little mercy or discrimination as the peasants struck back everywhere with the ferocious brutality of primitive people seeking revenge on their oppressors. The spectacle of looting and massacre, of temples in flames and muddy sandals trampling over cherished patterns of life was an awesome one that was brought nearer home as strikes closed down foreign-owned shipping lines and factories. The news that Chiang was threatening to march on Shanghai itself the following spring and was prepared to risk a conflict with the treaty powers for it had sounded like the hammer of doom on the coast. The stock market had begun to show signs of doubt and, with only an ominous future ahead, more than one business house had closed its China office. When Eddie Kowalski himself had talked of pulling out also, the uncertainty that had gripped the International Settlement had caught hold of Ellie, too.

For the first time in years, she had something that had some meaning for her, and for the first time she meant something to someone who didn't have to lean on her, and could relax and think about herself. She had celebrated her thirty-third birthday soon after she returned but the party they had thrown for her had only set her worrying about the future and searching, with a desperation that sprang from a feeling that time was growing short, for a settled life and the home she'd always craved.

She made no attempt to conceal what had happened between herself and Ira, but Sammy noticed she'd stopped the habit of bathing in public and began to go less and less to the airfield, preferring to remain at the bungalow with Mei-Mei. Neither of them had ever known a home and between them the house began to flower as they unearthed decorated prayer scrolls, scraps of jade and lacquered woodwork.

Sammy watched her warily. His own affair with Mei-Mei was proceeding uncertainly, and because he was a passionate man he sympathized with Ellie. But he was still shrewd enough to know what was going on in her mind, and his loyalties were sharply divided.

From time to time, Ira found an excuse to take up the Avro and fly it towards the east, his face deadened by the cold winter blast from the propeller, his nose protected by grease beneath his goggles. Sometimes it was Tsu asking for transport for one of his officers, but mostly it was for pleasure, and as he disappeared towards the horizon, the happiness faded from Ellie's face, to be replaced with a bleak loneliness that only Sammy saw.

'He's got to fly, Ellie,' he reminded her. 'It's the breath of life. You'll never stop him.'

The woodwork of the first of the smashed wings was finished at last and they braced it with wires and painted it with waterproofing and dope-resisting paint, then they laid the lightbrown fabric that had come up from Shanghai along the ribs and started to sew it, using curved surgical needles De Sa had found for them. Following the pattern of the sound wing, they laid tape over every rib and worked laboriously round the edges, using the correct number of stitches to the inch and locking stitches wherever they seemed to be indicated.

'It's going to take some doing getting the lugs to mate on the wing roots,' Sammy said, straightening his back. 'Them wings are awkward. We'll have to rig Heloïse to a block and lift 'em into place like that.'

It was hard and exacting work and on occasion they had to

scrap what they'd done and start all over again, but to their surprise the dope was on the fabric at last and the wings were finished earlier than they'd expected, remarkably efficient-looking and effective.

They stood back to admire them, but Sammy was already behind them, chivvying them on.

'Now for the engine,' he said cheerfully.


The news that made its way to Yaochow from the east and south had nothing in it to disturb them, but gradually they began to hear that Kwei had been to see Chiang in Canton and come back with a whole host of new advisers, and it was said that from now on, there were to be no 'silver bullet' bribes between opposing generals. The warlords were finished and they had to come to heel or be crushed. General Kwei had completely thrown in his lot with the Kuomintang and had its full backing in the shape of more machine guns and artillery, and the full support now of the students who, even in Tsosiehn, were beginning to produce posters and pamphlets that labelled Tsu a liar and a cheat.

Cheng brought one back from the city, given to him by a student who was reading it to a group of Tsu soldiers. It blamed all China's troubles on the treaty powers and men like the Baptist General. Floods, epidemics, bandits, pirates, famines, locusts and war were all laid at their door. When they left China, it ended, the country would have a chance of becoming great.

With it, somehow, they sensed the first change in the air and Sammy was the one to put his finger on it.

'When Tsu gets licked next time,' he said shrewdly, 'he'll *stay* licked.'


The autumn weeks continued, with rain coming down the mountains in icy deluges to transform the land and blot out the horizon so that the hills became mere shadows, and their ears were never free from the splash and rattle of water. At the air-field at Yaochow—swathed in everything they possessed and topped with padded coolie coats—they continued to work on the De Havilland, sanding, varnishing, rigging and re-rigging, struggling with awkward angles that were difficult to acquire with the crude tools at their disposal. Then the coils and wheels and tyres, the shaped steel bracing wire and two brand-new propellers arrived at last from the Middle East and, what was better still, a set of plans from the De Havilland agent in Shanghai so that they were able to work with more exactitude.

Occasionally, one of Tsu's officers came up from Hwai-Yang to ask them to make an observation flight south and, as the demands began to come more often, it became clear that Tsu was beginning to grow nervous of Kwei's increasing power. The Kuomintang movement was growing stronger every day, sweeping forward after the summer victories with a surprising new speed and violence, and in Hwai-Yang, with Kwei not far away and suddenly likely to reappear, it was growing obvious that it would soon be the turn of the Warlord of the South-West. On their visits to Hwai-Yang, they heard agitators making speeches on the street corners, and the students were beginning to form the unions they'd been demanding for so long—even one for the prostitutes—and for safety, Ira painted out Tsu's fading orange circles and daubed the aeroplanes with their name in English and Chinese. The English lettering was lop-sided and not very professional alongside the clearer Chinese symbols of Peter Cheng, but he felt better when he saw it across the fuselages and wings, because even the airfield coolies were beginning to swing behind the Kuomintang now and occasionally, in the quieter reaches of the river, treaty power gunboats and river steamers were being fired on again from the shore and passed through Tsosiehn with their wheelhouses surrounded by sandbags and padded splinter mats.

At Yaochow, even while they were still untouched by what was happening, they slowly began to be aware of the new and different attitude that was growing among the Chinese. When they had first found themselves employed by General Tsu, they had felt they were taking part in some sort of *opéra bouffe* between opposing warlords who looked and behaved like something out of *Chu Chin Chow*. Farce had been more predominant than sense, but now the comedy was rapidly disappearing as hostility to them began to be obvious, even in Yaochow where Lawn was finding it difficult to buy beer and his woman was being insulted by the villagers.

Then, when the news came through—just as they thought all

campaigning had finished for the year—that General Chiang had won a big and unexpected victory over the northern war-lords in Hunan, the drama drew nearer and grew more personal. At once, rumour got about that the river had been mined and the office of the steamer company, only just recovering from the strike, said that their vessels were going to stop running. The railway had been cut for some time now and when Chiang aeroplanes began to appear far to the north of Canton, the first small insignificant trickle of frightened Europeans, unnerved by the unexpected and uncertain situation, began to move down-river once more.

At Yaochow, they had preferred to isolate themselves from the events along the Yangtze, but now, for safety, they took to sending someone every day into Tsosiehn to find out what was happening, and Ira nervously began to balance the chances of finishing the De Havilland against the arrival of the Chiang troops, when the mob would inevitably take it into their heads to try to seize everything they possessed for the Kuomintang. They had spent so much money and so much time on the machine by this time, it was unthinkable that they should abandon it.

But, as they worked harder to finish the job, the pace of events also began to step up to keep level with them. Incidents along the river multiplied. White missionaries up-country began to be persecuted and Europeans in the river towns were insulted; and British, American and French soldiers were actually escorted out of Chinese cities by the smart Chiang officers who were taking them over. Nobody liked it and the Europeans along the bund were loud in their disgust, but there were so many Chiang troops about nowadays and so many Chinese, all in agreement for once, that any resistance would have started a general massacre, a thing no one wanted with so many Europeans still up-country with their families.

These defeats were only small and largely affairs of morale, but they involved a great loss of face and increased the students' confidence, and Kuomintang flags started to appear in Tsosiehn in a rash, and the Tsu troops in their baggy grey uniforms and bus conductors' hats, grew more nervous and quicker to use their weapons. For safety, all the shops were boarded up with planks and at once, spontaneously, they were all daubed during the night with the Kuomintang sign in great splashes of red paint.

There was another flurry of executions in reply and Ira noticed that among them now were Tsu soldiers. It was an ominous sign. When the students tried again to parade in protest, the Tsu colonel in command of the city came down heavily on them in a fit of nervous choler, dragging both boys and girls round the streets, their wrists tied to the backs of ox-carts, stripped naked and whipped with bamboos as they went.

For a few days, Tsu seemed to have gained control again but the city, stirred by the unexpected new Kuomintang successes and the inability of the northern warlords to cement their alliance, was bubbling with discontent and on their visits to De Sa's store for news, they began to see whole groups of missionaries moving downstream on junks, pale, nervous, and sick at heart that the people to whom they had given their lives were willing to turn on them and throw them out. Their intellectuals, fed on stories of the idyllic rhythms of the fields, had seen China through a patina of charm which was false and vicious under a regime of warlords that knew no established government, and they had been the first to stand aghast at the barbarities of revolt.

It was an uneasy period at Yaochow as they tried to ignore the obvious signs. The cheerless weather suddenly began to depress them and seemed to make the news worse. There was a rash of desertions among the coolies who worked on the field and Wang turned up one morning with a black eye and two teeth missing, because he had been in a fight with a student who had called him the tool of a foreign devil.

Then, in November, rumours that Chiang, still ignoring the traditional period of winter rest, had defeated yet another warlord at Hankow electrified the situation, and gunboats and European troops were rushed up-river to guard the treaty ports. At once, in Tsosiehn, strike pickets appeared outside De Sa's store, wearing crude uniforms and carrying the heavy staves with which they had already beaten to death more than one Chinese who had worked for the Europeans. Even the coolies were setting up militia forces now, ragged groups of men wearing red armbands and carrying ancient two-handed swords and old muskets, and pulling an occasional muzzle-loading cannon.

Almost overnight, the trouble blew up into a country-wide threat. Fighting between Chinese and Europeans in the Yangtze gorges, with a mob of thousands besieging the concessions, set it going, and Lawn on a hunt round Tsosiehn in search of rum, came hurrying back with mud on his clothes after having had to run for his life.

The newspapers that came up from the coast were suddenly full of stories, most of them patently false, of Chinese soldiers killing white men and raping white women, and the news that all Europeans were being warned to move down to the river to be transported to Shanghai stopped the work at Yaochow dead as they stared at each other with worried faces. It had come unexpectedly at the end of a week of alarming incidents that seemed to have sprung up from nowhere.

'How long are you going to be, Ira?' Ellie begged, her face strained. 'Land's sakes, how long?'

Ira threw down the plug spanner he'd been working with and wiped his hands. 'We've nearly finished, Ellie,' he said calmly. 'Once we've got the engine running, we can put her together and fly everybody out.'

Ellie didn't seem very reassured. Kowalski's doubt and the events of the past few weeks had touched her very deeply and, from being the capable, even cynical, woman she'd been when Fagan had depended on *her*, she seemed to have been reduced by her dependence on Ira to a bundle of nervous fears, as though she were afraid that the little happiness she'd been granted would be carried away from her on the first breath of ill wind.

Ira tried to give her a little of his own confidence, even while he remained uncertain himself. They had reached the point now when it would have been heart-breaking and even financially ruinous to throw up everything they'd done, yet they had no guarantee that they'd ever be given enough time to complete the job.

Suddenly, unexpectedly, the whole of China seemed to be on the point of explosion, with the Europeans between the opposing military factions, and it was clear the treaty powers were no longer prepared to be responsible for any of their nationals who remained out of reach. The fighting in the gorges, instead of dying out, had grown worse, and British gunboats had been damaged, and a destroyer had had to steam up-river to rescue them. Overnight, the countryside about them had become a witch's broth of hatred with the lid tied down and on the point of blowing off, and it no longer seemed sense to Europeans to remain out of reach of safety. It was a hard fact for Ira to face when, not very long before, they had been on top of the world with a future suddenly before them.

'Just a few more days, El,' Sammy begged as she pleaded for them to cut their losses and leave. He had rigged up a fitter's bench in the barn with a rack of tools and was busy grinding the valves of the Liberty. 'We're waiting for the shock absorbers and we're all right till the weather changes.'

Ellie's lips tightened and she didn't argue, but it was suddenly obvious that, as far as aeroplanes were concerned, she had thrown in the sponge.

Putting the Liberty together was easier than they had expected and the tinfuls of nuts, bolts, washers, screws and parts that they had carefully put on one side began to dwindle.

As the work progressed, neither Sammy nor Ira got home regularly to the bungalow and, for safety, they hired a couple of labourers and armed them with strong staves to guard it. In her fatalistic Chinese way, Mei-Mei ignored the possibility of trouble, merely nodded when Sammy instructed her that she had to have everything ready and was to make her way out to the airfield if anything started, and continued to busy herself with her cage-birds and green tea and prayer scrolls. She clearly had no intention of leaving the bungalow for a tent and whenever Sammy brought up the subject she brushed it aside with a smile. Ellie, however, had long since begun to move her possessions from the bungalow, suddenly lacking the courage to go into the city yet unhappy in the cramped room at the farmhouse and desperate for comfort.

'We can't camp out all our lives, Ira,' she kept saying.

Ira looked at Sammy. He had the sparking plugs from the Liberty in a pan and the rocker box cover removed, and he was sitting astride the radiator, fingering a lead wire.

'Maybe we *are* neglecting things a bit, Sammy,' he said uncertainly as Ellie disappeared.

'We got work to do,' Sammy said stubbornly, his mind rigidly on the job in hand.

'How about Mei-Mei? What does *she* think?'

'She doesn't think. She takes it as it comes.'

'When are you going to marry her, Sammy?'

Sammy looked up, his eyes wavering. 'I'm busy just now,' he said shortly. 'Later.'

Something in his manner told Ira that Sammy suddenly didn't intend to marry Mei-Mei. It came as a surprise because Mei-Mei still seemed cheerful enough, cooking them meals of rice and strange-tasting fish drowned in stock, whenever they returned to the bungalow.

'Something wrong between you two, Sammy?' he asked.

Sammy looked up, his eyes honest. 'No, Ira,' he said. 'Not that way, anyway. It's just that she's East and I'm West. Know what I mean?'

'I think so.'

'She thinks Chinese and I think European. It's difficult.'

'It always was, Sammy.'

'I keep putting it off, trying to work it out.'

'Think you ever will, Sammy?'

Sammy paused, leaning over the engine, then he shook his head.

'Not really,' he said after a pause. 'She hasn't picked up hardly a single blessed word and, while I've progressed a bit, I can't really talk much with her. And going to bed with a girl isn't marriage, is it? I'm still trying to work it out.'

Eventually, both wings were finished and ready for assembling, and Sammy set about timing the engine so that combustion took place at the very second when the piston was in the correct position.

Then, with the help of Wang, he made a horse for the engine with lengths of wood and strips of iron, and slung a five-gallon tin of petrol from the beam of the barn and led a long rubber tube down for a gravity feed. Before screwing on the propeller, they dug a pit in the floor, so that it could revolve without damage, and they all assembled to watch the engine start. It was the first warm day for weeks and Ellie and Lawn and Jimmy Cheng were at the side of the barn, all of them distinctly uneasy, while Ira and Sammy tinkered with the last few adjustments.

The barn stank of dope, rubber, petrol and oil, and stale coffee, but Wang had shown no sign of leaving and, to give more room, had even moved his family into one of the cow byres from which they watched now, a row of heads over the stall, first Mrs. Wang and her mother, then all the children right down to the smallest. There was a smell of burnt joss paper in the air and a distinct feeling that it was necessary.

Ira stared at the Liberty uncertainly.

'Think it'll work, Sammy?' he asked.

'I reckon so,' Sammy said confidently. 'I got the throttle at a half, and the mixture at rich. Them switches dead?'

With Sammy crouching behind the engine, Ira and Jimmy Cheng heaved at the propeller. After several pulls without success, first with petrol off and then with it on, it started unexpectedly with a crackling roar that filled the barn with noise. Sammy had moved the throttle well forward and the power behind the big propeller pulled madly at the wooden horse so that it shuddered and began to edge nearer to the edge of the pit, in spite of the ropes they'd used to tie it in place.

'Cut,' Ira yelled, helping to hold the horse down with Jimmy Cheng and Wang. 'Cut the bloody thing!'

The roar was deafening and the barn was full of flying straw and dust and scraps of paper, and their hair was almost torn out by the roots by the blast. Ira caught a glimpse of Ellie crouched with her hands over her ears, her hair whipped over her face, her expression one of agony, and of a whole row of Wangs, their eyes closed against the flying grit, chattering and yelling with delight.

Just as the front legs of the horse were tottering on the edge of the pit and the earth was beginning to crumble away, Sammy snatched the rubber pipe off and the engine died as the petrol splashed out of it on to the dirt floor. For a moment, as the racket died, they stared at each other, deafened and aghast, their nerve-ends frayed by the clamour.

The Wangs were chattering and dancing like a lot of little monkeys, their father standing with a wide grin that showed his empty gums, aware that something tremendous had happened. The rest of them stared round at each other as the dust settled and the scraps of straw and paper floated down. Then Sammy's shocked face split in a grin.

'It worked,' he crowed. 'We did it, Ira.'

Immediately, he began to climb up on to the rafters again with a wire sling and a block and tackle and before evening they had the engine swung into place above the fuselage. They doped the last of the serrated tape along the line of the ribs of the wings and applied the last of the coats of dope to the surface and lowered the engine into place.

'All set for the rigging now,' Sammy said.

It was at that moment that news arrived that the mob was out again in Tsosiehn.


( 4 )

The rioting had exploded without warning and with the violence of a bomb.

The past two days had been icy and the cold had provoked several parades by the students along the bund, as much as anything to enable them to keep warm, and the trouble started when one of De Sa's foremen slapped a coolie. The coolie hadn't objected to what was as normal as the sun rising, but the incident was seen by a group of the militia returning from one of the parades and, before anyone had realized what was happening, the foreman had been chopped to pieces by the ancient swords and hatchets, and two thousand screaming men and boys, brought to a fever pitch of hatred by propaganda, were rampaging through the city, brandishing carrying poles and whacking in the windows.

De Sa's store was set on fire, though with the aid of his coolies the blaze was put out, then the mob streamed through the narrow streets, burning cars, beating up Chinese who worked for white men and wrecking property belonging to the foreign devils.

The Chinese merchants were only too pleased to encourage them. Throttled as they were by Tsu's banking system, it brought nearer the day when he would fall, and the few Tsu soldiers who remained in the city found they had more on their hands than they could handle and in no time at all their bodies were lying in flattened heaps along the bund, with stark faces and blackened lips, kicked, hacked and stripped of clothes and weapons.

Even out at Yaochow, they could hear the drums and the gongs and the yelling, and sporadic shooting came to them on the wind with a thin high baying that filtered through the trees and past the Chang-an-Chieh Pagoda.

Peter Cheng, who had been in the city arranging fresh supplies of petrol, arrived back on a borrowed horse. He had had to leave the Citroën van in a hurry near De Sa's store, and the last he had seen of it, it was burning. He had eventually stolen a bicycle to get out of the city and when it had finally collapsed under him on the rough road to Yaochow, had borrowed a farm nag and flogged it into a lumbering gallop the rest of the way.

'A gunboat has come,' he panted as Ellie shoved a cigarette at him. 'All Europeans go down-river.'

Sammy's face was ashen.

'What about Mei-Mei, Ira?' he said.

Ira tossed down the spanner he'd been working with. 'Come on, Sammy,' he said. 'Let's go and find out.'

Ellie climbed into the Crossley with them.

'Stay here, Ellie,' he begged.

Ellie's pale face came to life. In the past weeks, when everything had depended entirely on the skill of Sammy and Ira, she had drifted about the airfield, between the barn and the farmhouse, with a lost expression on her face, but now that she felt she was needed, the old brisk Ellie they hadn't seen for a long time returned, and colour came back into her cheeks.

'Not on your sweet life,' she said. 'That kid might need a woman, not a couple of men.'

The route took them along the bund where a small landing party from the gunboat, under the command of a round-cheeked midshipman who looked no more than a schoolboy, had stopped the mob in its tracks. Standing in front of his few men, wearing a fixed grin to show he wasn't afraid, he refused to move while the filth and the brickbats bounced off him and his little party. Spat at, abused, covered with ordure, the little group of sailors waited with their rifles in front of them, not threatening, but also not budging.

Above them, dwarfing them, the Chang-an-Chieh Pagoda

229

reared its multitudinous shabby roofs. Someone had tried to set it on fire and part of the temple at the side had collapsed in a welter of charred beams.

The mob had quietened a lot by this time but every now and then they could hear the crackle of firing and from time to time they came across small groups of Tsu soldiers dodging between the houses, their faces terrified. Idols and dragon symbols were being carried through the streets, and on the bund the coolies were making messy sacrifices with chickens and goats. British, American, French and Japanese flags had been torn down or daubed with filth, and they passed a group of students burning pictures of President Coolidge and King George.

It was bitterly cold and the wet streets were full of smoke and soggy ashes. De Sa was picking among the charred portion of his store, his shoulders bowed, his face strained, and a few sheepish coolies moved about in the rubbish-littered alleys, where groups of defiant-looking militiamen hung around on the corners. Telegraph wires looped above pavements strewn with glass, broken stones, paper and blowing chaff, and here and there a burnt-out car still smoked.

The bungalow had been wrecked and everything of value smashed or stolen. Ellie's gasp of horror was involuntary and audible, and Ira saw her eyes go cold in a way he hadn't seen for weeks. A fire had been started on the verandah, though, apart from scorching the walls, it had done little damage. But the doors were kicked in, the screens smashed, the paper windows torn, and all the furniture and bedding slashed. Outside, the coil of red prayer paper Mei-Mei had hung over the door was looped across the verandah rail and her cage of birds had been trampled flat, its dusty dead occupants still inside.

There was no sign either of the guards or of Mei-Mei, and Sammy ran through the rooms, his eyes frantic, calling her name, but all they found that indicated that she'd ever been there was a torn silk jacket she'd worn and the medal that Tsu had given to Sammy and which he'd passed on to her.

Sammy stopped among the rubbish to pick it up, and when he rose his face had grown old.

'They've got her, Ira,' he whispered.

Ira's throat worked as he stared at Sammy's grief. 'We'll find her, Sammy,' he said.

'Not now.' Sammy shook his head. 'It's too late. I was too bleddy busy to look after her. If I'd been here it wouldn't have happened.'

Ira felt unable to console him. Sammy had grown up in an hour from an enthusiastic boy to a strained bitter man.

'I'm staying here,' he said. 'I'm staying till I find her. I don't suppose anything would ever have come of it, between her and me, but I reckon I let her down. I was scared of marrying a Chink and having slant-eyed kids. It was my fault, whatever happened, and I've got to put it right.'

As he walked slowly from the bungalow, Ellie watched him, her expression bleak and empty, then she turned to the Crossley, unspeaking and dry-eyed. Ira followed her, sick at heart, at a loss what to say. As he struggled with the cross-grained old vehicle, she sat silently in the front seat, hugging the few possessions she'd managed to rescue, and staring ahead of her almost as if she were blind.

'Please, Ira,' she begged as he finally coaxed the old engine to start, 'let's quit. Let's get the hell out. Set up somewhere else.'

Ira nodded. 'O.K., Ellie,' he said. 'That's all right with me.'

'Not in China,' she went on firmly. 'Not here. Somewhere safe. Somewhere they won't strip and rape me just because I don't belong—just to show they don't care about us any more.'

Sammy returned the following night, appearing out of the darkness like a ghost. It was still bitterly cold and his breath hung in a cloud of vapour about his head. He was covered with mud and dirt, and had a two days' growth of beard on his chin. His face was white and thin and dangerous as he threw down a battered suitcase with the last of his belongings from the bungalow.

Ira watched him go into the office, then quietly followed him inside. Sammy turned as he entered, and lit a cigarette with a shaking hand.

'I found her, Ira,' he said in a trembling voice. 'I found her in one of them huts by the river, near the pagoda. They'd stripped her, Ira, and blinded her with needles. Some feller had had her in there and God knows what else they'd done to her. She was dead when I found her.'

'Oh, God, Sammy . . .!'

231

'He was still there and I hit him with an iron bar I was carrying. I expect I killed him. I had to do something.'

Ira said nothing. Ellie had followed them in and was standing by the door, watching silently, her face grey and sick-looking.

'I had to do something, Ira,' Sammy repeated harshly. 'It was all my fault, see. It was because—because she'd been with me—a foreign devil.' He paused, his face hard. 'Poor little nailer,' he went on. 'She wasn't clever enough to know really what a foreign devil was. She wasn't even clever enough to learn a bit of English.'

He paused again, his face gaunt, his eyes feverish with hatred. 'There's nothing left now, Ira,' he said. 'Nothing. Not one thing to remember her by. I got that Welsh parson feller who buried Pat Fagan to give her a decent burial. He didn't want to because she wasn't a Christian but I said I'd hammer his head in if he didn't, so he did—the whole lot, every blessed word.' He sighed. 'I don't suppose it's the right way to get anyone a Christian burial.'

He drew a deep breath as though his chest were aching. 'I found a couple of coolies and threatened to shoot 'em if they didn't dig a grave. I had Pat Fagan's Colt in me pocket. I couldn't find nobody to make a coffin, so I got a roll of silk from De Sa—about all he'd got left—and wrapped her in that.' He looked up. 'That's how they bury sailors, ain't it? We put her in the ground like that. That bastard preacher didn't like it but he was too scared of me to say anything.'

He turned away and crushed out his cigarette. 'She'll be all right, I reckon. Don't you, Ira?'

Ira struggled for words of consolation, anything to stop the heart-breaking grief and guilt in Sammy's face.

'I reckon so, Sammy,' was all he could manage.

'I reckon she'll forgive me.'

Sammy paused, staring at his feet, then he lit another cigarette. He seemed in control of himself at last, and though his face was still thin and dangerous and his eyes were bright with rage, he seemed to be getting a grip on himself.

'We're finished here, Ira,' he said in a flat grieving voice. 'They don't want us any more. We don't belong here. Perhaps we never did. Perhaps we ought never to have come.'

He looked up and managed a twisted smile.

'Now, I reckon I'd better get down to some work,' he said. 'It don't do to sit about moping. Life's got to go on, hasn't it?'

Ira nodded, his heart torn by the look in Sammy's eyes, and Sammy turned for the door.

'Sooner we get the De Havilland finished,' he said, 'sooner we can cut and run from the bleddy place.'

It was a new and frightening feeling to find the hatred and bitterness pointed directly at them. They had been indifferent to all the strong feelings rampant in China and unconcerned by the rise of Nationalism. They had all been resilient enough to overcome the various disasters that had overtaken them, because they were young, and had never really felt themselves concerned with the confusion and the distress and the violence around them. But this hatred, aimed at them personally—not at another warlord, or another section of the Chinese community or even at the missionaries or Europeans in general, but at *them*—struck a new chilling note that seemed to put everything they were doing, everything they were hoping, in the balance. With Mei-Mei's death, their work suddenly became more urgent, a thousand times more important, and suddenly utterly devoid of joy.

The shock absorbers they had been waiting for turned up on the last steamer to reach the city and they worked all night to fit them. The De Havilland was almost finished now, the engine back in place, the wings loosely assembled and ready to fix to the fuselage, and the bruised longerons strengthened with steel fishplates.

An uneasy quiet lay over Tsosiehn. The Chang-an-Chieh and the single hotel in the city were filling up with refugees and missionaries from up-country, moodily waiting for transport down-stream. The news was that General Kwei had started to move north and west again and they knew that this time Tsu would be defeated for good.

The alliance of the northern warlords had never materialized, and Kwei and Chiang and a few other generals who had sworn to build the Chinese nation were simply defeating them one by one. It was not too difficult, because propaganda had ruined their armies, and their men were deserting every day to join the forces from Canton.

With the engine in place and the undercarriage rigged and tight, they wheeled the De Havilland out of the barn at last, thanking their lucky stars they were far enough from Tsosiehn not to have been noticed.

There had not been a single militia-man near the field yet, but they knew it was only a matter of time and that then the coolies would disappear like smoke in a wind, and there would not be enough of them left to protect the aircraft, their stock of petrol, tents and spares.

It took some time, even with Heloïse to provide the power, to get the fuselage horizontal and ready for rigging, with only levels, planks and protractors. As with all De Havilland aircraft, the wings were dihedrally placed and the angle had to be exact, and Sammy, his face still peaked and dangerous, a curiously silent Sammy suddenly, had fashioned an inclinometer out of a long wedge of wood to give them the true angle. With this along the wing and the level on top of it, and with the aid of more wedges and a pair of sheerlegs, they adjusted the rigging screws until the wings were fixed. They also had to rig for a fore-and-aft angle and a stagger but with the aid of blocks and pulleys and Heloïse's steam, they managed it within two days, and Sammy went round the machine tautening wires and the drag and anti-drag cables, checking the centre section wing panel, the struts and longerons, the turtleback, the control cables, the tall curved fin, elevator and rudder.

Then he glanced once more at the shock absorbers and screwed on the drip pan below the engine and the cowling round the exhaust pipe and radiator, and, straightening up at last, looked up at Ira, his face grey with exhaustion.

'That's it, Ira,' he said. 'It's done. All we've got to do now is fly her.'

Ira walked round the machine, frowning, touching the rudder and the ailerons and kicking the tyres, then he looked up at the sky. There were patches of cumulus and a layer of broken cirrus, but the day was bright and cold. For a moment, he felt a twinge of uncertainty at the thought of the unknown, then he nodded to Sammy.

'Start her up,' he said.

Sammy glanced at him. 'I'll take her, Ira,' he said. 'I think d prefer it if I did.'

Ira paused. He'd known for some time that Ellie had been dreading the first flight of the De Havilland.

'I'll still take her, Sammy,' he said.

Wang and the coolies were outside the barn, burning joss paper near the aeroplane to ward off the demons, and Ellie was sitting just inside alone, smoking. She looked round with a quick nervous smile as Ira entered.

'I'm going to take the De Havilland up,' he said.

She seemed to shudder and lifted her cigarette to her mouth with a hand that was unsteady. 'Can't Sammy take her?' she asked, blowing out smoke.

Ira shook his head. 'This is something Sammy can't do, Ellie.'

'Suppose something goes wrong?'

'Then I've got a better chance of getting her down safely.'

She paused, then she threw her cigarette away. 'Don't fly it, Ira,' she said.

He was struggling into the old castor-oil-smelling leather coat, his face grim and unhappy. 'I've *got* to fly it, Ellie,' he said. 'Someone's got to fly it, and the first time it's got to be *me*.'

She shuddered again. 'I'm scared,' she whispered. 'They say these D.H.s burn when they crash.'

He didn't find it hard to understand her fear, but he was quite unable to share it. They had built the machine carefully and there was no reason why it shouldn't fly.

'Ellie, I'm not going to crash her,' he pointed out gently. 'I'd trust my judgment and Sammy's skill anywhere.'

She shook her head, stubborn and miserable. 'I'm just scared, that's all,' she said. 'I've seen it happen before.'

He began to fasten the coat. 'I'll be all right, Ellie,' he said quietly. 'In an hour it'll be all over.'

She looked up quickly and he realized the double meaning that could be attached to his words.

'Stop worrying, Ellie,' he begged. 'The machine's sound. The engine's sound. There's no reason why anything should go wrong.'

She allowed him to put his arms round her. 'It's something I feel, I guess,' she said. 'Something I can't explain. I'm suddenly scared of airplanes.'

'Why, Ellie? I know my job.'

'So did Ches Putnam.' Her eyes were tragic. 'And there's not that much goddam luck in the world.'

'Ellie, aeroplanes are getting better every year. We've only just started. These are great days for flying.'

'Are they?' She stared at her feet, her mouth bitter. 'For every guy who gets anywhere in this game, there are a dozen who get smashed up or burned to death. For every good airplane there's a bundle of bloodied wreckage. We're still building by rule of thumb and we still fly by the seat of our pants, and pre-flight checks are a plonk on the wires and a kick at the wheels. It's the folk who'll come afterwards who'll benefit. They're the ones who'll live.'

He was silent, aware that what she said was no more and no less than the truth. Their planes were old and had been repaired and rebuilt too many times and, because he knew it, he began to lose his temper.

'Damn it, Ellie, I'm not going to kill myself! It's a good aeroplane!'

She whirled on him, her eyes blazing. 'I don't need aeroplanes,' she said. 'It's kids I need.' She stared at him for a second then her face crumpled and she began to cry. 'I want to get married, Ira,' she whispered.

He put his arms round her again. 'To me?'

Her head came up, her eyes bright and challenging. 'Who the hell else, you dope? I want your kids. I want to cook your meals and keep your home tidy. For God's sake, I want to grow old knowing I can put my hand out in the dark and feel you there. I've lived out of a suitcase with a bunch of guys on an airfield so goddam much I've forgotten I've got all the instincts a woman usually has. There've been times, in fact, when I thought I hadn't got them at all. But I have, Ira, I have, and I'm scared. I'm scared I'll grow old and never hear a voice in the next room that'll tell me I'm not alone.'

He held her against him and gave her his handkerchief.

'Ellie, it's a sound machine. The best we've got, I reckon.'

He could feel her quivering tension and the tears that dropped on his hands, then she moved away from him restlessly. 'Ira'—she reached for another cigarette for something to do with her fluttering fingers—'let Sammy do this. We've only had a few weeks together and I know it can't go on.'

236

For a while, he stood staring at her. Her words had shaken him because he'd been too long used to the old tough Ellie who gave nothing and expected nothing, and it had more than once come as a shock to see her weak and feminine, wanting all the warm comforting things that were instinctive with other women.

'I know how you feel, Ellie,' he explained. 'But this thing's got to be done and Sammy can't do it. I'll be down in an hour.'

She whirled on him, furious. 'You'll kill your goddam self!' she said harshly.

He paused in the doorway, trying to think of some way to calm her, but he couldn't, and in the end he decided to let it go.

Sammy had finished filling the tank with petrol and was checking the oil when he arrived. 'She's yours,' he said, giving him a quizzical look, as though he were wondering what had taken place inside the barn.

Ira climbed into the cockpit, and Sammy pulled the propeller through its turns to suck fuel into the cylinders, then, linking arms with Cheng, he heaved against the pressure.

The engine roared and the propeller became a circle of light against the wintry sun. For a while Ira worked the throttle, feeling the shudder of power through the fragile fuselage, then with the coolies hanging on to the wings and tail, he turned her, throttled back, and went carefully through all the pre-flight cockpit checks.

For a while, he taxied the De Havilland about the field, lifting her once or twice from the ground, to get the feel of her, then, satisfied, he faced her into wind. He paused for a second, thinking about what Ellie had once said—'It was always the other guy'—then he pushed the thought from his head abruptly, and thrust the throttle wide open. As the engine roared, the machine rolled forward, the long wings dipping and swaying, their tips quivering, as he moved over the uneven ground.

As he gathered speed, he moved the stick forward and the tail came up. For a moment, he kept her there, holding his breath, then he cautiously pulled back on the stick and the rumbling beneath him stopped. The De Havilland was airborne.

He let her gather speed then he eased the stick back further, and she began to lift over the trees and the river, climbing with all the power and thrust of the great engine. She laboured a little from the small field but, at five hundred feet, he did a climbing turn round the Chang-an-Chieh and at a thousand he levelled off, trying to get the engine into a steady rhythm. The machine felt safe under his hands, though her gliding angle was steep and she flew left wing low. He banked her and put her into a climb and levelled off at ten thousand feet, the big propeller beating. Below him, as far as he could see there was a level plain of white cloud, sparkling in the sun, alabaster castles and snowy rainbowed valleys, with here and there gaps through which he could see the brown of the earth. The light was brilliant and came from every direction at once so that the immense sky was a crystal-clear bowl of blue, where the sun was brighter than anybody on the earth ever saw it. As high as this, with only the drumming, sighing and creaking of the aeroplane, and the smell of oil and exhaust for company, he could feel his spirit surge with elation.

The distance he could see was enormous. Below him was China, varied as a mosaic of silks where it showed through the cloud, an ancient land with the imprint of generations of patient peasants on it. Whatever floods, famines, plagues or wars came, they went on working their tiny plots and raising their families, always on the verge of starvation but always staying alive.

He sailed along for some time, his face frozen by the propeller blast but forgetting the tragedy that was taking place across the broad earth below him. He found cloud fortresses and sailed round them, trailing the vapour from his wing tips, throwing his shadow against the mistiness and sweeping in and out of the towers of swelling whiteness and among the pearl and oyster shadows.

Eventually, he became aware of how cold he was. His nose was dripping and his left foot felt numb, and he huddled lower out of the blast and began to stamp his feet. Then, throttling back, he pushed the nose down, circling towards the earth, and finding a gap in the clouds he descended through it, saw the river and began to fly east along it. He soon saw Hwai-Yang and movement to the east of the city drew him to a line of troops, led by officers on shaggy ponies and followed by a string of ox-carts and guns.

Out of curiosity, he went down low and saw at once that they could never belong to Tsu. They were smart in green uniforms and, instead of teapots and parasols and umbrellas, they carried the red flags of the Kuomintang with their blue squares and the white sun insignia. They seemed to be mostly of student age and even included girls, and he noticed that, at the sight of the aeroplane, they didn't stop and point, but continued to march stolidly westwards. Only when he flew along the column did groups of them step to the roadside and start firing at him—not in sporadic bursts that could do no harm but in volleys directed by their officers. A strip of fabric on the wing near the outer strut began to flap and he turned away west, picked up the loop of the river that contained Tsosiehn and, from it, taking a line past the pagoda, picked out the field at Yaochow.

A few minutes later he was bumping along the grass and Sammy and Ellie were running towards him with Lawn and Wang and the Chengs, followed by a long string of grinning coolies.

As he switched off and jumped clear, Ellie flung her arms round him, her eyes full of tears.

'Thank God I was wrong, Ira,' she said as he pushed back his helmet. 'I'm sorry for what I said. No woman's got the right to stop a man just because he's doing what happens to be dangerous.'

Sammy was waiting by the wing-tip, his face sombre with pride. 'She's beautiful, Ira,' he said solemnly. 'Beautiful! She climbs like a homesick angel. We got three aeroplanes now, and two of 'em are transports. We can convert that rear cockpit to carry goods and she'll lift anything. She's built for lifting weights.'

Ira nodded, delighted by the De Havilland's performance, but still worried by what he'd seen along the river, and even as they talked, he saw De Sa's old Model-T Ford bumping across the field towards them. The storekeeper had a black eye and blood on his shirt, and his swarthy face was sick-looking.

'You must take me down-river to Loshih,' he said at once.

Ellie's face went white and she began to light a cigarette quickly.

'Kwei is coming,' De Sa went on. 'I am told also that Chiang heads for Shanghai and is willing to fight for it if necessary. It is the end, Major Penaluna. The students tell me my coolies are no longer allowed to work for me. They will come to see you soon. A month from now *you*'ll have no coolies either. Tsosiehn is Tsu's city and Tsu is finished.'

239

Tsu, it seemed, had reached the end of his crooked road. On the way south to Loshih, they flew over troops massing in the valleys and on the road that came up from Canton, orderly regiments very different from Tsu's straggling rabble, squadrons of cavalry and strings of artillery and lorries, every group with its own banner. By the time Ira had returned to Yaochow, Hwai-Yang had fallen again and Tsu's army was evaporating. His only ally, General Choy, had finally abandoned him and thrown in his lot with Chiang, and the mob was in control.

No one was certain where Tsu was. His motor cavalcade had left Hwai-Yang in a hurry with Tsu, Lao and his wife and son, and had vanished into the hills on the way to Tsosiehn and had not been seen since, and it was said that Kwei troops were across his path. Europeans in Tsosiehn were already busy barricading their houses because his disappearance meant that his army would go on the rampage for loot. Hungry and angry and lacking in discipline, they would splinter into small units, murdering and raping and stealing.

It was already growing dangerous to go into the city. Chiang agents were preaching hatred everywhere and mobs of students had established themselves in the Chang-an-Chieh and were patrolling the streets with their slogans and their bugle bands, ready to attack any foreigner or any Chinese who was unwise enough to work for him. The British gunboat was said to be coming back to take away everybody who wanted to go to the coast and the streets were full of Tsu's useless banknotes and the Chinese merchants had put up the shutters and hired junks to take them down-river to Siang-Chang. Tsosiehn would be the next place to fall.

There were Kuomintang flags everywhere now. Every one of the junks that bobbed six deep along the bund wore one and a huge red and blue banner floated over the shabby hotel that had once been used by European businessmen. The ancient walls had sprouted a rash of virulent propaganda sheets, urging the people to support Chiang and throw out the foreign devils, and rewards were being offered for Tsu or any of his family.

Lawn was growing daily more nervous and unreliable. His woman had been beaten up by the students and had left him and he had had his bag packed for a fortnight. Half the time now he was stupid with drink.

'I'm getting out of 'ere,' he kept saying. 'This is no bloody place for a civilized bloke!'

But he never quite summoned up the courage. He needed Ira and the others as much as they needed him, because the wall newspapers were blaming the deaths of Chinese peasants in Hunan on the Europeans and it wasn't safe to move about alone.

They only went near the town now to buy food. All the unions had joined together into a single movement against the Europeans, and the student parades along the river, all the way from Kenli to Loshih, and Hwai-Yang to Tsosiehn, had become cocksure and noisy, with cartoons showing white sailors murdering Chinese women and children with bayonets, and placards claiming fantastic numbers slaughtered by machine guns in the Yangtze Gorges. Landlords, rent collectors and Chinese Christians were being shot up-country, and the trickle of missionaries to the coast grew broader and stronger.

In Tsosiehn, the agitators were openly distributing pamphlets of the writings of Sun Yat-Sen, and it had been safer for some time for everyone to sleep at the field and eat beans and bully beef out of tins than go into the city for meals. The generator was already on the lorry ready to leave and they were using lamps with wicks in bean oil that Wang had made.

In his bones, Ira felt there would be a visit from the mob before long, and he had long since transported all their petrol from the godowns along the river to the field, and erected a sign, ORIENTAL AIR CARRIERS, in English and Chinese, on the road alongside in the hope that it would discourage the looters.

Feverishly, while Sammy worked to perfect the De Havilland, they began to pack crates and boxes with everything worth taking. If they were to operate as a private concern, they couldn't afford to leave any of their sparse stores behind.

One evening, aeroplanes appeared over the city—new De Havilland Nines with tapered snouts, the sun picking out the blue markings with Chiang's sunrays on them. A few bombs were dropped but most of them fell either in the river or in the paddy fields at the far side, and nothing was damaged and no one hurt, but, for safety, they decided to disperse the machines at once and finally to drain the petrol tanks.

Two nights later, the De Havillands came again, just before dark, and this time they ignored the town and roared across the field at Yaochow. They came low over the trees, their bullets bouncing up from the hard earth, their bombs going off in flashes across the field, so that they all had to dive for the ditch, clawing frantically at the frozen ground.

'If they touch my aeroplanes,' Sammy was yelling bitterly, 'I'll kill the bastards!'

As the sound of engines died away, they scrambled to their feet and ran to where the aircraft were parked, Sammy in the lead, the coolies trailing along behind. They were still running when the last of the planes came over, an American Curtiss, its engine missing badly so that it had fallen behind the others. As it appeared over the trees, so low they felt the backlash of the propeller, Ira flung himself at Ellie and dragged her to the ground. One of the coolies near them went over like a shot rabbit, end over end over end, until he stopped, sprawling face-down in the dust, and Ira saw the bullets ricocheting round the Avro as the Curtiss banked.

The Chiang plane vanished as suddenly as it had come, leaving holes in all the machines but no serious damage, and they buried the dead coolie at the edge of the field, hacking a hole from the hard earth with picks, and left him with his friends wailing and burning joss sticks over the grave. They were still patching the planes and packing the last of their equipment when darkness came, and it was only as they stopped to eat that they noticed the coolies had gone. One minute they were there alongside them, moving among the tents, carrying spares and tools and cans of oil, then the next there was utter silence. Where there had always been the high yelling of Chinese argument, now there was nothing except shadows and the hollow sound of their own voices bouncing back at them from the tent walls, and scared looks on the faces of the Wangs and the two Chengs.

They finished loading the lorries and stuffed what they could aboard the De Havilland, then they snatched a hurried meal of corned beef and coffee and lay down to wait for morning. Over Tsosiehn there was a glow in the sky that silhouetted the tower of the pagoda, and Peter Cheng, who had sneaked into the city on a bicycle, came back to say that the mob had set fire to De Sa's store again and that the gunboat had returned at last and was gathering rafts and sampans to ferry Europeans out to the ship.

Afraid to go to sleep and half-dozing in his blanket in a tent against the lorry, with Ellie huddled in his arms, Ira could feel no other sensation but relief that it was all over. The enthusiasm for their projected air carrying company had gone, and all their happiness with it, in the hatred of the Chinese.

They seemed not to have had their clothes off for days, and he was longing for sleep, but it was bitterly cold and had started to rain, and in addition to having a mind busy with all the things he had to remember, he knew it had now become unsafe to sleep. Then the rain changed to sleet and flurries of snow, and within an hour everything was coated with a patchy white, the wings of the aeroplanes like grey gashes across the black sky.

There was a feeling of defeat in the air and he was overwhelmed by a sense of loneliness. Tomorrow, they'd be on their way to Nanching, well to the south and off the route of the armies, and from there even further, and he couldn't wait to put it all behind him. At least their future was secure because his back was against a suitcase containing Shanghai and American dollars, and they could afford to pay off all their outstanding debts and still be in business with a little capital behind them.

He felt Ellie stir in his arms and as he lifted his head he noticed that the red sky over Tsosiehn seemed to be growing brighter, and he became aware of the yells of the mob and occasional shots. Then Sammy, who was prowling round the perimenter of the field with a revolver strapped to his waist, yelled suddenly.

'Ira! I think the bastards are coming!'

A shot whined across the airfield, then as Ira reached under the blankets for his own revolver, all hell broke loose. His ears were filled with a high-pitched yelling and there seemed to be lemon-coloured faces everywhere. As he burst out of the tent, he heard Sammy fire, then he was bowled over by a rush of figures in the darkness. Another shot rang out and he took aim from the ground as another bunch of dark shapes hurried by, black against the snow, but they continued past him to the aircraft without apparently noticing.

'The planes, Sammy,' he yelled, scrambling to his feet.

Flaring torches seemed to be all round him, lighting up the thin snow and, as he fired again at the shadowy figures, he saw the tent where Lawn had been sleeping go up in flames. Sammy was yelling and swearing somewhere in the darkness and he could hear Lawn's boozy voice in the background, then he saw that the Fokker, which had never flown since his crash-landing after his fight over Hakau had grounded it for lack of a propeller, was surrounded by yelling shapes with paraffin cans and torches and he began to run. There was a flare of flame from the cockpit, and even as he ran to put it out, he knew it was useless, and almost immediately he heard the sound of metal on metal and guessed the mob was trying to puncture the stacked petrol drums.

Shouting, he whirled on his heel and ran towards the dump. Out of the corner of his eye, he saw old Lawn lumbering towards him, then a flaring torch was swung in the darkness and there was a 'whoosh!' and an explosion that threw them both over. As he lifted his head, he saw running figures black against the flames and a youth whose clothes were alight being dragged away, screaming in agony.

He rushed to the lorry for the fire extinguishers and bumped into a student just climbing into the cab. He swung the revolver and the boy reeled away with a shriek, and grabbing extinguishers with Lawn, he ran to the drums of petrol. But there was another explosion and another fountain of flame and he saw at once that the extinguishers were useless. Racing back to the lorry, he saw a coolie with a torch trying to set light to the tarpaulin hanging over the back and lashed out with his foot. As the man collapsed with a grunt, he jumped into the cab and roared away from the blaze with screaming gears.

As he climbed down again, he saw the remaining Peugeot was burning now and snatched up the extinguisher again in a vain attempt to put it out. As he turned away, his hair and eyebrows singed, his face black with smoke and runnelled with sweat, he realized their assailants were gone.

He could see Ellie in the shadows at the other side of the blaze, then Sammy appeared through the darkness, his face streaked and a smear of blood down one cheek. He was staring at the burning Fokker, already only a glowing framework devoid of fabric, its wings sagging and its fuselage broken-backed.

Ira stood alongside him, his eyes hard. The Fokker had never been a good aeroplane by the standards of any aeronautical society, and she'd arrived, patched and battered and darned like a poor relation even to the old Avro. But her engine and construction had been basically sound and they'd made a reliable machine of her, and it was heartbreaking now to see her burn.

'The bastards,' Sammy was sobbing, the tears wet on his face, 'She was a tip-top little aeroplane.'

'And they were too bloody well organized,' Ira grated. 'They were everywhere at once.'

It was only as he turned away that he realized that Sammy was hugging his right arm to his chest and that he was in pain.

'What happened, Sammy?'

'Me arm's bust, I think. Some bastard with a carrying pole got me. I think I shot him. He's over there somewhere.'

'What about the other planes?'

'They're O.K. It's a bleddy good job we emptied the tanks. They've both lost a bit of fabric but that's all. There's no real damage. They'll fly again.'

Ira shook his head. 'Not just yet, they won't.' He indicated the flare where the petrol dump had been. Patches of grass were still burning fiercely.

As they moved towards the dump, he saw Ellie coming towards them. Her shirt was torn off her shoulder and she stared at them numbly, her expression full of shock and horror.

'They tried . . .' She choked on her words, her throat working, then as Ira stepped forward, she flung herself into his arms, sobbing.

When daylight came the place looked like a battlefield, with the skid marks and lorry ruts bleak on the rimed ground. The charred tent, the ruined Fokker and the burnt-out Peugeot were like the wreckage of war, and the great blackened circle where the petrol dump had been, now nothing but melted snow, charred grass, and the split, still-hot fragments of metal that had been drums, looked like a bomb crater. There were scattered blankets everywhere with broken camp beds and chairs and pots and pans.

They ate breakfast silently, sitting on boxes and drinking coffee out of chipped tin mugs. A thousand feet above them, the lowering clouds threatened more sleet. Ira was deep in thought, frowning at a scrap of paper on which he was making calculations. Ellie watched him, her face grey with shock and tension. She'd put a splint on Sammy's arm and bound it in a sling and he was prowling tirelessly round the aeroplanes now, peering at them lopsidedly, sucking his teeth, his eyes cold and frowning as he made mental calculations and adjustments.

After a while, a thin rain started that changed the snow to slush, and they unloaded one of the tents from the lorry and erected it so they could collect their belongings inside it.

'We've got to get petrol, Sammy,' Ira said grimly. 'Even if we emptied the lorries and the cars, there wouldn't be an hour's flying for the Four.'

They found a couple of puddles of blood on the grass and the body of a coolie near the sagging framework of the Fokker. He was lying in a hollow in the ground, his face thrust into the earth, the back of his head blown off, the breeze playing with the torn edge of his blue smock.

'That must be the one I got,' Sammy said without a trace of compassion in his voice.

'We've got to hide him,' Ira pointed out. 'If the students find out, they'll have the mob back again within an hour.'

They needed time to repair the damage, to sort themselves out, and above all to find petrol, and the last thing they wanted was another visit from the crowd.

Without telling the Chengs or Wang, Ira wedged the body along the mudguard of De Sa's Ford and drove over to the grave they'd dug the previous day. Working in the rain, he dragged out the body of the coolie the aeroplanes had killed and laid the man Sammy had shot underneath him. As he shovelled the earth back, Sammy watched him, his face grim.

'What now, Ira?'

He looked like a wizened, starved child with his thin face grey with pain, his eyes dark and exhausted. His stance was lopsided because of his broken arm and Ira's heart went out to him, for his courage and tenacity and loyalty.

'Get that wing of yours put right,' he said. 'That's first.'

He siphoned what petrol they could find into the tank of the Crossley and, leaving Ellie with Lawn, pushed Sammy—not very willingly, because he was itching to start work—aboard, and with Peter Cheng as interpreter, drove cautiously into Tsosiehn.

There was a feeling of impending doom over the city and enormous crowds were on the bund, spreading like an ugly fungus along the river's edge, smothering everything and shouting over the water at the gunboat. The market was a ruin, and the remains of the matshed roofs swung in the breeze, whacking the wooden walls with a soft intermittent clapping. Broken earthenware, water jars, pots and rice bowls were trampled into the dirt and the booths where the metal-workers had laboured, their lemon bodies lit by the furnaces, were wide open and empty in a debris of sheet metal, rusty chain and broken forges.

A few Tsu soldiers in filthy uniforms and umbrellas, straggling through the paper-strewn streets, were helping themselves from the shops they'd broken into. There was one man with a couple of chickens hanging from his belt, and another with a wheelbarrow with a sewing machine on it. At one corner they saw a pigtailed soldier in the distance struggling with an old man who was trying to prevent him dragging off a girl, whose jacket was ripped from her body and hung in tatters round her naked waist. Growing angry, the soldier let the girl go and the old man pulled her away, but the soldier shot him in the back, and as the girl bent over his body, the soldier slung his rifle again, grabbed her by the wrist and wrenched her away between the houses, a harsh dry scream coming from her throat as they disappeared.

They found a Chinese doctor for Sammy, but he made them go to the back of the house, because he was afraid of being seen with them, and his inspection and bandaging were perfunctory and hurried.

'Ellie did a better job than that,' Sammy said caustically.

The doctor shrugged. 'I am busy,' he said. 'Typhoid has broken out in the city.'

What he said was clearly true. Bodies were lying in doorways and families were carrying their dead towards the burial grounds, headed by the Rev. Alwyn Rees, his eyes wild with thwarted fervour.

Near the river, Tsu soldiers were shooting prisoners. Four men were kneeling on the ground, hatless, their hands tied behind their backs, and as the car passed, an officer walked along the line, put his revolver to each head in turn and pulled the trigger. As he holstered his weapon, a sergeant called a squad of soldiers to attention and they began to move off after him.

De Sa's store was a mere heap of smoking timbers and scorched bricks stinking of burned grain. The big shed where he'd kept his petrol, oil and paraffin had disappeared from the face of the earth, and they could see the roofs had been blasted off the houses all around, so that it wasn't hard to guess what had happened when the mob had fired it. A few stunned-looking householders were moving between the ruins, and a couple of blue-clad bodies lay among the stones.

'Let's try his godown by the river,' Ira suggested, more determined with every hour to get clear of Tsosiehn with what aircraft the mob had left him.

But the warehouse had been broken open, too, and looked as if it had been stripped clean by an army of locusts. There wasn't a sack of grain, a drum of kerosene or a tin of meat, nothing but an abandoned blue blouse and one of the conical straw hats the coolies wore.

For two hours they moved round the city, their revolvers loose in their holsters, searching for petrol. A bleak sun shone on the wintry streets, deserted factories and lacquer works, and by the river, abused by the yelling students, the naval men were ferrying out groups of apathetic missionaries with their suitcases and bundles and wailing children. For the most part they wore Chinese clothing and several of them had bloody bandages on their heads.

There wasn't a can of petrol to be bought in the city, and they recognized at once that what had happened in Hwai-Yang was now happening in Tsosiehn. Chiang agents had been at work and what hadn't been stolen or burned or poured into the gutter had been hidden or smuggled east to Kwei. The student committees had been round all the usual sources, warning and threatening and, at one point, they were accompanied by a horde of chanting youngsters who yelled insults both at Ira and Sammy and at anyone who looked a likely prospect of help.

'No petrol for foreign devils!' they screamed. 'Foreign devils go home!'

They picked up Peter Cheng, whom for his own safety they'd left to forage alone, and were just on the point of giving up in despair when Ira noticed several huge rafts moored on the mud flats down-river, as big as islands and made of logs bound together with twisted bamboo cables, whole villages of wood-and-reed houses erected on them.

'Peter,' he said, stopping the tender with a jerk that made Sammy yelp with pain. 'The raft!'

Cheng nodded. 'Yes, Taipan! Sail to Siang-Chang. Many white people there. Treaty port.'

A spark of hope flared in Ira's breast. He jerked a hand at the raft. 'Will they take *us*?'

The other two stared at him, startled, then Cheng's face broke into a wide smile.

'We have money, Taipan. Fire melt money. Money melt raft-boss's heart. They will take us.'

( 6 )

Red-eyed with lack of sleep, grimy with grease and oil, his fingers bleeding from wrenching at spanners, Ira watched Jimmy Cheng make the last lashings as they fastened the tail of the stripped and wingless Avro across the dropboard of the thirty-hundredweight. The De Havilland stood nearby, lashed to the trailer of De Sa's traction engine. Stripping her after all the work they'd put in on her had almost broken their hearts.

'Well, this is it,' Ira said grimly. 'With a bit of luck, we ought to make it.'

Sammy looked up from where he crouched on a box, and nodded, too exhausted to reply. His face was drawn with strain and he hugged his injured arm to his chest with trembling fingers. All night, refusing help, he had struggled one-handed with spanners and wrenches, not uttering a word of complaint or a moan of despair, simply clamping his lips tighter, even in the final moment of desperation when the always-uncertain Crossley had finally given up the ghost at the most inconvenient moment of its career, so that they had had to off-load it and re-distribute everything just when they'd believed they'd finished.

Ellie stood nearby as Ira climbed into the traction engine's cab, and he could see her fighting back all the warnings she was wanting to give him. Deliberately, he made his farewell brief.

'So long, Ellie,' he said. 'Back for supper.'

She managed a shaky smile but made no reply and he waved to Wang and Peter Cheng on the trailer and released the brake.

Tsosiehn had grown quieter by the time they clanked past its fringes towards the river. The mobs were still chanting up and down the bund by the pagoda, throwing rocks and filth at the stony-faced sailors pushing the missionaries into the sampans, but the log raft lay on the mud-flats in a muddy loop of the river just outside the city, its owner a diminutive Szechwanese with an independent turn of mind, to whom, money was worth more than all the ideologies offered by the students a mile away along the river bank.

The children from the raft poured ashore as Heloïse hissed and snorted towards them, running alongside, cheering and shouting and screaming with delight, and the raft-boss's small face wrinkled as he welcomed them, surrounded by yelping dogs and excited women, his little goatee beard jiggling as he offered them the hospitality of his command.

Aided by the raft boss's sons, they unhitched the aeroplanes and began to prepare a ramp for them down the slope from the roadway to the mud flats. With spades, they dug channels for the wheels, then fed a rope through a block attached by a wire strop to one of the trees growing at the top of the bank and led it back to Heloïse. Fortunately, the mob was too occupied further along the river, waving Chiang flags and shouting insults at the European refugees, to notice their preparations, and only a few curious coolies, uninterested in politics, turned up to watch. Flourishing money, Ira immediately set them to work and by the late afternoon, they had the ramp ready and a mat of reeds and rushes laid along the mud to the planks they had stretched across to the raft.

Using Heloïse as a brake, they lowered the Avro just as darkness began to fall and got it aboard the raft in record time. The De Havilland followed immediately, nose first, its tail secured by the rope and guided by a horde of chattering coolies. Darkness had fallen by this time and they were working by the flaring light of rush torches held by children from the raft. The fires were still burning in Tsosiehn and Ira was looking over his shoulder all the time, in the direction of Yaochow, waiting for the glow there that would tell him that the mob had invaded the airfield again.

In their haste to get the De Havilland aboard the raft, the coolies were too enthusiastic and bounced it down the bank too fast so that a great rent was torn in the fabric against the tree and a longeron strut was broken, but, urged on by Ira, they manhandled her across the mats and on to the raft and, draping tarpaulins over her, covered any exposed parts with sacks and reeds. Fishing out a handful of Shanghai dollars, Ira paid the coolies, warning them he was returning the following day, then, almost falling asleep at the controls, he clanked back with Wang and Peter Cheng to Yaochow.

Sammy was waiting, drawn-faced and nervous.

'All right, so far, Ira,' he said.

The wind had grown bitterly cold while they'd been away, and little flurries of snow and rain kept falling, but while Ellie made coffee, they began to assemble the sled they'd used to salvage the De Havilland from Hakau and load the dismantled wings. Because of the shortage of rope, they had to strap them in place with wire and lashings made of rushes fashioned by Wang.

'We'll just have to chance it,' Ira said as they wolfed cold corned beef and coffee. 'If anything's broken it'll have to stay broken for the time being.'

As dawn was breaking, they dragged the De Havilland's wings to the river bank and stored them among the reeds, and went back for the Avro's, and finally with the field once more a bare patch of ground littered with straw and blown paper, they took their last look round. The charred Peugeot sagged against the old farmhouse that had been their headquarters for so long, with the Fokker, a mere skeleton of spars now, minus its engine and anything they could use or sell. The Crossley, clearly never likely to move again, stood with its doors open, the engine stripped of anything of value.

They packed the last of the spares into the remaining crates and grabbed up every scrap of equipment they could possibly use—even the Peking rug from the farmhouse—and stuffed it into any available corner they could find on the lorry.

Sammy tossed the coffee pot aboard with a twisted grin. 'We'll still need coffee,' he said.

The exhausted little cavalcade left the field in the middle of the afternoon, mud-covered, greasy and hungry, Sammy muttering softly to himself as he crouched over his sling, Ellie alongside him, her eyes dark-ringed with weariness but excited to be leaving and fussing over his needs. Heloïse led, with the wings of the Avro dragging behind, followed by the lorry loaded with everything they possessed, and the old Ford De Sa had left, towing the generator. Ira heaved a sigh of relief as they bumped cautiously on to the dirt road from the field.

They still had their airline.

The thirty-hundredweight ran dry a quarter of a mile from the river and the Ford soon afterwards. To save time, they simply took the wings to the river and returned to hitch everything to the back of Heloïse. Then they set off again, towing the lorry and the car and the generator like a set of circus trailers.

Sammy managed a tired smile. 'We made it, Ira,' he said. 'We're all right now. There'll be troops at Siang-Chang.'

The coolies were waiting for them among the reeds, crouched over their rice bowls, and with Ira chivvying them, they took very little time to manhandle the fragile wings to the bank and aboard the raft.

When they'd finished, Sammy looked round. There was still plenty of room on the huge island of logs. He looked at Cheng, his eyes bright.

'Ask him if he'll take the lorry and the car,' he said. 'Tell him we'll pay him well if he gets the lot down to Siang-Chang.'

Three minutes later, they were hitching ropes and tackles to the tree at the top of the bank. With Heloïse leaning on the end of a rope as a drag, the Ford went down the bank first, its wheels locked and sliding, but as the thirty-hundredweight followed, sparks coming from its brakes, the long-suffering tree came out at the roots at last and the whole lot of them, the lorry, the rope and tackles and a dozen collies, rolled down with it on to the mud.

The coolies picked themselves up, hooting with laughter, and knocked the mud off themselves, then, like a lot of ants, they bundled the lorry on board the raft and began to cut down swathes of rushes with their sickles and stack them round the vehicles, even tying them to the towering centre section of the De Havilland which stood twelve feet above the decks like a look-out post.

Sammy appeared in the dusk, stumbling with weariness and pain. He was spattered with mud and his sling was filthy.

'Made it,' he said with a grin. 'Every bleddy thing on board except Heloïse. Even the coffee pot. When do we leave?'

'Cheng says first light,' Ira said. 'They have to anchor at night.'

Wang was waiting on the mud with his box of ancient tools and his family lined up as if for inspection, each one of them holding a bundle or a household utensil of some sort. Eleven pairs of slant eyes gravely regarded Ira.

'Mastah,' Wang said. 'Wang come also. Bad men Tsosiehn catchee Wang. Wang help white taipan. White taipan foreign debil. Best Wang stay with white taipan.'

Ira grinned. 'White taipan think you dead right, Wang. You best down-stream. Get your family aboard.'

Wang grinned and bobbed his head and the family trooped aboard the raft, and Ira doled out Shanghai dollars to the muddy waiting hands on the bank.

There was a mist over the river the following morning, like a white sheet low over the water, obscuring the far bank so that the Chang-an-Chieh Pagoda stuck out above it in the distance like an immense phallic symbol, detached and bottomless. The noise upstream seemed to have died down in the night, and they could see that the gunboat had moved from the bank, smoke trickling from its stack. The ropes holding the raft were unfastened and with a great deal of shouting, the crew began to push off with huge poles. Out in mid-stream two or three boats heaved it round under the straining backs of their oarsmen.

As it began its first shuddering journey from the shore, swirling slightly as the current caught it and dragged it against the oarsmen, a mob of coolies appeared at the top of the bank— men, women and children—and began to pour past the abandoned and forlorn-looking Heloïse, down to the mud-flats. At first, Ira thought the Tsosiehn students had discovered them at last and his heart sank as he waited for the first attempts to cut them off, then a firecracker began to fizz and sparkle in a cloud of blue smoke, popping and spitting and crackling, then another and another.

'Plenchee joss for Peng Ah-Lun,' Wang grinned. 'Debil no catch he.'

Ira saw Lawn's scared boozy face relax into a smile and he laughed with relief, then more crackers fizzed and sparkled and the coolies on the bank began to jump up and down and laugh, and the captain of the barge found a huge cracked gong and began to hammer at it, giggling and swiping at the children who ran round him, shouting with excited laughter.

The raft was moving faster now and the crackling on the bank grew fainter. Behind them the Chang-an-Chieh had almost disappeared as they moved between high banks. What had seemed at first to be empty countryside turned out to be alive with people, and bridges and dykes kept peeping over the banks and groups of roofs appeared, some with green tiles and some with curved eaves or untidy rush-matting. Occasionally, as the bank dipped, they could see into the paddy fields, where women splashed with buffaloes through the squares of water.

The raft began to move round a bend in the river, the yellow water washing along its edges and slapping over the logs against the wheel of the lorry. The raft-boss was steering with sea-anchors, streaming them out on the quarter to heave the vast log island to starboard, and as Ira watched a boat was laying more of them, its oarsmen encouraged by drummers and what appeared to be a cheer leader in the stern. The raft boss saw Ira alongside him and turned, grinning all over his face.

'Plenchee good joss, Massah,' he said. 'No soldiers now.'

Unwilling to count chickens before they were hatched, Ira was not so sure, and he was not surprised when that afternoon they saw a train of pack ponies, their ears and tails flapping against the flies, trotting along the top of the brown mud bank.

Later more ponies appeared, ridden by uniformed men with their rifles slung across their backs, who dismounted and fired two or three shots at the raft which sent everyone diving for cover.

Later, just when they were preparing to anchor for the night, two men in a boat put off from the bank. It was Ellie who drew Ira's attention to them. Throughout the departure from Yaochow she had worked silently, exhausted but eager to be away, and she looked suddenly old now as she pointed to the shore, something in her face indicating that she'd almost reached the limit of her endurance.

As the boat drew nearer, Ira reached for a baulk of timber and waited near the De Havilland. As he looked round, he saw Sammy sitting up in the back of the thirty-hundredweight, where he'd slept off his exhaustion for most of the day, his young-old face hard, his eyes cold. His grimy fingers clutched Fagan's Colt.

'Kwei soldiers,' he said shortly.

As the boat scraped alongside, the two men scrambled aboard the raft. There was a series of shouted orders and the angry chattering of the raft boss, and Ira saw Ellie shudder and put her hands to her throat. Then one of the soldiers unslung his rifle and pointed it at the raft boss, but before he could pull the trigger, Sammy stood up abruptly in the back of the thirty-hundredweight and fired and the soldier splashed over the side into the water, his rifle clattering to the deck. As the other soldier whirled, unslinging his rifle, Ira swung the baulk of timber and he dropped to his knees and, before anyone could stop him, the raft boss had jumped astride him and, wrenching his head back with a fist twisted in his hair, had slit his throat with a knife from his belt.

'Oh, God!'

Ellie screamed and, as the raft boss pushed the body overboard, grinning all over his face and wiping his hands on the rushes covering the planes, she turned away, her shoulders heaving. When she lifted her head again, her face was green and there were tears streaming down her cheeks from eyes that were stark with an appeal for mercy.

Nine days later, in a sleety winter rain, the sea anchors swung the raft inshore at Siang-Chang. They had passed through Hwai-Yang four days before, staring across the muddy water at its familiar buildings and crenellated walls and the vast Tien An-Men stairway, all fluttering now with red and blue Chiang flags, and though they had expected trouble, no one had even bothered to look round as the log island drifted by.

As the huge wooden structure turned in the current, touched the mud bank and came to a shuddering grinding stop, the raft boss's sons were ashore immediately with ropes, and an army of coolies had descended the bank and lined the riverside. There were other rafts in the little lagoon where they had landed, all in the process of being demolished, and a steady stream of coolies were dragging the logs ashore to where they could hear the scream of mechanical saws.

'Thank God,' Ellie said fervently. 'Thank God!'

She was cold and filthy from the cheerless days and nights they'd spent on the damp raft, her clothes stained and crumpled, her hair unbrushed, her eyes dark rings of weariness.

Downstream, they could see the gunboat from Tsosiehn, and beyond it, in front of the business quarter of the city, steamers and a great mass of small boats. Then they realized there were hordes of Chinese along the bund as there had been at Tsosiehn and caught the echo of the yelling, and with sinking hearts, picking out the flecks of red and blue in the distance, they realized that the Chiang sun-flags had arrived ahead of them.

The mill manager's face was glum. 'All people leave,' he explained miserably. 'All white people go.'

'Here, too!' Ira felt sick with disappointment. 'But this is a treaty port!'

'No matter, mastah! All go.'

For a moment, Ira stared down the river at the crowding boats, then without a word, never one to indulge in self-pity, he turned away. It was no good whining when panic and disaster had become commonplace—God helped those who helped themselves—and grim and tired and tireless as Sammy, he began collecting ropes and tackles and clearing away the tarpaulins and reeds from the lorry.

There was a flat muddy field beyond the saw mills and wearily, not speaking much, they heaved the lorry ashore and winched the aircraft through the mill yard. Sammy, his face pale, purple shadows under his eyes, ran through the list of damage, missing nothing.

'Avro: A few burns and a bloody great rent in one of the wings where they caught it on the tin roof of the sawing shed. De Havilland: Sound as a bell except for a busted longeron strut and a gap in the fabric, and a few tears that the mob made. Nothing we can't put right in a week or so. Lorry fine. Ford fine. Everything tip-top.' He paused and his mouth tightened. 'Only one thing,' he ended flatly. 'Lawn's done a bunk.'

Ira turned, almost expecting to see the old man disappearing over the horizon.

'When?' he asked.

'Wang said he cut and run for the town while we were on the raft shifting the Avro,' Sammy explained. 'He got a lift on a cart from the mill. We shan't miss him.'

'No,' Ira agreed. 'We shan't miss him.'

But it seemed like a symbol all the same. Despite Lawn's general unreliability, they'd been able to trust him because he was afraid of being alone. In this job in China, Ira knew now, he'd vaguely hoped to recapture something of the comradeship he'd known in France, something that had been sadly lacking since his return to civilian life, but it had been a shabby farce from the start, and with Lawn's departure the last traces of trust had disappeared. It seemed to be the beginning of the end, and he shivered a little in the cold.

'No,' he said again, staring at the crowding boats downstream. 'Perhaps it doesn't matter.'

There was an English doctor in Siang-Chang, running a small hospital in a weird ornamental building behind the bund that was surrounded by willows and smelled of ether and iodoform. They had to pass through the British settlement to get to it, along a road that divided Chinese streets teeming with colour and reckless sprawling life from the orderly and dignified stodginess of a European-run colony.

The place was stiff with self-righteousness and propriety and was devoid of any concessions to the land that had allowed it to exist. And even here carts stood outside doors as the inhabitants prepared to leave behind them a lifetime's work, their homes and all their possessions. There were sandbagged gun-posts on the corners and, though the treaty power flags flew alongside the company flags over the office buildings to put on a show, somehow they seemed pathetic because the Kuomintang banners overwhelmed them by their numbers.

The doctor, who seemed to be more concerned with departure than with treating patients, was an elderly bachelor whose surgery was a wilderness of wild untidiness—odd shoes, old coats, sweaters, surgical instruments, used razor blades and tea-cups, and medical books holding up last year's copies of *Punch*. There were pictures of the doctor sitting in cars and on motor bikes, and even a Ford piston on the table and part of an exhaust pipe.

The doctor kept up a running commentary all the time he was examining Sammy.

'That's it,' he said. 'Jack him up a bit so we can see him. It's nothing but a bit of chassis trouble.'

But his face was grave as he raised his head. 'Healing crookedly,' he said bluntly. 'Ought to be reset.'

'Never mind that,' Sammy asked harshly. 'How long?'

'How long what?'

'How long before I can get to work again?'

'Two months. Perhaps more.'

'Two months!' Sammy seemed on the verge of tears. 'I got to get to work. I got to get them aeroplanes flying.'

The doctor was unsympathetic. He was a busy man and was preparing to pull out himself to Shanghai.

'Whole country's falling apart,' he said. 'I'm off.'

'Has there been trouble *here*?' Ira asked.

'None so far, but there *will* be—especially with everybody leaving. Air's poisoned by propaganda and it's all lies. Consul's had a man up here for weeks trying to talk sense into the Kuomintang people. They've been firing on British-owned shipping. Sank the *Fan-Ling* last week. All the lower ports were open and she heeled over. Hell of a casualty list.'

He offered a few helpful suggestions about aviation fuel and gave them all the news they'd missed since they'd left Tsosiehn. There were already long streams of refugees outside the city, it seemed, moving off the roads as the Kwei-Chiang soldiers pressed northwards, and Tsu Li-Fo, Baptist General, Pride of the Missionaries, and Warlord of the South-West, seemed to have disappeared off the face of the earth. His army was dispersed and he was said to be still in hiding in the hills round Hwai-Yang, cut off from escape to the river. Chiang had sworn to get him for his insults and it looked very much as though he was going to. It seemed that the sound of Philippe Tsu's violin was never going to be heard in European concert halls now because he was probably lying dead in a monsoon ditch, his throat slit by marauding deserters.

At the end of his breezy diatribe, all the enthusiasm went out of the old man. He'd obviously loved China and had known it in the days of peace, when learning had been more important than war, and scholars had taken precedence over warriors. He now had no family left and nowhere to go, and he couldn't imagine going home to die of boredom in some English south-coast watering place.

He stared round his shabby surgery as they left, stooping and old and suddenly sad, saying goodbye to the work of a lifetime.

'God knows what'll happen now,' he said heavily. 'I'm too old to start again.' He shrugged, all the weariness of China in his sagging shoulders. 'Suppose it had to come some time, though. This is the only country in the world where the people eat less, live more frugally and are clothed worse than they were in the Middle Ages. I suppose it'll all work out in the end and China'll become a nation.'

He paused and sighed. 'God help us when it does, though,' he ended, repeating something Sammy had once said—years ago now, it seemed. 'There are so many of them.'

( 7 )

With Sammy roughly patched up, they set up their tents in the field next to the saw mill. They had managed to acquire enough aviation spirit for their needs and had decided that, with the country in the state it was in, the most sensible move would be to fly the aeroplanes south with four members of the party aboard, while the rest, led by one of the Europeans, would convey everything they could by lorry and car.

It would mean abandoning some of their precious possessions but Ira was already making plans to get as much as he could aboard one of the steamers that were still miraculously plying from Siang-Chang to the coast, and they began to do all over again everything they'd done at Tsosiehn, patching and repairing the damaged planes, erecting sheerlegs and bolting the wings in place, rigging and re-rigging and testing the engines, every bit of power that Heloïse had supplied now provided by their own strength and that of a small group of coolies they hired.

The doctor vanished from Siang-Chang with all his belongings, moving down-stream aboard a tug, and after him the rest of the Europeans, first one, then another, then little groups, until there seemed to be a whole flood of them converging on the coast.

The whole of South China seemed to be on the march now, each uprising against the hated foreigners starting another in a chain reaction, and early in the New Year they heard that the mob had stormed the concession at Hankow and that the British had signed away their rights and were withdrawing. Millions of pounds' worth of property was being left without even a backward glance, its owners glad to be leaving with their lives. The ferment that had seemed like a great undisciplined anarchy, more froth and foam than substance, had jelled at last into a great campaign of detestation against the Western powers for the indignities they had heaped on China for generations.

Siang-Chang remained quiet at the news because there were still British sailors in the town, then the news came that not only the Hankow rights had been signed away, but also the rights for Kiukiang and Siang-Chang. The British Government, recognizing the practical impossibility of maintaining such doubtful privileges deep in the heart of a hostile country, was retreating to the coast.

When the news reached the city it was the signal for a crazy demonstration of joy. The noise could be heard even at the airfield by the saw mill, as though the whole of China were jeering at the humiliated Europeans. The hatred was suddenly such that no coolie dared even offer them his rickshaw because there had been too many beatings with bicycle chains and too many rickshaws burnt, and the Europeans had to go in cars or on foot, and always in groups for safety. There were still a few scared

Sikh policemen about but there weren't enough of them and they hesitated to move far from their barracks because the news of the Hankow humiliation had driven the coolies to the point when they were beginning to open their shirts and challenging them to shoot.

The bitterness became a vicious circle because every time a white man walked, every time he carried his own luggage, every time he prepared his own meal, the Europeans lost more face. The Chinese had seen them humbled, their women in tears and their children wailing with fear, had seen them cowed and bloodstained as they made their way through the spitting, shouting mobs to the gunboats, and they had realized for the first time that there were enough of them to throw them out. For generations they had accepted their inferiority without question, but now they had been shown that they could become a nation simply by joining hands and marching together. Treaties no longer mattered—or showing the flag, or even guns —and though there were still a few Europeans who clung to the belief that the northern warlords' alliance would win in the end, no one with any sense thought so any longer. Chiang had too many of the people behind him, and his regime stood for China and the Chinese.

It had been a miserable Christmas, and 1927 had arrived with stinging veils of thin snow and no celebrations, and not much to drink in the cheerless huts they occupied at the saw mill. Every day they seemed to grow shabbier and every day more wretched because they daren't leave the aircraft for a single night to live in an hotel, and their meals, their ablutions and all their rest were undertaken in conditions that left them filthy, weary and sick at heart.

Ira grew more grim and silent. He was determined to the point of obsession to reach the coast with everything he possessed. Getting to Siang-Chang and the repairs they had been forced to make had cleared them of the last of their money and to land in South China without their machines would have been disastrous.

It was a bleak prospect, nevertheless, because there was no chance of doing business. No one was making money any longer and all they could hope for was the opportunity to leave with their planes intact. The Chinese merchants daren't trade with foreigners any longer, even if they'd wished to, and the few Europeans still remaining were plagued and harassed by the unions and the student committees. All over China the Chinese were suddenly organized, trained and unforgiving. American and British consulates were being wrecked and flags trampled on, and British and American sailors were driving up the sluggish midwinter river to shell Chinese cities in attempts to rescue their nationals.

The days of the treaty powers were numbered now and every vessel in China seemed to be up the Yangtze, river steamers and English, American, and French gunboats—flat little ships with high smokestacks and ancient cannon, manned by a couple of officers and a few men—struggling to evacuate all who wanted to be evacuated and a great many who didn't. There was a constant stream of people past the airfield, and missionaries in every hotel in the city, their wives nervous, their children fretful, paying for nothing because they couldn't afford to, quarrelling and self-righteous, insisting that the Chinese had every right to self-determination yet prickly with pride as they saw the coolies laughing at their predicament.

Typhus and cholera had broken out to the north and there seemed to be no food anywhere because no one had the courage to work the fields, and bodies, shoeless and stripped of their clothing, lay along the roadsides. Crops had been left to rot and portions of the railway line had been destroyed and never repaired. This was the China of the centuries, the China of floods and famines and war, a tragic China of bloodshed and battle; and daily, emaciated families dragged themselves across the countryside to wherever they hoped to find refuge, while in the cities where the Europeans were departing, the students, concerned only with victory, danced through the streets, crazy with joy, carrying flags and paper lanterns and poles with strings of fireworks attached to them.

The weather was still cold and there were only a few Europeans in Siang-Chang now, threatened every time they put a foot on the street. They no longer had servants and spent most of their time in gloomy speculation about the future.

Wind and driving rain came down off the mountains, and they had to work on the freezing engine parts with their blue hands in mittens. Then heavy snow fell, muffling sounds and hiding the drabness of the countryside. After a couple of days it turned to slush that soaked the feet and finally froze into ugly awkward crackling lumps that made walking difficult, and in the field beyond the sawmill they had to build fires to warm the congealed engine oil, while in the city the frozen bodies of the beggars were collected every morning from under the arches of the city gates where they'd sheltered.

It was only a matter of days now before they could be ready to move on, and they had already started packing again when a student in a Sun Yat-Sen tunic and a scarf, small and slight and frozen-faced behind his thick Japanese spectacles, came to see them. He was accompanied by a silent crowd of children and other students, some of them girls, small, neat and pretty in spite of their padded clothing, but with eyes that were full of hatred. Ellie watched them with eyes bitter with the same hatred, her mouth tight, her hands moving clumsily over her cigarettes.

'In the name of General Chiang,' the student leader said, 'we have come to take over your aeroplanes. General Tsu has been defeated and all his property has become the property of the people.'

'You touch them aeroplanes, mister,' Sammy said in a low voice, 'and I'll crack your skull open with this wrench.'

Ira pushed him back roughly. One word too many from any of them and there could well have been a frenzied attack on the aeroplanes if not on them personally.

'The aeroplanes do not belong to General Tsu,' he said, trying to keep his voice calm. 'General Tsu's air force has been disbanded and we have bought his machines.'

The student seemed a little disconcerted by the news and went into a huddle with his friends before returning to the attack.

'The Labourers' Union,' he said, 'has declared a strike against all foreigners. We demand that you hand over the aeroplanes just the same.'

Sammy had Fagan's Colt in his hand now, pointing at the boy's face. 'You try it, Slant-Eye,' he said. 'And I'll blow your bleddy head off.'

The boy showed no sign of alarm. 'Your aeroplanes have killed Chinese men, women and children,' he said.

263

Sammy spat. 'Give me a chance and I'll kill some more,' he said, and Ira finally wrenched the weapon away from him for safety.

'We shall return,' the boy in the Sun tunic said. 'China has become a nation and she will no longer tolerate foreigners on her soil. Britain is a paper tiger and we shall remove your aeroplanes by force. Until then you are boycotted.'

He turned and stalked away, and the following morning the airfield coolies failed to appear for work, just as they had at Tsosiehn. The day after, a mob, taking courage from the fact that the hated white men were in retreat everywhere, appeared on the field.

One of the Wangs, searching for food, fortunately saw them coming, and they had time to drag the aircraft hurriedly together, with the vehicles parked alongside where they could protect them, and to send the Chinese personnel off the field for their own safety.

They had no sooner finished when the mob arrived, marching round and round them, carrying banners and shouting slogans from the writings of Sun Yat-Sen.

'Go home, English fly-devils,' they yelled. 'Damn King George! Chinese children starve to feed George Five!'

Sammy watched them, his hand never far from Fagan's Colt, his eyes dangerous, a new Sammy, aged by tragedy and hard as nails.

'To hell with George Five,' he grated. 'It's Sammy Shapiro I'm worried about and this bleddy air carriers he's a director of.'

There were tiny children among the mob, and old men, women with bound feet and young girls with babies on their backs, all waving paper flags and all screaming with the students. As they passed, they spat and shook their fists at the little group by the aircraft, and some of the girls tore open their shirts and exposed their breasts.

'Shoot! Shoot!' they screamed.

The noise was hypnotic in its intensity and the hatred terrifying, and Ellie stood with Ira's arm round her, her hands to her ears, her shoulders hunched, wincing as though she couldn't stand another moment of it.

There was nothing they could do, however, nothing five times their number could have done, except wait.

'Hang on, Ellie,' Ira kept saying quietly. 'Hang on just a bit longer.'

The students had dogs tied to barrows, European flags attached to their tails, and one barrow carried a grunting trussed pig with 'George Five' painted on its pink and grimy flank. The faces beyond it were contorted with loathing, the slant eyes squinting with fury.

For three hours the Chinese marched round the field, shouting abuse and waving their banners, three hours of menace, with every now and again someone rushing to jab holes in the fabric of the planes with a knife or a sickle. Every time Sammy raised Fagan's Colt, Ira grabbed his arm.

'For God's sake, Sammy,' he snapped, losing his temper. 'You knock one of these boys over and none of us will get to the coast.'

The mob stayed until their ears were numb with the racket, then, without warning, marched back to the city, and they all drew breath.

Ellie hid her face in Ira's coat, weeping into the leather, her whole frame shaking with her sobs, and Sammy lowered the revolver as though it weighed a ton.

'They've gone, Ira,' he said.

That night, when the Chengs and the Wangs had returned and they had begun the weary work of patching the slit fabric yet again, Ira went into the city to make arrangements for everyone who couldn't fly to go to the coast on the only steamer that still remained in the city. His face was grim and unforgiving but he knew that to arrive in South China without their machines would have set them back for years. What they possessed had to be clung on to, because they hadn't the capital or the organization to start again.

The Ford's engine was knocking badly by the time he arrived back at the airfield, where Sammy and Ellie had started a fire and were burning everything burnable that they couldn't take with them. The aircraft had bundles in the rear cockpits and lashed against the fuselages, and the smoke from the fire was blue against the wings as it rose slowly into the air.

As the Ford came to a stop, another car with three men in it appeared from the opposite end of the field and headed towards them. To Ira's surprise it was Lao who stepped out. He was no longer in uniform and he looked strained and tired.

'Lao! How he devil did you get here?'

Lao managed one of his stiff smiles. 'They think I have thrown in my lot with Chiang,' he said. He heaved a deep sigh. 'Perhaps I will when this is over.'

'Where's Tsu?'

'He's at Tsosiehn with his wife and the boy. They're being hunted.'

It was on the tip of Ira's tongue to say they were beyond help when something in Lao's face warned him the visit wasn't simply to exchange news.

'Why are *you* here?' he asked. 'Why have you come to *me*?'

Lao paused. 'I want you to fly to Yaochow and fetch them out,' he said. 'You'll be paid well.' He turned to the car and dragged out a wooden box. As he unlocked it and tipped it over, a shower of silver fell about their boots.

'Mexican dollars,' he said. 'You can count them if you wish. The General also has his personal fortune with him at Tsosiehn. You can name your own figure when you have picked him up.'

For a moment there was silence as Ira glanced at the others. Sammy's eyes were gleaming, but Ellie's face was hard and expressionless, and it was impossible to tell what she was thinking.

Sammy pushed forward. His arm was improving a little now and a lot of the pain had gone and he was feverish with eagerness to get to work. He said nothing but it was obvious what he was thinking.

Ira took a deep breath. 'Sammy, we ought to,' he said slowly. 'We need the money. Building the D.H. and coming here's cleared us out. We can do it and, if we aren't sticking our heads into a noose, we *ought* to do it.'

Sammy nodded eagerly and Ira glanced at Ellie. There was misery in her face, a tight hard core of unhappiness that made the muscles along her jawline move and knotted her fingers into fists at her side. He knew what she was thinking yet he knew also that all that he'd told Sammy was correct. This was the opportunity they'd been waiting for, the one thing that could give them stability and consolidate their company. But still he hesitated.

'Why can't the General go by river?' he asked.

266

Lao shrugged. 'Chiang's men are searching all ships. Only *you* can get him out.'

Ira knew that Sammy was in complete agreement with him, yet he still felt the need to justify himself. 'We're air carriers, Sammy,' he said. 'What do we exist for but this?'

'It's a risk, Ira. We're chancing everything we've got.'

They had both made up their minds and they were merely arguing their thoughts aloud. Ira turned to Lao.

'Is it safe?' he asked

'There will be men at Yaochow to meet you. Trusted men.'

'Nuts!' Ellie spoke for the first time. 'There *aren't* any trusted men anywhere in China these days. They're all changing sides so goddam fast, it dazzles you.'

'*These* are trusted men. Kee's one of them. There will be only the General and his money boxes, and Madame Tsu and the boy.'

'What's the price?' Ira asked.

'There is no limit.'

'What about the return trip? What about petrol?'

'I have arranged all this. There are men with petrol at Yaochow and *en route* both ways at Shincheh and Liaochang.'

'Four thousand American dollars,' Sammy suggested, wildly optimistic.

To Ira's surprise, Lao nodded at once. 'Let's say five,' he suggested. 'Then there will be no backing out. There are two thousand in the box. Three more when you arrive with General Tsu.'

'How shall we know the airfield's safe?' Ira demanded.

'There will be a yellow flag flying and a fire burning to give you wind direction. If there is no flag and no fire, then it will be too late. We have only a day or two.'

There was a long silence, then Ellie spoke.

'Say "yes", Ira,' she said quietly.

It was so unexpected, both Sammy and Ira swung round, startled. She was breathing quickly, standing stiffly upright, her hands rigid at her side.

'There's a woman and a child waiting,' she went on in a low breathless voice. 'And I've been in this goddam country long enough to know what they're thinking.'

There was a great sense of relief in Ira. Although Ellie had reached the same conclusion that he had by a different route, she'd still reached it, and he'd never expected her to.

He turned to Lao. 'What'll happen to them if they're found?'

Lao managed a twisted smile. 'Kwei has always sworn to kill General Tsu. He won't die quickly.'

'What about the others?'

'At Tsosiehn there are no longer European gunboats to make sure there is fair play and that European ideas of gallantry are observed.'

Ellie's throat worked as she swallowed with difficulty, and the stark look of misery that they'd seen on the raft came back into her eyes. 'It's *got* to be done, Ira,' she said.

For a long time, Ira gazed at her, wondering how her mind was working. She had long been disenchanted with flying and he knew that more than anything else she'd prefer to turn her back on aeroplanes for the rest of her life. But she'd clearly made up her mind now, and was looking at him with bright, hard, challenging eyes as though she'd no intention of changing it again.

'You sure you know what you're saying, Ellie?' he asked quietly.

Her head moved in a quick jerk. 'Sure I know,' she said in the same breathless voice. 'But, for God's sake, don't ask me *why* I know.'

Sammy studied her for a moment then he turned to Ira and nodded.

'Right,' Ira said. 'I'll go.'

'It will require both planes,' Lao pointed out. 'It cannot be done in two trips.'

Ira was looking at Peter Cheng when Ellie spoke. 'I'll go, too,' she said. 'I've more experience than anybody except you. Sammy can't, that's clear, and with the mob out in Tsosiehn, we sure as hell can't ask a Chinese to put down there.'

In their eagerness, they had overlooked this point and what she said made sense. But Ira knew it wasn't this alone that had persuaded her, and as he tried to make up his mind, she caught his eyes on her and turned her head away, her calmness crumbling momentarily into uncertainty.

'Stop looking at me,' she said in a low fierce voice.

Sammy was watching her, holding his breath as though he, if no one else, was able to divine what she was thinking.

'Ellie, don't,' he said in a low voice.

She shook her head, as though to force their eyes away. 'Lay off me,' she said. 'I'm going!'

Ira's mouth was dry but there was colour in her cheeks as she lifted her head again, gaining control of herself and staring back at him.

'I'm thinking of Madame Tsu and the boy,' she said. 'If they cut Tsu into a thousand pieces, it wouldn't matter to me.'

In spite of her calmness, there was a lost look behind her eyes that frightened him, an angry fatalism, an acceptance of whatever the future might hold.

She lit a cigarette quickly as he watched her, then she glanced up at him briefly, and nodded her head. 'Go ahead,' she urged. 'I'm sure.'

Ira caught Sammy's eyes and saw they were worried, too, but clearly there was no arguing with her. He began to do hurried sums in his head.

'We should arrive at Tsosiehn just before dark' he said. 'We could leave the day after at first light.'

He glanced again at Ellie but she didn't even meet his eyes and turned away to drag her leather helmet and flying jacket from her valise. She'd worn neither of them for weeks now and they were at the bottom of all her belongings on the lorry, but she tossed them across one of the crates and stood waiting silently.

For a moment longer Ira hesitated, but she showed no sign of backing out, and he turned towards the De Havilland.

'Right,' he said. 'Let's get on with it.'

There was a British naval guardpost in the Tsosiehn Road, built of sandbags and barbed wire and manned by British sailors, with Sikh policemen standing behind. In front of it the narrow flagstoned street was noisy with students. They seemed to be mere children, but behind them, carrying bamboo staves, were throngs of howling coolies and, as the lorry passed, the mob became threatening. Whistles shrilled at once and the sailors fixed bayonets and moved forward, and immediately the crowd became hundreds of individual coolies darting down alleys that were knee-deep in rubbish and torn paper.

The steamer's bridge was piled with armour and its decks were jammed with missionaries, their faces bruised, their children screaming with fright. Trunks and cases and even furniture were stacked around the deckhouses, but Sammy bullied and argued his way aboard with their crates of spares, the Chengs and the Wangs, turning fiercely on the officer who wanted to refuse them passage and jamming their belongings with other bales and boxes along the rail as a protection against bullets.

'Why don't the politicians at home do something?' A woman with grey straggling hair and a red blotched face spat at Ira as he went down the gangplank. 'We've lost everything and they're torturing people in Hupeh.' She looked like a coolie's wife with her plain face full of bitterness, her shabby padded Chinese clothes and her grimy hands.

The gunboat from Tsosiehn which was to escort them downstream was already under way, its decks as crowded as the steamer's, its smoke stack full of bullet-holes and patches, its bridge wadded with sandbags. The steamer's siren let off a long blast.

'*Ding hao*, Sammy,' Ira shouted from the shore. 'We'll be waiting on the bund at Pootung when you arrive.'

Sammy waved. 'Keep 'em flying, Ira!'

They drove back to the airfield through lines of pickets who tried to stop them, and the only answer was to put the vehicles into top gear and move as fast as possible so that the line crumbled and drew back, throwing melon rinds, rocks and filth as they passed.

The field looked desolate when they returned and the sawmill nearby was silent, the big log raft on which they had journeyed with such difficulty from Tsosiehn not long before lying in a backwater, still not dismantled but empty of people, student banners flying from the reed huts. Lao appeared from behind the two aircraft and they punctured the petrol tanks of the car and the lorry and tossed a match on to the spilled petrol.

It was heartbreaking to destroy their own possessions like this, but Lao didn't want them and in Ira's bitter mood he felt he'd rather see them burned than turned over to the mob that had ruined him. With hard unforgiving eyes he watched the burning vehicles which not very long before they'd laboured so hard to save, then he turned to Ellie waiting by the De Havilland.

He had lain awake most of the night, trying to decide what was in her mind. She had refused to tell him, huddled silently in his arms, making love with a quiet tenderness that worried him in spite of its gentleness. But she had refused to discuss her decision and he had been obliged to accept it in the end without knowing what was behind it.

Her eyes were as sombre as his own as she looked at him, waiting his decisions.

'You take the Avro, Ellie,' he said quietly. 'She's safe and her engine's as sweet as a nut. I'll take off first and, when we arrive, I'll land first in case there's trouble.

She managed a smile and turned away. Her face set, she climbed into the Avro, fastening her leather coat and harness and pulling her helmet down over her hair.

For a moment, Ira stood by the wing, trying to read her thoughts, then she turned, smiling—a sweet smile suddenly, as though she'd been purged of all fears and anxieties.

'Contact, Ira.'

As he heaved on the propeller, the Mono came into crackling life, blue flames and smoke jetting from beneath the cowling. Tossing the chocks into the rear cockpit, he leaned his weight against the quivering wing tip and helped her turn into wind, then, giving careful instructions to Lao and his men, he climbed into the De Havilland. The engine missed at first, but at the third heave, the Liberty burst into a metallic howl and the machine began to thrust against the chocks. At Ira's signal, Lao's men pulled them away and threw them aboard, and as the machine jolted forward, the Avro began to rumble in pursuit through the smoke of the burning vehicles.

( 8 )

They passed over Tsosiehn just as dusk was approaching. It seemed empty apart from a few scattered lights, and the Chang-an-Chieh Pagoda seemed deserted. There were chunks of ice along the bund but the river seemed empty of vessels apart from a burnt-out steamer lying where it had been run ashore.

They swept over the pagoda and the cemetery where they'd buried Fagan and Tsai, losing height rapidly as they headed towards Yaochow, and Ira glanced round to see the Avro about a hundred yards behind and to the right. He waved, then signalled with his hand and pointed downwards, and he saw Ellie's arm go up in reply. Throttling back, he began to circle for the landing and, as he sank lower, he could see a long stream of smoke rising from the misty purple of the field towards the east, and a yellow flag flapping from the post where they'd always hung the windsock.

He came in over the edge of the perimeter, half-frozen with the cold, his cheeks dead and white below his goggles. Out of the corner of his eye, he saw the Avro circling behind him, then the next moment, his wheels were bumping on the uneven surface of the field. As the De Havilland rolled to a stop, he kept the engine ticking over, his eyes flickering about him, waiting for the rush of armed men that would force him to take off again. So far, Lao had been as good as his word and at Shincheh and Liaochang they had renewed their acquaintance with grinning pupil pilots who had been entrusted with the refuelling.

The sun had gone down and already the stubble was grey with frost-rime. The burned-out Peugeot and the Fokker still stood together near the farmhouse where they'd abandoned them, but the Peugeot had lost its wheels and its tonneau had been stripped. The farmhouse door hung open just as they'd left it, and he could see scattered rusty tins among the skid marks and the scorched grass where the petrol dump had gone up, fringed with blackened fragments of metal. Yaochow seemed a place of weeping, inhabited by ghosts, and it gave him an odd unnerving feeling that he ought never to have come back.

Then he heard the engine of a big car rev up and stop, and saw men in European tweed suits, complete with hats, watch chains and spats, walking from the trees towards him. The way they moved reassured him and, as they drew closer, he recognized Lieutenant Kee and Colonel Tong, whom Fagan had once tried to teach to read a map.

Ira waved and taxied the De Havilland to the edge of the field by the trees and, facing into the smoke, shut off his engine.

A moment later the Avro, its engine poppling, came swooshing over his head to bump to the earth a hundred yards away. With his weight against the wing, Ellie swung it into wind and switched off.

'Looks like the Marines have landed,' she said.

Ira was just kicking the chocks under the wheels when Tong stopped alongside him and saluted. Kee smiled and, from behind him, they could see the face of the former pupil pilot, Yen, grinning from ear to ear.

'I say,' Kee said, in his old-fashioned schoolboy English, his breath hanging on the frosty air, 'all is ready, Major. Petrol is jolly well waiting in the trees.'

'Where's the General?' Ira asked.

'In Tsosiehn, sir.'

Ira frowned. 'Then, for Christ's sake, get him out here,' he snapped 'Quick!'

Kee gestured, his smile vanishing. 'You will have to come, too, you know,' he said. 'We have the automobile waiting.'

Ira stared. 'Me? Why me, for God's sake?'

'My gracious, the General won't move until he sees you.'

'This isn't what I was told.'

A long and bitter argument took place in the growing darkness. Ira had no wish to go into Tsosiehn and still less to leave Ellie alone. The tick of the cooling engines behind him sounded like a clock ticking away life.

'I have trusted men here,' Kee insisted. 'One of them is Yen. She will be jolly safe.'

'Why don't *you* stay?'

'How will you talk with Tong?' Kee asked simply. 'He doesn't speak your language. Also you do not speak his. I promise you on my honour, Yen is to be trusted. Surely, you know me well enough to believe me.'

Just when they seemed to be getting nowhere, Ellie joined in.

'We've come a long way for this, Ira,' she said in an unsteady voice. 'We'd be crazy to go back without finishing it.'

'I can't leave you here alone,' he said fiercely.

There was a faint cracked hysteria in her voice that she controlled with an effort as she gave him a push towards Kee. 'I'll die a million times before you come back,' she said. 'I'll be

273

expecting the necktie party every goddam minute, but I guess I'll make it. I'll refuel with Yen while I'm waiting. I guess it'll stop me thinking too much.'

What unknown devil was driving her he couldn't tell, and as he began to drag off his helmet with fingers that were stiff with cold, he felt bowed with weariness.

'God,' he said. 'I feel a hundred years old.'

There were large groups of people across the road as they headed towards the town, camping in the fields and crouching round fires, and occasionally they heard the plink-plonk of a stringed instrument and the breathy whistle of a flute or the thump of a gong.

'The city's safe,' Kee said. 'Typhus and cholera have frightened everybody away.'

After a while, a thin sliver of moon came up and they saw it reflected in the squares of paddy where the rushes were stark against the brilliant silver of the water. No one attempted to stop them, and Kee drove the Pierce-Arrow he'd brought with one hand, the other pounding the klaxon all the way.

Outside the town, they stopped alongside a house with curved eaves and scorch marks on the front, where a couple of guides were waiting.

'This is as far as we dare take the car,' Kee said.

The guides spoke briefly with Tong and led the way through the piled refuse and rubbish along the bund. A thin stream of coolies moved past and, after a while, they came to a huddle of wailing women crouched over a group of bodies. Ira saw they were engaged in the grisly task of sewing heads to them.

'Tsu officers,' Kee said shortly. 'Kwei executed them this afternoon. Naturally they cannot face their ancestors without their heads.'

Nearby a group of coolies waited with coffins but no one had eyes for the little party moving towards the town. There was a glow in the sky over the centre of the city where fires lit days before burned themselves to ashes, and occasionally they heard stray shouts and cries, and a whimper from the mob moving restlessly about the streets. Every now and then they passed a huddled figure, sometimes in uniform, but more often in the blue padded coat of a coolie, sometimes with his carrying pole

274

still in his hands, lying with his back against a house, his feet among the rubbish.

'Typhus,' Kee said. 'It is spreading.'

They entered the city through the great bronze-studded gate in the river wall just beyond the execution ground. It seemed to have been charred by fire and the arch above was black and oily. Groping their way in the dim light of a hanging lantern with their hands on the stones, they pushed into the shadows, the dim bulk of the city faint against the sky on their right, as they stumbled in and out of ditches and fell over broken masonry or charred beams. Above them the Chang-an-Chieh reared its tower over the scorched trees, a half-seen bulk ahead of them. There was the smell of burning everywhere, and the stink of death, and several times they heard rats squeaking among the rubble and their claws castanetting over the stones.

Skirting fallen houses and empty, stinking hovels, they scrambled over the cascade of broken bricks where De Sa's petrol store had once stood, and headed down an alley, hardly daring to breathe.

The place was ominously quiet. An occasional stray shot echoed over the houses but every window and door was shuttered and barred, everybody out of sight and praying for daylight.

As they moved cautiously behind the Chang-an-Chieh, stumbling over the refuse, Ira could still hear the sound of the mob rising and falling in the distance, then he was splashing through stinking puddles where the ice cracked under his boots, and holding his breath as the smell of drains, ordure and years-old rotting rubbish came up to him. There was another puddle, reflecting the moon, and the shape of houses in silhouette, then they came to a low plank door where their guides stopped.

'This is it!'

After a while, with Kee scratching at the planks, the door opened. Beyond it, Ira saw a single bean-oil lamp and caught sight of General Tsu standing by a table, dressed in a long padded gown and a European felt hat, and then his wife and son, huddled together in a corner with the amah.

The room was bitterly cold and smelled of rotting vegetables and ammonia. Tsu seemed to have aged ten years since he had last seen him, his face the crinkled yellow-white of old parchment, and Madame Tsu had lost all her French charm and was thin and tired-looking. The boy, all dark eyes and long fingers, clutched the violin case beside the weeping amah.

As Ira stepped into the light, Madame Tsu rose and, crossing to him, fell on her knees and kissed his hands. He lifted her to her feet, embarrassed, and she turned to her husband and spoke rapidly in Chinese.

Tsu's face remained inscrutable, and she turned to the boy. 'It is Peng Ah-Lun, Philippe,' she said in English, her voice wavering on the edge of hysteria. 'Pen Ah-Lun has come to take us to Shanghai.'

Tsu seemed indifferent to his wife and son and even to Ira. He was speaking in Chinese now to Tong, and gesturing at a pile of trunks and boxes stacked in the corner of the room behind the door. Kee joined in and shook his head, and Tsu began to speak in a low angry voice.

Kee turned to Ira. 'Major Penaluna,' he said, his precise schoolboy English tumbling over itself in his desperation. 'Please jolly well tell the General that we cannot take all this bloody baggage.'

Ira turned to Madame Tsu. 'Madame,' he said, 'we have to walk to the outskirts of the city. We have to fly. A suitcase each. No more.'

She swung round on her husband and spoke rapidly to him. Again he argued, a stubborn, stupid, argumentative old man, and with his wife in tears and pleading with him on her knees, Ira wanted to shake him. In the end, he spoke to Kee, who turned to Ira.

'The General insists on taking the money, of course,' he said. 'Still, you know, there are eight of us and, between us, we ought to manage.'

Madame Tsu swung round on Ira again, her black eyes dull with unhappiness. 'Can I take my jade?' she begged. It's priceless. It will pay for lessons in Europe.'

'What we can get in our pockets,' Ira said. 'No more.'

She threw open a suitcase, and began to hand round small cloth-wrapped packages, tears streaming down her face. The amah still crouched in a corner wailing, her face contorted, alongside the pale bewildered face of the boy.

After a while they were ready, two of them to each money

box. Tsu straightened up, put on his coat, picked up his stick and moved to the door.

'Tell the bastard to get hold of this bloody box,' Ira snapped. 'Tell him we don't go unless he gives a hand.'

Kee's words were fearful and hesitant and, for a moment, Tsu looked at Ira, then he took out a gold turnip of a watch, consulted it, and bent to take hold of one of the handles.

As they stepped outside, they could hear the mob baying nearby, and Madame Tsu almost collapsed in terrified hysteria. Tsu remained unmoved and unemotional, neither encouraging her nor helping her as they set off through the alleys, stumbling over stones and rubbish and broken beams.

The money boxes felt as though they weighed a ton and Ira was soon sweating. Behind them they could hear the noise of the mob again, growing louder. A few figures passed them in the dark, running, but no one took any notice. After a while, they came to where the Pierce-Arrow was waiting with its lights off. Without a word, Tsu put down the box he was carrying and climbed into the rear seat and leaned back. Ira stared at him in fury. Kee, ever polite, was straining to lift the money boxes into the car now and stuffing them round the General's feet, then he helped Madame Tsu and the boy in after them. The amah collapsed by the roadside, weeping noisily.

With Tong and Ira standing on the running board, the car ground away from the city in low gear. A group of students ran past them, carrying banners, their voices raised, and Kee looked sick.

'We are only just in time,' he said. 'They are seeking the General and I think they've found his hiding place.'

Ira glanced inside the car at the inscrutable old figure completely ignoring his half-hysterical wife and sobbing child.

'It's a pity they didn't find *him*,' he said.

They were heading through the crowds camping on the outskirts of the town now, the klaxon roaring and the engine revving in low gear. Occasionally, they saw the glint of a weapon, but no one tried to stop the car or look inside. At the airfield, there was silence and Ira was thankful to see the silhouettes of the two aeroplanes unharmed against the moonlight and a group of empty petrol drums. As the car stopped, Tsu climbed out and began to stride at once towards the aeroplanes.

'You'd better fetch him back,' Ira said to Kee. 'We can't do a thing till daylight.'

A figure rose out of the darkness. It was Ellie, a heavy revolver swinging from her hand. Followed by Yen, she crossed to Ira.

'Everything's ready,' she said. 'Tanks are full.'

'We're all right now, Ellie,' he said thankfully. 'It's almost over. We'll leave as soon as it's light.'

Kee was leading the General away from the aeroplanes, protesting loudly in Chinese. He got Tsu quiet at last and approached Ira.

'I am going to wait outside the city with Yen,' he said. 'I am worried, you know. I think the mob might jolly well find out where we are. Could you take off in the dark?'

Ira glanced at his watch. 'For God's sake, Kee,' he said. 'We have no lights and in two hours' time, it'll be dawn. Give us *that* long.'

Day came with a sword-blade of yellow low down over the town, and the violet sky changed to deep blue which grew lighter with every second. Trees and slopes began to emerge and the vivid streamer of light was followed by a pinkish winter glow. Ira, who had been stamping his feet, half-frozen, over the remains of half a dozen cigarettes, glanced at Ellie standing nearby, her hands deep in her pockets, her face in shadow. They had spoken little during the remaining two hours of darkness and, though several times he tried to explore her thoughts, she had remained silent and absorbed and hadn't answered him.

'Soon, now,' he said.

She nodded and threw away her cigarette and he heard it hiss as it fell on the frosty grass. Nearby, against a tree, Tsu sat with Colonel Tong on one of the money boxes, huddled in his heavy overcoat. His wife, hugging her son to her, tried to keep them both warm with the lightweight cloak she wore.

A bird chirped somewhere in the bushes, then another and suddenly there seemed to be movement in the world as other small bodies moved and flexed their muscles. There was a mist over the field, lying in a flat grey-blue sheet two or three feet above the ground, slicing the aircraft in two and laying runnels of moisture on the wings between the ribs, and in the distance Ira could just see the tip of the Chang-an-Chieh, detached and floating. The mist worried him a little in case it delayed them and he decided to make a move.

He touched Ellie's shoulder and she jumped and turned her head, the blonde hair falling across her eyes.

'Time to go, Ellie,' he said. 'Let's start up.'

She nodded and moved towards the aeroplanes and immediately Tsu came to life, climbed to his feet and began to walk after her.

'The old bastard's certainly in a hurry,' Ira said. 'If I had my way, I'd take his wife and child and leave him behind.'

With the help of Tong, they hoisted the sandbag ballast from the passenger cockpits and began to load the money boxes, stuffing them under the seats and lashing them in place. It soon became clear that Tsu intended to fly only with Ira and that he intended to take his money with him. His wife and the boy could do what they wished, it seemed, so long as they didn't interfere with *his* escape.

They were staring round for a sign of any wind when they heard the car roaring up the road again and the croak of its klaxon. Kee entered the field going flat out, the front wheels wavering every time they hit a bump. He swung round so fast alongside the De Havilland, they thought he was going to lose control and hit it.

'They've jolly well found us, you know!' He was shouting as he fell out of the car. 'They're on their way here now. I lost Yen.'

Tsu seemed to realize what had happened and began to run for the De Havilland in the bent-legged waddle of an old man. Ira caught him just as he was about to stick his foot through the fabric of the wing and swung him round with such force that he fell to the ground.

He turned to Kee, his face furious. 'Tell the old fool he does as I say!' he raged. 'Or we turn him loose for the mob to get him!'

Kee jabbered quickly and Tsu shouted back at him. Kee stuck his ground, however, and after a while Tsu calmed down, though Ira noticed that he remained close to the plane.

They packed Madame Tsu and the boy into the rear cockpit of the Avro, the boy still clutching the violin, and Ira shouted instructions to them as Ellie climbed into the pilot's seat.

'Keep your heads down,' he yelled, then as Ellie switched on, he swung on the propeller. At first it wouldn't fire and he prayed that the cold hadn't affected it. Forcing himself to keep calm, he turned it backwards, the valves gasping and the pistons clonk-clonking slowly as they sucked in fuel. When he tried again, it fired in a cloud of blue smoke.

Madame Tsu was still wearing an old-fashioned European hat clamped on her thick black hair with pins and a scarf. He tried to persuade her to remove it but she either didn't under-stand or couldn't hear and she was sitting there, white-faced and petrified with fear, as Ira began to pass the packages of jade up to her. After two or three, she began to thrust them back at him.

'No,' she said. 'They are yours! I am giving them to you! For coming!'

'Wait until we're safe, madame,' he yelled at her. 'You might change your mind.'

'No! Whatever happens, they're yours! There was no one else with the courage to come! Only you! I want you to have them!'

He stuffed the packages into the capacious pockets of his flying coat without arguing and dragged away the chocks, then, with Kee and Tong linking arms to heave the propeller, they got the De Havilland started, too, and Kee pushed Tsu into the rear cockpit on top of the money boxes. The engines were still warming up when the mob burst out of the mist on to the field. Tong promptly bolted for the trees but Kee stood his ground, his face deathly pale.

'Go, please, sir,' he shouted to Ira, his manners still un-touched. 'Go now!'

'For God's sake,' Ira said. 'What about you?'

'I shall die, sir.'

'For Tsu? He's not worth it, Kee. Climb on the wing. I'll fly you out.'

The mob had streamed across the field now and had stopped about a hundred yards away in a long straggling line across their path, defying them to plough through them. Deafened by the screeching of Tsu from the rear cockpit, Ira felt sick at their courage and at the hatred in their faces.

'For God's sake, Kee,' he yelled. 'Get on the wing and hang on to a strut! We'll make it somehow!'

For a moment, Kee stared at the mob, then he gave Ira a bleak smile and began to walk towards the line of coolies at an oblique angle, shouting in Chinese.

At once, the mob began to curdle and moved towards him in little groups and eddies, and it was only then that Ira realized he was trying to draw them out of the track of the aeroplanes. As he walked, however, one of the coolies lifted his arm and Ira saw he held a revolver, and as Kee stumbled before the heavy bullet and fell, the mob surged over him, beating and smashing and kicking and tearing. Ira saw sticks rising and falling and fragments of clothing flying through the air, then the bloody wreckage which had been Kee was hoisted up on the end of pitchforks, and the baying of the mob became like the howling of wild animals.

Tsu was still screaming and jabbing Ira's shoulder with his stick, indicating that he should take off, but the mob were still across their path, marshalled by the students into a wide half-circle, defying him to carve his way through them. For a second, he stared at them, his mind stiff with rage and fear, then impulsively, he pulled the throttle back until the engine was idling and climbed out of the cockpit again and, using his fists, pushed and pummelled Tsu off the money boxes. With the old man shrieking his protests, he hoisted one of them out and threw it on the ground. Then he smashed the hasp with his revolver and, carrying it under his arm, staggered like a laden donkey away from the aircraft and flung it down again. Tsu was spluttering with rage as the silver cascade caught the sun.

'Look!' Ira yelled, picking up handfuls of the money and tossing it as far as he could from him. 'Money! Plenchee good joss!'

The baying seemed to stop at once as the coolies realized what he was throwing about the frosted grass, then one end of the human barrier began to melt as they ran for the coins. Even as the line crumbled and broke, Ira bolted back towards the De Havilland. The students were shrieking with rage now as the coolies scattered towards the money, lashing out at them with sticks and carrying poles. A few went down under the blows, but to most of them each of the silver coins that Ira had scattered in the stubble meant a lifetime's savings, and the instinct for wealth was greater than the newly acquired instinct for hatred. The shining pile of coins disappeared under a swarm of blue-clad bodies that kicked, gouged, fought and screamed as they struggled to get their hands on just one of the precious pieces of metal.

The line had broken into scattered groups now and there was a gap in front of the De Havilland with the length of the field beyond. As he tore the chocks free and scrambled into the cockpit, Ira turned and waved to Ellie and she opened the throttle immediately and began to move forward. In the brief instant as the Avro passed him, he saw Madame Tsu's hat fly off and her long black hair stream out behind her.

As he fell into his seat, his harness still unfastened, he thrust his own throttle wide open and with a rich roar of exhausts, the De Havilland began to bump with rocking wings after the Avro. A few of the students ran forward and tried futilely to grab the wings and one of them even stepped deliberately into his path, and Ira saw him flung aside in a bloody pulp as the propeller hit him, then the two machines were rising together from the ground, the Avro just in front and above.

The river mist was burning off into wispy veils as they banked low over the end of the field. The De Havilland was still lower and on the inside ready to take up the leading position when the Liberty spluttered and coughed. Ira's heart stopped with it. Ahead of them the Chang-an-Chieh loomed, bulky and dangerous, and he glanced down and backwards at the field where the coolies had cleared the ground of the coins and were now standing in a circle, shaking their fists. If the engine failed him now, they'd tear him limb from limb.

But the engine picked up again in an uneven beat and he saw the Avro just behind and to the right, beyond his wingtip.

Ellie raised her hand and waved encouragement, then over the roar of the engine he heard the familiar clack-clack of a machine gun and caught a glimpse of it mounted on a lorry in the roadway near the pagoda, surrounded by soldiers. He glanced quickly up and across at the Avro and Ellie waved again to indicate she was safe, then, almost immediately, he saw the blunt nose dip and spurts of blue smoke as the engine began to falter.

Her head disappeared inside the cockpit at once as she fought with the controls, then he saw a stream of whitish vapour spin out in the wake of the plane and his heart died inside him as he saw a tiny jet of flame under the engine. In numb despair he saw it grow larger, then smoke began to pour from the cockpit. The Avro was wobbling now and he saw Ellie lift her arm again, though it was impossible to tell whether she was waving to him or protecting herself from the growing flames.

For a minute longer the machine wobbled along unevenly, the crimson tongues licking back towards the comma-tail, then a great flare of red, as though a furnace door had been opened, hid both Ellie and her passengers, and the nose dropped and the blazing mass passed so close to the De Havilland, Ira could hear the roaring of the flames.

He watched with a sick futile horror as it curved towards the river in a long slow bank, trailing a swelling arc of dark smoke, then a wing-tip caught one of the upper eaves of the Chang-an-Chieh and the tail swung over in a frightful cartwheel that sent rooftiles flying.

Shocked, he watched the machine hit the ground and carve a line of wreckage through the hovels that lined the river bank, still moving like a catherine wheel and trailing flying fragments of burning wreckage in its wake, then it hit the burned-out steamer lying on the mud and plunged beyond it into the river in a tremendous gout of water.

(9)

Ira was waiting with Kowalski on the staging at Pootung when Sammy and the others stepped ashore. Sammy's eyes lit up at once as he saw him and he ran forward awkwardly, his bandaged arm stiff against his chest.

'We made it, Ira,' he said. 'We made it!'

He glanced round him as Ira didn't respond to his joy, and his face fell. 'Where's Ellie?' he asked.

With Kowalski grave-faced behind him, Ira told him. The anaesthesia of shock had worn off during the journey south. It had all happened so quickly and so unexpectedly just when they seemed to be safe, he still couldn't believe it. He had turned over Tsosiehn, glancing constantly towards the point beyond his wing, fully expecting to see the Avro there. Unseeingly, he had circled the spot where the aeroplane had gone into the river, praying he would see Ellie's head come to the surface, but there had been only a burning patch of petrol on the water, a floating fragment of wing, the shattered hovels sprayed with burning petrol, and the coolies running through the streets towards the scene of the crash.

For what seemed ages he had circled over the mud-flats, seeing the faces of the Chinese as they had looked up at him, then Tsu had started yelling and pointing to the east, no sign of grief or compassion on his face.

Dumb, stupefied, and devoid of emotion, still flying the De Havilland instinctively in a cold empty void, Ira had felt bereft of reason and numbed by a sick feeling of guilt, knowing that if he and Sammy hadn't wanted to go to Tsosiehn it would never have happened. He had circled the river once more but the hovels along the banks were well ablaze by this time, and there had been nothing else—just the tail plane, torn off in the crash, lying on the mud, and that floating wing and the patch of burning petrol on the water.

There had been no point in staying. There had been nothing he could hope to do. Nothing at all. Philippe Tsu would never play his violin round the concert halls of Europe and Madame Tsu would never have the pleasure of seeing his name in lights. And Ellie would never have that home she had wanted so much. She who had feared so often for Ira's life and gone herself into the cold and darkness and oblivion, and all he seemed able to remember of her were the words she'd once said to him, years before it seemed, when they had been salvaging the De Havilland: 'I'll not grow old,' she'd insisted. 'I'll never get the chance.'

Perhaps Sammy had always been right and perhaps she'd known it. Perhaps she and Fagan, branded with the mark of ill luck, had always had the look of doom about them.

He had parted company with Tsu at Siang-Chang where Lao had unloaded the money boxes. Tsu had marched straight from the aeroplane to the waiting car, leaving Lao to deal with the business of payment.

'I am sorry about the lady,' Lao had said, but Ira had shrugged off his sympathy.

He had still been trying to explain Ellie's actions to himself, and he'd wondered several times if she'd made the trip to Tsosiehn in some sort of self-sacrifice for him. It would not have been unlike her.

Lao had still been watching him and, looking up, Ira had been surprised to see sympathy in his eyes.

'I've always trusted you, Major Penaluna,' he'd continued. 'Though I know you've not always trusted me. I'm going to join General Chiang now. My future's with a united China, not a defeated warlord, because there'll be no more Tsus in China now. Our rulers failed us like the Czars failed Russia and we have been surrounded by enemies. Now it will be different. But, though your people will leave, there will always be a place here for *you*.'

They shook hands, if not with friendship, at least with mutual respect.

Sammy listened silently as Ira finished, then he blew his nose hurriedly, taking a long time over it. He had not always got on well with Ellie, but he stared now at Ira's pitiless face with misery.

'I think she knew, Sammy,' Ira said. 'I think she knew what was going to happen. That's why she insisted so. She went to meet it deliberately. And it was all our doing. We thought of nothing but the machines.'

Sammy nodded. 'I don't suppose you could have stopped her, Ira,' he said. 'Any more than you could have stopped Fagan. But she never got much out of this bleddy life, really, did she?'

Ira shrugged. He was brisk and efficient and Sammy could see he was fighting with his emotions.

'It's no good bawling, Sammy,' he said. 'She was right when she said aeroplanes are dangerous. She was only wrong in thinking it would be me. I did this thing to her, so I'm packing up. I'm going home.'

Sammy's eyes widened. 'Ira, we've still got an aeroplane worth about a thousand quid and we can buy three *new* aircraft and a whole godown of spare parts if we want now. Spare engines. Propellers. Something we've never had before. We've got money in the bank.'

'*And* the insurance we took out on Ellie when we started,' Ira said bitterly. 'But I'm not sure I want anything more to do with aeroplanes.'

Sammy gestured. 'Ira, I don't know anybody who knows more about them than you do. You've been working on 'em and flying in 'em since they were string and wire birdcages. Only the Wright Brothers know more than you. Don't pack it in now. If it'll help, leave it for a bit, but don't give it up.' He paused. 'There's just one other thing,' he went on. 'On the way down here I got talking to Jimmy Cheng. He wants you to teach him to fly, like his big brother.'

The grim expression on Ira's face melted. Kowalski touched his arm. 'There are hundreds waiting to learn, Ira,' he pointed out. 'Hundreds of guys. Chinese, Indians, God knows what, who're beginning to realize that flying's the future.'

'You can't just pack it all in and go and open a fag shop or something,' Sammy went on, struggling for words. 'It's a bit like being a priest, Ira. You've got something to give 'em and they want it. You couldn't turn your back on 'em any more than a priest could.'

Ira was silent for a moment. He'd seen the R.A.F. attaché the day before to arrange spares and petrol for the De Havilland. He was a man Ira had known in France and he'd been on the point of going home.

'Better you than the Chinks,' he'd said as he'd taken Ira's list. 'We're completely re-equipped at home, anyway. We've got a Gloster now that'll do two hundred and forty miles an hour and the Yanks have a new Curtiss that'll do more than *that*. You could get whole planes at knock-down prices, if you wanted 'em, never mind spares.'

He'd managed a stiff smile. 'Heard about that scrap of yours over Tsosiehn, old boy,' he'd said. 'That's one you'll not get a medal for.'

'Curiously enough,' Ira had said, 'I did.'

The R.A.F. man had made no more comment than a raised eyebrow. 'Just keep mum about the spares,' he warned. 'It's getting bloody rough out here and they'll be recognizing Chiang as the government before long. And then what you did up there'll be classed as anti-British. Those bloody lunatics in the House of Commons'll be calling you a mercenary.'

Ira frowned, blinking suddenly. He could see Peter and Jimmy Cheng and about a dozen Wangs unloading the baggage and, just beyond them, on the staging, their crates of spares.

After the way they'd fought to keep their machines flying it would have been ridiculous to stop now.

'Sammy,' he said, 'I saw the R.A.F. attaché here. He said they'd call us mercenaries back home now. I never thought of it that way, did you?'

Sammy frowned. It didn't seem to be worth worrying about to him.

'I suppose he was right, though,' Ira went on. 'But what he *ought* to have said was "misfits". That's what we are, Sammy. We shan't fit into an orderly way of life until aeroplanes are part of it, too.'

Sammy was looking hopeful suddenly.

'We *will* start that carrying company, Sammy,' Ira continued. 'We'll get it going, and we'll make a damn' good job of it, too.'

Sammy drew a deep breath and grinned at Kowalski. 'I'm glad, Ira,' he said with sincerity. 'Honest I am. Not for me or the others. For you. You'd be such a bloody waste at anything else.'

Ira managed a smile. 'I wouldn't know how to do anything else, really, Sammy,' he said. 'So I might as well go into this and make it safe. Ellie said that it'd be the ones who came afterwards who got the benefit of the things we'd risked. So let's make it that way. Let's make it the best and safest there is.'

He drew a deep breath. There was still a frozen spot near his heart that would take a long time to heal, but he felt better with the need to do something. Work would make him forget. He slapped Sammy on the shoulder.

'Let's get those spares ashore, Sammy,' he said. 'And then we'll nose around to buy a couple of new aircraft.'